도서출판 대장간은
쇠를 달구어 연장을 만들듯이
생각을 다듬어 기독교 가치관을
바르게 세우는 곳입니다.

대장간이란 이름에는
사라져가는 복음의 능력을 되살리고,
낡은 것을 새롭게 풀무질하며, 잘못된 것을
바로 세우겠다는 의지가 담겨져 있습니다.

www.daejanggan.org

KB215240

하나님의 정치와 인간의 정치

지은이	자끄 엘륄 Jacques Ellul
옮긴이	김은경
초판발행	2012년 9월 24일
초판2쇄	2018년 9월 11일
펴낸이	배용하
책임편집	박민서
등록	제364-2008-000013호
펴낸 곳	도서출판 대장간
	www.daejanggan.org
등록한 곳	충청남도 논산시 가야곡면 매죽헌로1176번길 8-54
편집부	전화 (041) 742-1424
영업부	전화 (041) 742-1424 전송 0303-0959-1424
ISBN	978-89-7071-270-3 03230

이 책은 한국어 저작권은 La Table Ronde와 독점 계약한 대장간에 있습니다.
이 책에서 인용한 성서 본문은 대한성서공회의 새번역과 개역개정성경을 사용하였습니다.

 값 11,000원

하나님의 정치와 인간의 정치

자끄 엘륄 지음

김 은 경 옮김

POLITIQUE DE DIEU, POLITIQUES DE L'HOMME

Jacques Ellul

차례,

옮긴이의 글

깊은 묵상의 산물인 이 엘륄의 글은 성서읽기의 새로운 차원을 열어 주며 한층 말씀의 깊이에 다가가게 합니다. 그러면서 마치 세포조직의 미세한 망들을 들여다보듯 성서에서 풀리지 않던 비의들을 세세하게 발견하는 기쁨도 선사합니다.

죄가 무엇인가. 이 질문은 참 어렵습니다. 한편으로 죄는 하나님을 알지 못하는 것이라고 짧은 단문으로 쉽게 답할 수도 있습니다. 하지만 이 답은 우리에게 직접 와 닿지 않습니다. 엘륄은 열왕기하의 몇몇 장을 통해서, 간명하지만 면밀하게 이러한 인간의 죄성이 어떤 상황에서 어떻게 드러나는지를 파헤쳐줍니다. 우리시대와도 매우 동떨어지고 구약의 이야기라는 거리가 있지만, 놀랍게도 그 시대의 정황과 정치적 인물들이 범하는 죄의 유형은 현재 우리의 모습과 흡사합니다. 엘륄은 왜 인간의 정치와 하나님의 정치는 나뉠 수밖에 없고, 그러한 가운데 하나님의 지혜와 경륜이 인간의 속악한 죄성을 어떻게 어루만지는지 문제지와 해답을 함께 묶어 제시합니다.

오늘날 우리는 빈번이 우리의 생각과 판단과 기대에 의존하다가 그것들로부터 아주 처절하게 버림받거나 치욕을 당하기 일쑤입니다. 더불어 믿음의 여정 중에 만나게 되는 의문과 영적인 갈증은 때론 심각한 내적 갈등을 불러일으키는 경우도 종종 있습니다. 이런 부분들에 대해 우리가 공감

할 수 있는 이야기가 이 책에서 전개됩니다. 열왕기하의 짧은 대목들 속에서 실제 하나님께서 심판하시는 우리의 죄는 무엇인지, 또 우리의 눈으로는 이해할 수 없는 역설적인 상황들에 대해 우리가 어떻게 임해야 하는지, 그런 가운데 주님의 계획과 뜻을 살피는 것이 어떻게 가능한지를 알아보게 합니다. 엘륄이 파헤친 예리한 분석들은 우리의 녹록치 않은 삶 가운데 든든한 믿음과 소망의 사다리를 놓아주리라 싶습니다.

하나님의 계획과 뜻 안에서 우리를 내려놓고 그분을 바라보는 일은 어린아이가 하는 일처럼 보이겠지만, 엘리사가 그렇게 일했고, 예수님이 그렇게 순종하셨습니다. 우리는 우리가 갈 길을 마음대로 선택할 수 있다고 하지만 우리의 존재는 그분을 통하지 않고는 아무 의미가 없다는 것을 엘륄이 재차 분명하게 밝혀줍니다.

엘륄이 깊은 우물에서 길어 올린, 이 지혜의 샘물이 어지러운 우리의 정치현실 속에서 한모금의 해갈이 되기를 바라는 마음입니다.

서 평

　기쁘게도 이번에 자끄 엘륄의 명저 『하나님의 정치와 인간의 정치』가 원전에서 번역 출간되었다. 그의 다른 저술의 경우처럼 구약학전공자의 입장에서 볼 때, 그의 구약관련저서는 훌륭한 '구약주석' 이라고 말할 수 있을 정도로 항상 정확하고 흥미롭고 심오하며 심지어 '자극적' 으로 다가온다. 2003년에 사무엘서와 열왕기본문에 대한 해설서를 쓸 때, 엘륄의 책 제목을 따라 『하나님의 정치와 인간의 정치』라고 지었을 정도로 이 책과의 인연은 깊다.

　저자의 주장처럼, 성경 특히 왕들의 이야기는 신학적인 면과 아울러 정치적인 측면이 있다. 이 말은 정치영역을 무조건적으로 합리화시키는 것이 아니다. 오히려 이 책에 사용된 성경 본문은 정치의 상대성, 즉 "인간의 자율성, 반역, 그리고 하나님의 역할을 대신하려는 인간의 교만한 시도를 가장 훌륭하게 확증해주는 영역"을 보여준다. 여기서 우리는 인간들을 통하여 나타나는 하나님의 역사를 발견할 수 있다. 인간들은 자유롭게 선택하고 결정하고 행동하지만, 실패한다. 그러나 하나님은 인간의 선택의 자유를 훼손시키지 않으면서도 '주권적으로' 인간을 구원하고자 역사 속에 개입하사 행하신다.

　엘륄은 신실한 자들이 인생의 정치적 영역을 어떻게 수행하는가를 보여주기 위해 열왕기하 16-18장의 본문을 선택한다. 여기에 나오는 중요한 인물들인 나아만과 엘리사(5:1-19), 요람(6:24-7:17), 하사엘(8:7-15, 13:14-25), 예후(9-10장), 아하스(16:1-20), 랍사게(18:17-37), 히스기야(19장)를 다룬다. 이 논의를 통해 엘륄은 하나님이 신앙인들과 비신앙인들을 통해 자신의 목적을 '어떻게' 달성하시는가를 잘 보여준다.

모쪼록 본서를 통하여 나는 열왕기시대의 중요한 사람들의 정치적 활동에 대한 간결하지만 복잡한 논의를 통하여 우리에게 필요한 정치와 국가, 성경과 교회의 정치에 대한 건전한 관점이에 대한 자세한 논의는 Joyce M. Hanks, 'The Politics of God and the Politics of Ellul,' Journal of Evangelical Theological Society 35/2 June 1992: 217–230를 참조하라을 향유할 수 있는 기회가 되기를 바란다.

성기문 | 성경주해와설교연구소 대표

추천의 글

앙뜨완 누이

자끄 엘륄의 사상에서 사회학적인 차원과 신학적인 차원은 서로 보완하고 상응합니다. 엘륄이 현실에 참여하는 것은 영적인 동기 때문입니다. 그에게 현재는 비극적인 시대이며, 자유를 간절히 구하는 만큼 도착된 자기 상실에 사로잡혀 있는 시대입니다. 그래서 이 시대가 망각하게 하며 포기하게 하는 인간의 내적인 삶을 다루어서 영적인 필요를 환기시켜야 합니다. 이 책에서 엘륄은 신학자의 시각으로, 또한 행동하는 지성의 날카롭고 정의로운 독설가의 시각으로 현대 사회를 철저하게 발가벗깁니다. 권력의 실제 결과물들과 폭력의 불가항력적인 순환과 돈의 횡포가 드러납니다.

그의 신학적인 작업에 대한 전체적인 조망은 어거스틴의 말을 인용하는 것으로 요약될 수 있습니다. "희망에게는 아주 예쁜 두 자녀가 있다. 두 자녀의 이름은 용기와 분노이다." 희망은 엘륄의 모든 작품을 관통합니다. 희망은 그로 하여금 니힐리즘의 환멸에 빠지는 사회학적인 비관주의를 벗어나게 했습니다. 또한, 용기와 분노가 엘륄의 모든 작품을 관통합니다. 그는 예언자처럼 훈계하고 경고를 합니다. 그리하여 그는 우리를 끊임없이 불편하게 합니다.

철학자요, 신학자요, 도덕가요, 사회 문제로 투쟁하는 사회참여자요, 혁명과 기술에 대한 비판적 사상가인 자끄 엘륄1912-1994은 이 시대의 아주 걸출한 인물 중의 한 사람입니다. 그러나 그는 프랑스 지식인 중에서 제일 잘 알려지지 않은 인물이기도 합니다. 이제 미국에서 얻은 좋은 평판에 이어서, 수많은 그의 작품은 젊은이들 사이에서 전대미문의 반향을 불러일으키고 있습니다. 그를 작가로서 발견하거나 아니면 재발견해야 하는 것은 참으로 절실한 요청이라 하겠습니다.

서론

우리가 이제부터 열왕기하에서 보고자 하는 모든 사건은 예수 그리스도에 초점이 맞추어져 있습니다. 따라서 성서의 계시와 그 구현 과정의 통일성을 중시해야 합니다. 모든 것이 그리스도에게서 온 것처럼 또한 그 모든 것이 그리스도를 지향합니다. 그러므로 예수 그리스도는 열왕기하의 모든 어두운 역사 가운데에서 발견됩니다. 또한, 그 사건들을 살펴볼 때 예수의 예표로서 엘리사라는 인물을 주목해야 합니다. 물론 우리가 보고자 하는 열왕기의 본문 중에서 열왕기하 16장에서 18장의 내용은 엘리사가 죽고 난 이후의 시기를 다루고 있습니다. 그럼에도, 엘리사는 열왕기하의 중심적인 인물로서 그가 죽고 난 이후의 사건들도 그가 정해놓은 대로 진행됩니다.[1)]

엘리야는 전통적으로 다시 오실 그분을 나타내며 그의 재림으로 역사는 종말을 고하게 될 것입니다. 그는 죽음을 겪지 않고 하늘로 들어 올리어졌으며 종말의 날에 다시 돌아올 것입니다. 말라기 3-4장에서 하나님은 말라기 예언자를 통하여 엘리야가 주의 강림 이전에 미리 오게 될 그 예언자임을 선언합니다. 엘리야가 다시 오리라는 확신이 이스라엘 백성에게는 너무도 강했기에 십자가의 그리스도의 절규를 엘리야를 부르는 것으로 여기는 사람도 있었던 것입니다.

엘리야는 주의 강림에 앞서 미리 오는 그 예언자입니다. 예수는 세례침

---

1) 여기서 말하는 내용은 비셔(W. Visscher)가 제시했던 점을 재고한 것에 그치는 것임을 밝혀둡니다.

례 요한을 엘리야로 지목하면서 그 사실을 분명히 합니다. "엘리야는 이미 왔다. 사람들이 그를 알지 못하고 임의로 대우하였도다." 마17:12 그러나 세례 요한이 예수가 오기 전에 미리 온 것처럼 엘리야가 주의 강림 이전에 앞서 온 것이라면 엘리사는 예수 그리스도의 예표요 형상이며 예언의 구현자입니다. 게다가 세례 요한이 예수를 오실 주님으로 지목한 것처럼 엘리야도 엘리사를 그렇게 지목합니다. 또한, 예수와 엘리사라는 그 이름들이 '하나님이 도우신다' 혹은 '하나님이 도우셨다'는 똑같은 의미가 있는 것에도 주목해야 합니다. 이스라엘에서는 사람 이름의 의미를 지극히 중요하게 받아들이고 있습니다. 더욱이 엘리사는 엘리야보다 더 위대한 예언자로 나타납니다. 그는 엘리야에게 임한 영적인 능력을 갑절이나 더 받았습니다. 갑절로 능력이 주어진 것은 한 사람이 개인적으로 준 것이거나 엘리야가 나누어 준 것이 아니고 하나님의 기적적인 역사에 의한 것입니다.

엘리야의 예언을 따라서 영원한 하나님의 불병거를 봤을 때 엘리사는 갑절의 영적인 능력을 받았음을 알게 됩니다. 엘리사의 능력이 요르단 강가에서 선포됩니다. 그때로부터 성령이 폭발적으로 강력하게 임재하는 역사가 일어납니다. 엘리사의 예언자로서의 사역에서 주목할 것은 비상한 기적적인 능력이 차고 넘쳤다는 사실입니다. 그 기적들은 온갖 상황 가운데 다양한 면에서 일어났습니다. 엘리사가 일으킨 그와 같은 기적들은 때때로 불안과 의심을 자아내게 하고 불편하게 하기도 합니다. 기독교적 긍휼의 측면에서 보면 질적으로 좋지 않게 보이는 기적들도 있었습니다. 곰에 물어뜯긴 아이들이라든가, 떠오르는 철제 낫이라든가, 써서 먹을 수 없는 죽이 달게 된다든가 하는 데서 우리는 하나님이 일으키는 기적들의 의미와 가치를 발견하기 어렵습니다.

그것들은 때때로 단순한 마술과 같은 행위들과 같이 펼쳐집니다. 그래서 엘리사를 마술 부리는 능력을 가진 사람에 불과한 것으로 깎아내리고 싶은 마음이 들기도 합니다. 그러나 예수가 일으킨 기적들 가운데도 마술적인 것들이 있음을 잊지 말아야 합니다. 거기엔 진흙덩이로 장님의 눈을 뜨게 한 것과 예수의 옷자락을 만짐으로 치유를 받은 여인과 같은 예들이 있습니다.

그 사실은 따라서 엘리사를 예수 그리스도의 예표로 보지 못할 충분한 근거가 될 수 없습니다. 오히려 엘리사와 예수가 각기 일으킨 기적들은 서로 간에 유사성을 보여 줍니다. 빵으로 기적을 일으켰을 때 엘리사가 한 말은 예수가 한 말 "너희가 먹을 것을 주라"과 같고, 엘리사가 수넴의 과부 아들을 소생시킨 곳은 예수가 같은 기적을 행한 곳인 나인성과 같습니다. 그 모든 일에는 우연을 넘어서는 것이 있습니다.

엘리사의 사역에 기적적인 역사가 많은 것은 하나님의 영의 임재가 충만함을 나타내기 위한 것으로 예수의 경우와 마찬가지입니다.

그러나 엘리사의 또 다른 면, 즉 정치적 성격이 우리를 당혹하게 합니다. 그는 당시의 현실 정치와 밀접하게 연관을 맺으면서 뒤에 보게 되듯이 정치에 변화를 가져옵니다. 그의 역할은 엘리야의 경우와 다릅니다.

엘리야의 사명은 영원한 주님을 향한 신앙의 순수성과 하나님의 거룩성을 지켜내면서 모든 우상숭배자와의 투쟁을 지속하는 것입니다. 이스라엘을 신실한 믿음의 백성으로 다시 돌아오게 하고 우상을 타파해야 하는 것입니다. 어떤 의미에서 그것은 회개와 정결의 침례를 주는 세례 요한의 사명과 같은 것이기도 합니다. 엘리야가 와서 모든 것을 회복시킬 것이라고 말한 것은 그런 이유 때문이기도 합니다. 그러나 엘리사의 사역과 소명은 그와는 전적으로 다릅니다. 그는 정결하게 하는 예언자가 아니라 능력을 행하는 예언자입니다. 그는 하나님이 만왕의 왕임을 선포합니다. 동시에 그의 행동과 사역은 곧 하나님의 왕국의 보편성과 임박성을 뜻합니다. 하나님의 왕국은 가까이 다가왔습니다. 그리고 그것은 정치 현실과 함께 다른 모든 것을 완전히 변화시킬 것입니다. 정치적인 측면과 아울러 모든 면에서 기적적인 일이 넘쳐나므로 그 사실이 드러납니다. 하나님은 모든 민족의 하나님이요, 모든 왕 위에 군림하고 세계를 통치합니다. 엘리사가 행하는 정치적인 기적들이 이를 증명합니다. 하나님의 주권적 통치는 구체적이고 눈에 보이는 현실에서 드러납니다. 하나님나라가 여러분에게 가까이 왔다는 말은 정치적인 의미이기도 합니다. 엘리사는 그런 의미에서 예수 그리스도 이전의 모든 예언자가 그런 것처럼 장차 있을 예수 그리스도의 존재와 사역을 상대적이고 부차적인 측면으로만 제시하고 증언합니다. 하지만, 그것은 또한 예수 그리스도 안에서 주어진 완전한 계시에 포함되어 있습니다.

"나사렛에서 무슨 선한 것이 나오겠느냐?"라고 예수에 대해 한 말을 살펴볼 때 갈릴리 지역이 엘리사의 시대에는 북 왕국에 속해 있었으며, 엘리사는 북 왕국의 예언자였다는 사실도 기억해야 하지 않겠습니까?

우리는 여기서 엘리사의 그런 면을 더는 부각시키지 않을 것입니다. 그러나 독자들은 열왕기하를 숙고할 때 엘리사가 그리스도의 예표라는 점을 항상 기억하기를 바랍니다. 그 사실을 인지하는 데서부터 모든 나머지 것이 질서와 의미를 가지게 됩니다. 하지만, 이 책의 목적은 그 사실을 입증하는 데 있지 않습니다.

성서의 모든 책은 각각의 고유한 의미와 요점과 시각을 가지고, 하나님의 완전한 계시의 한 측면을 보여주며, 우리에게 각기 고유하고 유일한 진리를 말해줍니다. 따라서 모든 성서는 엄밀하게 보면 서로서로 분리될 수 없습니다. 그렇다고 혼동하여서는 안 됩니다. 성서의 모든 책은 각기 고유한 특성을 가지므로 섣불리 거기서 성서의 어느 다른 부분에서도 유효한 "큰 원리들"을 걸러내려 해서는 안 됩니다. 물론 모든 것은 모든 것 안에 다 있습니다. 그러나 각각의 텍스트에서 모든 것을 얻으려는 시도는 어디에도

유용하지 않다고 봅니다.[2])

내 생각에는 성서의 각 권의 책에서는 그 자체의 고유한 내용을 보아야 하고 그것이 해석의 우선적인 원칙이 되어야 한다고 봅니다. 각각의 책에서 우리는 그 책이 표현하는 것 이외의 다른 의미를 능숙하게 찾아낼 수 있지만, 그것은 그 책이 우리에게 말하고 또 말하고자 하는 것에 비하면 중요하지 않고 부수적일 뿐입니다. 그 이유는 하나님이 우리가 그 책에서 찾기를 바라는 의미는 그 책이 말하고자 하는 데에 있기 때문입니다. 열왕기하는 아주 분명하게 우리에게 유다 왕국과 북이스라엘 왕국의 역사에 하나님이 개입한 사건들을 보여줍니다.

내가 보기에 열왕기하에는 계시의 두 가지 특성들이 있습니다. 먼저 대부분의 본문이 말하는 문제들이 좁은 의미의 정치적 특성을 갖는다는 것입니다. 그것은 아람과 앗시리아와 에돔과 애굽 사이에서 하나의 정치적 국가로서 이스라엘이 처한 상황의 문제요, 왕국으로서의 이스라엘이 겪는 쇠망의 문제입니다. 우리는 그런 인간사 속에 펼쳐지는 하나님의 자리와 현존과 활동을 보게 됩니다.

열왕기하는 성서의 모든 책 가운데서 가장 정치적인 책일 것입니다. 왜

---

2) 우리는 여기서 열왕기하에 대한 한 권의 완전한 주석을 펴내고자 하는 것이 아닙니다. 우리는 열왕기하에서 보이는 독특하고 확고한 것과 거기서부터 찾을 수 있는 저자의 의도를 따라 몇 가지 유형들을 선택할 것입니다. 우리는 여기서 어떤 학문적인 저술을 염두에 두지 않습니다. 나는 세밀한 주석도, 열왕기하의 편집 추정 시점들에 따른 분석도 하지 않을 것입니다.
나는 이 책이 이스라엘의 영적인 역사 속에서 어떤 단계를 의미하는지 탐구하지 않을 것이며, 왜 그런 정치사적 시점에서 기록되었는지 그 이유를 찾으려 하지 않을 것입니다. 양식비평의 방법이나 정신도 따르지 않을 것입니다. 그것들은 작금의 성서 신학이 의례 다루는 것들입니다. 그 사실을 몰라서 그러는 것은 아니지만, 내 생각에는 그런 내재적인 연구는 그 가치가 나름대로 있으나 그 용도는 아주 제한적일 뿐이며 성서 본문의 더 심오한 해석을 아주 상대화시켜 전달하는데 그칩니다. 나는 성서 앞에서 신실한 성도로서의 단순한 태도를 보이고자 합니다. 즉, 나는 읽어가는 본문을 통해서 하나님의 말씀이 무엇인지 얻으려 하고 나의 삶에 어떤 의미가 있는지 찾고자 합니다.
우리는 묵상의 차원을 다룰 것입니다. 그러나 묵상이 학문적이지 않다 해서 주석보다 덜 중요하다고 볼 수 없습니다.
물론 나는 나만의 해석학적인 작은 전제들을 설정하고 있습니다. 그것들을 여기서 논증하고 싶지는 않지만, 나는 그 전제들이 다른 학파들의 이론들만큼이나 정당한 근거가 있다고 믿습니다.

냐하면, 이 책은 이스라엘이 현실적으로 정치적 국가가 되어 여러 제국의 세력 균형에 한 몫을 담당하는 것을 다루고 있고 더욱이 위기의 시기를 언급하고 있기 때문입니다. 특히 이 책에서는 바울의 서신서들에 나오는 윤리적이거나 영적인 지향들 혹은 원칙들뿐만 아니라 정치적인 행위가 실제로 이뤄지는 것이 나타나기 때문입니다.

이 모든 것은 정치적인 문제를 교회에서 다루지 말아야 한다는 사람들이 현실 속에 존재하는 중요한 문제가 아닐 수 없습니다. 성서는 교회가 영적인 부분만 있는 게 아니라는 것과, 정치가 인간의 무익하고 단순한 행동에만 치부될 수 없음을 보여줍니다. 정치는 아마도 악마가 지배하는 영역일 수 있겠지만 우리는 그리스도인으로서 정치와 관계가 있습니다.

또한, 정치가 세상 사람들과 그리스도인들의 주요 활동 영역이 되고 정치적인 참여가 절대적이어서 이제는 모든 것이 정치화되는 것을 바라는 사람들이 현실 속에 존재하는 한 정치를 숙고해 보는 것이 중요한 의미를 가집니다.

사실 성서 본문들은 정치의 상대성을 보여줍니다. 정치는 하나님을 벗어나려는 인간의 독립심과 반역과 오만이 가장 크게 드러나는 영역입니다. 그래서 하나님은 원하든 원하지 않든 간에 정치에 개입합니다. 그런데 정치는 특정한 문제를 제기합니다. 그리스도인들 사이에서는 국가 원리에 관한 논의가 자주 오갑니다. 국가 조직들에 대한 신학적 이론은 잘 알려져 있고 토론도 많이 되어 있습니다. 그러나 국가와 정치 활동은 다른 것입니다. 권력의 정당성과 국가 권위의 타당성을 인정하는 것은 정치하는 것과는 무관합니다. 내가 여기서 말하고자 하는 바는 이것은 단지 정치적인 주장을 내세우거나 길거리 데모를 하는 것 집단적인 행동에 참여하는 것에 불과합니다. 그저 아무런 가치도 의미도 없는 정치적인 환상에 지나지 않는 것입니다. 그것이 분명한 기독교적인 양심에 따른 항거로서 하나님의 뜻에 순종하는 것이라면 국가에 대해 중요한 역할을 하는 것입니다. 그러나 그것이 정치 행위는 아닙니다. 칼 바르트조차 "그리스도인들이 무력과 억압과 공포의 질서 속에서도 하나님의 섭리가 역사한다는 것을 안다고 해서, 그들이 반정치적이거나 비정치적인 태도를 취할 수가 없다"며 국가와 정치를 혼동하고 있습니다.

사실 중요한 문제는 실제 정치 행위에 적극적으로 참여하는 것으로써 국가 조직이나 정당에서 지도적인 역할을 하는 것입니다. 그것이 정치하는 것이며 그 이외의 다른 것들은 여론조성이나 추종하는 것이나 연설하는 것이지 정치 행위가 아닙니다. 그런데 열왕기하에는 국가의 문제가 아니라 정치 행위의 문제가 전면적으로 대두하고 있습니다.

나는 첫 번째로 그러한 정치적 견지에서 성서 본문들을 택할 것입니다. 물론 엘리사의 활동에는 정치적인 행위와 하나님 사랑을 개별적으로 증거하는 행위가 밀접하게 관련되어 있습니다. 모압에 취한 행동과 나아만 장군에게 취한 행동 사이에는 기름의 기적과 수넴 여인의 죽은 아이가 소생하는 기적이 있습니다. 또 사마리아성의 포위와 아람왕 하사엘로 인한 비극 사이에는 기근으로 모든 것을 다 잃어버린 수넴 여인을 향한 공의의 행동이 있습니다. 바로 이렇게 공적인 것과 개인적인 것이 밀접하게 얽혀 있는 것이 곧 예언자 엘리사의 사역 내용입니다. 그러나 여기서 우리는 그의 정치적인 활동만을 보기로 합니다.

그렇다고 성서에서 하나의 정치 이론을 이끌어내려고 시도하는 것은 결코 아닙니다. 오히려 그 반대라 할 수 있습니다.

성서의 사건들을 통해서 사람들이 정치를 어떻게 인식하며 행하는지를 보면서 우리는 정치적인 행위에 하나님이 개입하는 것을 보게 됩니다. 그것은 역사에 관한 것이지 원칙들에 관한 것이 아닙니다. 우리는 또한 정치에 대한 하나님의 심판을 보게 되는바, 그것은 예언과 계시에 관한 것이지 윤리와 정치적 절차에 관한 것은 아닙니다.

여기서 우리는 열왕기하의 두 번째 측면인 특별한 계시를 접합니다. 그것은 그 어떤 것보다 칼 바르트가 구체적으로 지적한 "하나님의 자유로운 결정 안에서 인간의 자유로운 결단"을 목도하게 합니다. 이렇게 인간의 행위와 하나님의 역사는 연관되어 있습니다. 정치적인 상황들을 역사적인 시각으로 보게 되면 우리는 신학의 난제 중의 하나와 만납니다. 그것은 형이상학에서 잘 알려진 이론으로 합리적으로 풀 수 없는 문제입니다. 하나님이 전능하시다면 인간에게 어떤 자유도 허용할 수 없습니다. 따라서 인간은 하나님이 결정한 것을 기계적으로 실행할 수밖에 없습니다. 반대로 인간이 자유 의지를 가지고 자유롭게 결정한다면 하나님은 이론상의 추상적인 하나님이거나 무능한 하나님입니다.

이처럼 이 신학적인 딜레마는 우리가 보는 성서의 사건들 속에서 포괄적이고 합리적인 방법으로로 도저히 해결되지 않습니다. 다만, 이 난제는 생생한 현실 가운데 도식화할 수 없는 사실로 남게 될 뿐입니다. 그래서 사건들을 있는 그대로 두는 것이 아주 중요합니다. 이 사건들을 하나님에 관한 하나의 교리를 입증하는 예로 이용하려는 시도를 강력하게 물리쳐야 하는 한편, 이를 단순한 역사적인 기록으로 보아서 형식적인 주석이나 무미건조한 학문의 대상으로 만들려는 시도도 강하게 거부해야 합니다. 우리는 지극히 깊고 지극히 가치 있는 생명에 접하고 있는 바 그것을 놓쳐버리지 말아야 합니다.

물론 우리는 줄곧 거기서 하나님의 뜻이 명백하게 드러나는 것을 보게 됩니다. 그러나 하나님의 뜻은 결코 직접적으로 실행되지 않습니다. 사람들을 매개체로 하여 하나님의 뜻은 전해지고 표현되며 실현됩니다. 그 사람들이 반드시 유대인들이나 신자들이나 경건한 사람들이라는 법은 없습니다. 하나님은 그 이외의 다른 사람들과도 함께 일하십니다.

더욱이 하나님의 뜻은 결코 직접적으로 인간을 강요하여서 그 뜻하는 바를 철저하게 이행시키는 것이 아닙니다. 하나님은 인간의 독립성을 존중하면서 일종의 제안이나 계획이라는 형태로 그 뜻을 제시합니다.

하나님은 인간을 기계처럼 도구화하지 않고 가능한 여러 가지 대안들과 함께 모든 자료들을 제공합니다. 여기서 인간은 자유롭다고까지 말할 수 없는지 몰라도 독립적입니다. 인간의 하나님에 대한 독립성은 곧 전적으로 죄에 대한 예속성임을 성서는 우리에게 늘 전하고 있습니다. 독립적인 인간은 자유롭지 않습니다. 인간은 육신과 욕망들의 무게와, 사회와 문화와 직업의 영향을 받습니다. 인간은 그의 판단과 환경에 순응해야 하고 상황과 생리의 제약을 받아야 합니다. 확실히 인간은 어떤 면에서건 전혀 자유롭지 못하며 하나님 이외의 모든 것에 예속되어 있습니다. 하나님은 인간을 제약하지 않고 강요하지 않습니다. 하나님은 그런 조건들 속에서 인간이 독립적인 존재로 있게 합니다.

열왕기하는 바로 그런 조건들을 상황마다 아주 실제적으로 기술하고 있습니다. 인간은 거기서 홀로 많은 행위들을 스스로 결정합니다. 많은 경우 그 행위들은 실패로 끝나고 방향 없이 길을 잃어 사막에서 사라지고 맙니다. 어떤 행위들은 성공하기도 합니다. 그런 경우 인간이 자기 나름대로의 이유와 기대를 가지고 택한 그 행위들은 하나님이 과거에 결정하여 기다리던 것을 실현시키기도 합니다. 그 사실을 정작 인간은 인식하지 못하거나 사전에 인지하지 못한 경우가 흔합니다. 그런 행위들은 하나님의 계획에 포함되고 하나님이 구상했던 새로운 상황을 정확하게 구현합니다.

그러나 하나님의 결정과 인간의 결정의 관계를 너무 단순한 구도로 보면 안 됩니다. 왜냐하면, 우리가 보고자 하는 성서의 사건들 속에 때로는 어떤 인간의 결정도 하나님의 계획에 아무런 역할을 하지 못하고 어떤 인간의 독립적인 선택도 상황을 진척시켜 하나님의 계획을 구현하지 못하는 것을 보게 됩니다. 여기서 계획을 수정하는 주체가 하나님이라는 놀라운 사실을 발견하게 됩니다. 인간은 하나님이 원하지 않는 새로운 상황들을 만들어갈 수 있습니다. 주 하나님은 결코 포기하지 않기에, 즉 자신의 전제적인 뜻이 아니라 인간의 선과 구원을 실현시키는 뜻을 포기하지 않는 까닭에 자신의 계획들을 변경시킵니다. 하나님은 이 새로운 상황 속에 임하여 인간에게 뜻밖의 예상하지 않은 결과들을 끌어내어 궁극적으로 하나님의 사랑의 구현에 이르게 합니다.

하나님의 길이 인간의 길 너머 위에 있는 것처럼 에베소서 3장 10절의 말씀과 같이 하나님의 지혜가 다양하듯이 하나님의 통치의 방식들도 셀 수 없이 다양하다는 사실을 알아야 합니다.

이 이야기에서 가장 잘 알려진 예로써, 이 책에서 다루는 성서 본문에 나오는 것은 아니지만 이스라엘 왕국의 탄생을 들고 싶습니다. 선택받은 민족 이스라엘은 주변의 다른 민족들로부터 사회적인 압박을 받았습니다. 다른 민족들은 한 가지 정부 형태, 즉 왕정을 갖추고 있었습니다.

인간적인 견지에서 이스라엘은 왕정이 자신의 정치 조직 형태에 비해서 앞선 것이고 효율적이며 안정적이어서 사사기의 체제에서는 찾아볼 수 없는 정치적인 예측을 할 수 있다고 평가했습니다. 그것은 정치적인 판단으로서 이스라엘 자신의 조직과 제도는 하나님이 주셨다는 사실을 감안하지 않은 것입니다. 정치적인 효과라는 측면에서만 보면 물론 이스라엘의 판단이 맞긴 합니다.

왕정은 사회학적으로 부족사회나 봉건적 체제에 비해서 앞선 것입니다. 이스라엘은 제일 앞선 민족들에게서 본보기를 찾았습니다. 이스라엘은 그 민족들과 자신을 동일시하고 싶었던 것입니다. 그런데 그것은 하나님이 원하시는 제도가 아니었습니다. 그것은 여호와 하나님과 그 화신인 왕 사이에 혼란을 불러올 것이기 때문입니다. 하나님은 반대했지만 이스라엘 민족은 이 합리적인 선진 체제를 요구하며 고집했습니다. 그러자 하나님은 그 백성에게 경고했습니다. 그 경고 속에는 중앙 집권화된 정치 권력이 필연적으로 어떻게 될 것인지 잘 그려져 있습니다. 즉, 세금과 군대 복무, 경찰의 간섭과 통제 불가능한 권력 등이 그 모습들입니다. 그것이 다른 민족들의 발전된 수준에 맞추어, 하나님의 백성이 효과적인 정치 권력 체제를 채택하기 위해서 치루어야 할 대가였습니다. (그렇다 하더라도 하나님의 백성이 낡은 정치 체제를 대표하며 가장 후진적인 민족이라는 것은 말이 되지 않습니다) 하나님의 그러한 경고에도 불구하고 하나님의 백성은 고집을 부리면서 그것을 예언으로 받아들이기 원치 않고 헛된 위협으로 받아들였습니다. 이스라엘 백성은 다른 민족들의 모습에서 영예로운 왕과 중앙집권화된 권력 체제의 우수성을 분명하게 보았습니다. 그러자 하나님은 더 강요하지 않고 이스라엘의 불순종을 용납했습니다. 하나님은 사사 사무엘에게 "이는 그들이 너를 버림이 아니요 나를 버림이다"라고 말하였습니다. 이 짧은 말에 하나님의 아픔과 극심한 고통이 배어 나옵니다. 하나님은 자기 백성에게 버림 받는 고통을 자신의 종인 사무엘에게서 덜어 줍니다. 그러면서 이제 그 짐을 스스로 짊어지고 자신이 택하고 사랑해온 인간에게 버림받은 하나님이 된 부담을 안습니다. 그러나 하나님은 포기하지 않습니다. 하나님은 그럼에도 불구하고 자기 백성을 구원하기를 멈추지 않고, 갈수록 완고해지는 그 백성을 돌이키기를 포기하지 않습니다. 이스라엘이 하나님을 버리고 다시 노예가 되는 것도 불사하고 왕정을 가지기를 원한다면 하나님은 그렇게 하게 둡니다. 이렇듯이 하나님은 이스라엘이 예전의 체제를 유지하도록 강압하거나 강요하지 않습니다.

하나님은 이제 목이 곧은 자기 백성의 독립적인 결정으로 조성된 새로운 상황을 타개해 나아갈 것입니다.

첫 번째 왕은 사울입니다. 그러나 사울 왕이 하나님으로부터 버림을 받게 됨으로 해서 왕정이 어떤 것인지 분명하게 드러나게 되었습니다. 하지만, 두 번째 왕은 다윗 왕입니다. 하나님은 이스라엘 백성의 불순종을 사용하여, 그 반역의 산물인 왕을 온전한 순종을 이루려고 오실 주님의 선조요, 예언이요, 예표로 만들어 냅니다. 여기서 우리는 인간의 터무니없는 선택들에 대해 하나님이 어떻게 대응하는지 그 신비로운 과정을 봅니다. 우리는 이와 같은 것을 열왕기하에서 계속해서 발견할 것입니다.

그러나 하나님은 인간이 불순종하는 가운데서 궁극적으로는 하나님의 섭리를 성취하는데 반해, 인간은 그 반대의 상황에 처합니다. 그 상황은 당혹스러운 것입니다. 하나님의 뜻을 성취하고 그 계획에 참여하고 하나님이 원하시는 것을 실현한다 할지라도, 그것이 하나님이 인간을 인정하고 구원하고 축복하는 것을 보증하는 것은 결코 아닙니다.

그 이유는 정치적인 세계에서나 세상을 경영하는 데서 인간이 하나님의 계획에 필요한 것을 이루었다는 사실이, 인간이 하나님 앞에서 자신을 내세울 수 있는 근거가 된다는 보장은 어디에도 없다는 것입니다. 그렇게 행하는 사람은 하나님이 기대하는 그것을 성취했다는 그 이유로 해서 얼마간 형벌을 받을 수 있습니다. 하나님의 '도구'가 된 사람이나 백성은 하나님이 요구한 것을 이행하지 않을 수가 없었지만, 그렇게 이행한 것 때문에 버림받을 수 있습니다. 이는 아마도 정치적인 영역이 사단의 영역이기도 하기 때문일 것입니다. 열왕기하가 아닌 이사야 10-11장에서 그 예를 들어봅시다. 이스라엘이 도를 넘어서서 불법을 자행하고 가난한 자들을 짓밟고 그 교만이 하늘을 찌르자 하나님은 벌합니다. 앗시리아는 하나님의 진노의 도구입니다. "내가 그에게 명령하여 나를 노하게 한 백성을 쳐서 탈취하며 노략하게 하며 또 그들을 길거리의 진흙 같이 짓밟게 하려 한다" 사 10:6 그 말 그대로 앗시리아는 행합니다.

그러나 앗시리아는 자신이 주님의 손에 쥐어진 도구라는 사실을 알지 못합니다. 어떻게 그 사실을 알 수 있었겠습니까? 앗시리아는 "허다한 나라를 파괴하며 멸절하려 하는도다" 사10:7, 하나님이 그렇게 하도록 보냈는데 왜 그런 마음을 갖지 않았겠습니까? 앗시리아 왕이 여러 신을 믿는 민족들을 이스라엘까지 포함하여 다 파괴했기에 앗시리아는 자신의 왕이 신들의 왕이라고 믿었습니다. 앗시리아는 이스라엘이 애굽이나 아람과 같은 취급을 받을 수 있었다 하더라도 이스라엘의 하나님은 애굽과 아람의 신들과는 다른 존재라는 것을 알지 못했습니다.

하나님은 앗시리아에게 자신의 일을 다 할 시간을 허락하였습니다. 그 일이 다 끝나면 하나님은 이번에는 앗시리아를 벌할 것입니다. "그의 영화 아래에 불이 붙는 것 같이 맹렬히 타게 하실 것이라." 사10:16 물론 앗시리아는 아무것도 알아채지 못할 것입니다. 앗시리아는 예전에 자신이 모든 나라를 정복했던 이유를 알지 못한 것처럼 이제 자신이 왜 무너지게 되는지도 알지 못할 것입니다. 앗시리아는 아주 약해져서 몸과 혼이 다 소진될 것입니다. 그렇다면, 이스라엘은 어떻게 되는 걸까요? 이스라엘에는 아주 적은 수의 남은 자들이 있게 될 것이고, 그 적은 수의 남은 자들로부터 이새의 줄기가 폐허 속에서 솟아나올 것입니다. 이는 곧 언약이자 성취가 동시에 있을 것을 말합니다. 그때에 평화와 정의와 진리가 임할 것입니다. 그리고 모든 일이 끝이 나서 "열방이 그에게로 돌아오리니" 거기에는 앗시리아도 포함되어 있을 것입니다.

일시적으로 버림을 받았다는 말을 한 데는 바로 이런 이유가 있습니다. 앗시리아는 시간과 역사 속에서 징벌을 받을 것입니다. 이는 앗시리아가 이스라엘을 파멸시키고 그로 말미암아 오만해졌고 자신이 행한 그 역사적인 사건의 참된 의미를 이해하지 못했으며, 하나님의 뜻에 궁극적으로는 순종했지만 정작 자신이 순종하게 된 그 뜻은 이해하지 못하였기 때문입니다. 그러나 앗시리아 역시 영원한 징벌을 받지 않고, 그리스도 안에서 구원받게 됩니다.

우리는 이렇게 인간의 독립과 하나님의 자유가 얼마나 복잡한 관계가 될 수 있는지 보게 됩니다. 물론 인간은 사건들이 일어나 정치적인 결정들을 내리는 때에 자신이 하나님의 계획에 참여하는지 아닌지를 미리 알지는 못합니다. 우리가 이 책의 연구를 통해서 계속 확인하는 것은 하나님의 뜻인지를 미리 인지하는 문제는 정치인으로 행동하는 인간이 관심을 두는 문제가 아니라는 것입니다. 인간이 행동할 때에 자신만의 고유한 동기들을 따르는 것은 합당한 것입니다. 행동하고 나서 그 행동으로 인한 결과물들이 생겨난 이후에 비로소 그것을 통해서 하나님이 역사했는지 아닌지 알 수 있습니다. 그 사실은 거기엔 어떤 자동 장치도 없다는 것을 말해줍니다. 곧 인간 자신이 자신의 행동을 선택하는 것입니다.

그러나 인간의 결정과 하나님의 결정 사이에는 예언자가 있습니다. 예언자는 일이 전개되기 전이나 시작할 무렵에 하나님의 뜻을 계시받고, 그 뜻을 선포하여 그 일을 전환하거나 조장할 수 있습니다. 그러나 거기에는 어떤 필연적이거나 결정적인 것이 존재하지 않습니다. 열린 가능성만이 있습니다. 예언자는 또한 정치인이 무엇을 원하는지 깊이 파악하고 그 외적인 행위 이면에 있는 실상을 분별하여 정치인이 진정 원하는 것이 무엇이고 처한 상황이 무엇인지 밝혀줍니다.

끝으로 예언자는 그 모든 것의 의미, 즉 일어난 사건의 참된 의미를 전해 주고, 인간의 자유로운 결정과 하나님의 자유로운 결정 사이에 존재하는 연관 관계를 밝혀냅니다.

그렇게 예언자는 근본적이고도 결정적인 역할을 합니다. 그러나 그는 언제나 독립적이고 예외적이고 초연합니다.

열왕기하의 특별한 측면들을 간략하게 살펴볼 때에 우리는 하나님이 자신의 뜻이나 자신이 행동하기로 한 것을 이론적이고 일반적이고 추상적인 방식, 즉 한마디로 신학적인 방식으로 우리에게 말하지 않는다는 사실을 발견합니다. 하나님은 행동합니다. 하나님은 인간의 개별적인 삶과 국가들의 역사와 정치권력의 주장이 펼쳐지는 가운데서 행동합니다. 하나님의 말씀은 곧 하나님의 행동입니다. 그러나 하나님의 행동이 분명하거나 명료하거나 명확하지 않기 때문에 인간의 독립성을 고려해서 행해지는 까닭에 그 행동을 명백하게 밝힐 필요가 있습니다.

그 행동은 인간에게 보여야 합니다. 그것은 언어와 이론과 신학으로 표현되어야 합니다. 그 이외에 다른 방법이 없습니다. 하나님이 계시를 주고 말씀을 준 사람만이 유일하게 하나님의 행동을 직접 포착할 수 있습니다. 그 유일한 사람은 이스라엘 백성 개개인이나 교회 구성원이거나 한 집단이나 한 공동체가 아니라, 바로 그 예언자입니다. 그 예언자만이 어디에 하나님의 행동이 임하는지 압니다. 하나님은 그에게만 그 사실을 알릴 자격을 부여합니다. 그는 그 사실을 언어로 표현하는 작업을 해야 합니다. 그 언어 작업에는 수많은 위험이 따릅니다. 그러나 동시에 그 작업은 하나님의 뜻에 정확하게 들어맞습니다. 바로 그 작업 자체가 하나님의 행동에서 인간을 존중하고 강요하지 않는 하나님의 성품을 지니는 것이기 때문입니다.

하나님이 현현하여 모세나 이사야나 사도 바울에게 말할 때는 어떤 인간의 자율성이나 독립성이나 자유도 없습니다. 그래서 이 방식이 흔치 않은 드문 경우입니다. 하나님의 행동이 인간의 말로 표현될 때에 그것을 듣는 사람으로부터 언제나 공격을 받을 수 있습니다. 즉, 그것이 신화라거나 착각이라거나 창작물이라거나 사후에 지어낸 예언에 지나지 않는다고 말입니다.

우리는 여기서 세계를 다스리는 하나님의 경륜과 하나님의 지혜를 보게 되는바 인간에 대한 존중과 섬세함과 부드러움과 훈육과 선택과 연속적인 적응력을 다 포함한 하나님의 행동을 봅니다. 모든 것은 하나님의 전지하심과 무소부재하심에 이미 다 들어 있습니다. 하나님은 모든 것을 다 예비하였기에, 인간 개개인이 어떤 대안을 채택하든지 인간에게 자유로운 선택의 여지를 줍니다.

그렇게 인간의 정치에 대해 하나님이 행동하는 모습은 끊임없이 우리에게 소명과 부름과 요청, 그리고 심판과 단절과 진노로 나타납니다.

하나님의 행함은 은총과 조심스럽게 다가옴과 해방으로, 또한 준엄함과 그 뜻을 정확하게 이루는 결연함으로 끊임없이 나타납니다. 때로는 드물게 어떤 사건과 역사와 한 인생을 뒤집어버리는 기적으로 나타나기도 합니다.

그러나 그런 기적은 매번 하나님에 속한 사람의 존재와 연관되어 일어납니다. 그냥 하늘에서 떨어지는 법은 없습니다. 그것은 인간의 행위와 짝을 이루는 것으로서 그 자체만으로는 의미가 없습니다. 기적이 일어나기 시작할 때는 인간은 기도함으로 함께하고, 기적이 끝날 때 인간은 증언하고 해석함으로 함께하는 것입니다. 하나님은 인간을 새롭게 하고 구원하는 것뿐만 아니라 그의 불가해한 겸손함으로 인간이 하나님의 역사에 함께 하기를 원합니다. 하나님의 무한한 사랑을 드러내는 그 증거가 열왕기하의 정치적인 상황 전개를 통하여 궁극적으로 우리에게 전해지고 있습니다. 이것은 파스칼의 훌륭한 격언에 대한 좋은 본보기가 된다 하겠습니다. "하나님은 당신의 피조물들에게 만물의 인과관계의 존엄함을 함께 나누기 위해 기도를 하게 하셨다."

제1장

나아만

열왕기하 5장 1─19절

1시리아 왕의 군사령관 나아만 장군은, 왕이 아끼는 큰 인물이고, 존경받는 사람이었다. 주님께서 그를 시켜 시리아에 구원을 베풀어 주신 일이 있었다. 나아만은 강한 용사였는데, 그만 나병에 걸리고 말았다. 2시리아가 군대를 일으켜서 이스라엘 땅에 쳐들어갔을 때에, 그 곳에서 어린 소녀 하나를 잡아 온 적이 있었다. 그 소녀는 나아만의 아내의 시중을 들고 있었다. 3그 소녀가 여주인에게 말하였다. "주인 어른께서 사마리아에 있는 한 예언자를 만나 보시면 좋겠습니다. 그분이라면 어른의 나병을 고치실 수가 있을 것입니다." 4이 말을 들은 나아만은 시리아 왕에게 나아가서, 이스라엘 땅에서 온 한 소녀가 한 말을 보고하였다. 5시리아 왕은 기꺼이 허락하였다. "내가 이스라엘 왕에게 편지를 써 보내겠으니, 가 보도록 하시오." 나아만은 은 열 달란트와 금 육천 개와 옷 열 벌을 가지고 가서, 6왕의 편지를 이스라엘 왕에게 전하였다. 그 편지에는 이렇게 씌어 있었다. "내가 이 편지와 함께 나의 신하 나아만을 귀하에게 보냅니다. 부디 그의 나병을 고쳐 주시기 바랍니다." 7이스라엘 왕은 그 편지를 읽고 낙담하여, 자기의 옷을 찢으며, 주위를 둘러보고 말하였다. "내가 사람을 죽이고 살리는 신이라도 된다는 말인가? 이렇게 사람을 보내어 나병을 고쳐 달라고 하니 될 말인가? 이것은 분명, 공연히 트집을 잡아 싸울 기회를 찾으려는 것이니, 자세히들 알아보도록 하시오." 8이스라엘 왕이 낙담하여 옷을 찢었다는 소식을, 하나님의 사람 엘리사가 듣고, 왕에게 사람을 보내어 말하였다. "어찌하여 옷을 찢으셨습니까? 그 사람을 나에게 보내 주십시오. 이스라엘에 예언자가 있음을 그에게 알려 주겠습니다." 9나아만은 군마와 병거를 거느리고 와서, 엘리사의 집 문 앞에 멈추어 섰다. 10엘리사는 사환을 시켜서 나아만에게, 요단 강으로 가서 몸을 일곱 번 씻으면, 장군의 몸이 다시 깨끗하게 될 것이라고 말하였다. 11나아만은 이 말을 듣고 화가 나서 발길을 돌렸다. "적어도, 엘리사가 직접 나와서 정중히 나를 맞이하고, 주 그의 하나님의 이름을 부르며 상처 위에 직접 안수하여, 나병을 고쳐 주어야 도리가 아닌가? 12다마스쿠스에 있는 아마나 강이나 바르발 강이, 이스라엘에 있는 강물보다 좋지 않다는 말이냐? 강에서 씻으려면, 거기에서 씻으면 될 것 아닌가? 우리 나라의 강물에서는 씻기지 않기라도 한다는 말이냐?" 하고 불평하였다. 그렇게 불평을 하고 나서, 나아만은 발길을 돌이켜, 분을 참지 못하며 떠나갔다. 13그러나 부하들이 그에게 가까이 와서 말하였다. "장군님, 그 예언자가 이보다 더한 일을 하라고 하였다면, 하지 않으셨겠습니까? 다만 몸이나 씻으시라는데, 그러면 깨끗해진다는데, 그것쯤 못할 까닭이 어디에 있습니까?" 14그리하여 나아만은 하나님의 사람이 시킨 대로, 요단 강으로 가서 일곱 번 몸을 씻었다. 그러자 그의 살결이 어린 아이의 살결처럼 새 살로 돌아와, 깨끗하게 나았다. 15나아만과 그의 모든 수행원이 하나님의 사람에게로 되돌아와, 엘리사 앞에 서서 말하였다. "이제야 나는 온 세계에서 이스라엘 밖에는 하나님이 계시지 않다는 것을 알게 되었습니다. 부디, 예언자님의 종인 제가 드리는 이 선물을 받아 주십시오." 16그러나 엘리사는 "내가 섬기는 주님께서 살아 계심을 두고 맹세하지만, 나는 그것을 받을 수가 없소" 하고 사양하였다. 나아만이 받아 달라고 다시 권하였지만, 엘리사는 끝내 거절하였다. 17나아만이 말하였다. "정 그러시다면, 나귀 두어 마리에 실을 만큼의 흙을 예언자님의 종인 저에게 주시기 바랍니다. 예언자님의 종인 저는, 이제부터 주님 이외에 다른 신들에게는 번제나 희생제를 드리지 않겠습니다. 18그러나 한 가지만은 예언자님의 종인 저를 주님께서 용서하여 주시기를 바랍니다. 제가 모시는 왕께서 림몬의 성전에 예배드리려고 그 곳으로 들어갈 때에, 그는 언제나 저의 부축을 받아야 하므로, 저도 허리를 굽히고 림몬의 성전에 들어가야 합니다. 그러므로 제가 림몬의 성전에서 허리를 굽힐 때에, 주님께서 이 일 때문에 예언자님의 종인 저를 벌하지 마시고, 용서해 주시기를 바랍니다." 19그러자 엘리사가 나아만에게 말하였다. "좋소, 안심하고 돌아가시오." 이렇게 하여 나아만은 엘리사를 떠나 얼마쯤 길을 갔다.

이 본문은 두말할 나위 없이 열왕기하에서 가장 잘 알려진 본문입니다. 한센병 환자의 치유는 하나님의 전능함과 사랑이라는 면과 그리스도의 치유 기적들을 미리 예고한다는 면에서 다양한 정보를 내포하고 있습니다. 그럼에도, 이 본문은 여러 부분이 간과되어 이해를 돕기 보다는 의문을 더 불러일으키는 듯합니다.

우선 예수 자신이 이 기적에 대해 언급한 말을 미루어 보면 이것이 단지 병자를 향한 하나님의 긍휼에서 나온 것이 아니기에 놀라게 됩니다. 그 말의 뜻은 거기에 있는 것이 아닙니다. 예수는 우리에게 말합니다. "예언자 엘리사 때에 이스라엘에 많은 나병환자가 있었으되 그 중의 한 사람도 깨끗함을 얻지 못하고 오직 수리아 사람 나아만 뿐이었느니라."눅4:27 아닌 게 아니라 우리는 또 다른 사건 속에서는 치유 받지 못한 나병 환자들을 보게 됩니다. 그러니 나아만이 병에서 낫게 된 것은 병에 걸려 불쌍한 처지에 있기 때문이 아닙니다. 그것은 장차 하나님의 나라에서 모든 만물이 회복될 것을 드러내는 하나님의 사랑의 기적에 속한 것이 아닙니다. 나아만에게 임한 기적은 또 다른 차원이자 또 다른 의미가 있는 것입니다. 그 모든 것은 우리를 경이로운 차원으로 인도합니다. 나아만은 장군입니다. 그는 그 이름이 뜻하는 의미에도 불구하고 군인이요 살생하는 사람입니다. 평화주의자요 비폭력주의자인 우리는 살생하는 사람도 하나님의 사랑의 대상에 속한다는 사실을 알아야 합니다. 그러나 그 사실에 대한 우리의 첫 반응은 아주 부정적입니다. 나아만은 폭력을 택했습니다. 그러니 그는 벌을 받았습니다. 그래서 그가 죄의 표지요 폭력의 표시로서 부정한 병에 걸린 것이 정당한 일이 됩니다.

게다가 이 나아만이라는 사람은 군인인데다 왕의 심복인 권력자요 제일인자입니다. 하나님은 낮은 자와 가난한 자와 연약한 자를 사랑하는 것을 우리는 아주 잘 알고 있습니다.

우리는 복음이 병자들을 위한 것이요, 예수는 스스로 가난에 처하여 가난한 자들과 함께 한다는 것을 알고 있고, "화 있을진저, 너희 부요한 자여"라는 구절을 암송합니다. 그래서 우리는 하나님의 심판이라는 면을 더는 보지 못합니다. 하나님은 겸손한 자들을 높이고 강한 자들을 낮춥니다. 한때는 사회적 정치적 상승이나 성공을 하나님의 축복을 받고 하나님 앞에서 뛰어난 것으로 인정받는 것으로 착각하고, 보좌와 제단의 결속으로 착각했습니다. 그 시각에서 보면 하나님은 나아만이 권력자이기에 그의 병을 고쳐 그의 뛰어난 직분을 계속해서 잘 감당할 수 있게 한 것으로 평가할 수 있습니다.

오늘날에는 그렇게 보지 않습니다. 우리는 한센병에 걸린 것을 "화 있을진저, 너희 권력자들이여"라는 경고의 표시라고 봅니다.

게다가 나아만은 아람시리아:역주 사람입니다. 당시에 아람 사람은 이방

인일 뿐만 아니라 이스라엘 왕국을 위협하는 가장 위협적인 영원한 적국에 속한 사람을 의미합니다. 아람은 이미 여러 번에 걸쳐서 이스라엘을 쳐들어왔습니다. 나아만은 훌륭한 전쟁을 치른 사람이라는 말이 있는 것으로 보아서 아람의 장군으로서 이스라엘과의 전쟁에 참가했던 것이 확실합니다. 그런 사람에게 하나님이 하나님의 사랑을 베푸는 것입니다. 성서에서 이런 경우가 아주 특별한 경우가 아니라는 사실을 다시 한 번 상기합시다. 또한, 세리들과 창녀들에 대해서 말할 때에 오늘날 복음에 대한 우리의 오해가 계속되는 것을 생각해 봅시다. 감상적인 측면에서 보면 그들은 가난한 사람들입니다. 세리들은 가난한 사람들을 대표하고 대도시들의 거리에서 손님을 끄는 창녀들은 불행한 사람들을 대표하는 것으로 늘 받아들입니다. 반대로 바리새인들은 아주 재산이 많은 부자로 간주합니다. 그런데 역사적인 사실은 정반대입니다. 바리새인들은 가난한 편이었고 구제물과 헌물을 하느라 재산을 다 허비하곤 했습니다. 세리들은 거대한 자본주의 사회에 속하였고, 그들 자신이 자본가들이거나 아주 많은 급료를 받는 자들이었습니다. 문제의 창녀들은 1900년의 사교계 인사들과 같이 아주 돈 많은 여자들이었습니다. 그들이 비참한 것은 가진 돈이나 각기 처한 높은 사회적 상황이 아니라 경멸을 받는 것 때문이었습니다. 그들은 하나님이 가난한 사람들과 함께 하는 것을 알고 있는 바로 그 정직하고 가난한 사람들에게서 멸시를 받았습니다. 그들은 이스라엘의 애국자들과 (세리들은 선택받은 백성의 적인 침략자에게 협력하는 사람들이었기 때문입니다) 하나님이 자기 백성에게 가르친 도덕을 지키는 백성에게서 멸시를 받았습니다.

그 시대를 이제는 기억에서 희미해져 가는 1944-45년의 프랑스 상황에 맞추어 보면, 예수 주위의 세리들과 창녀들이 독일점령으로부터 해방된 후에 처벌받은 암시장의 밀매상들과 부역자들과 삭발당한 여자들과 거의 일치한다는 사실은 가슴 아픈 일입니다. 그들은 소유 재산이 있고 권력이 뒷받침 된 유력한 사람들이었지만, 신실한 사람들로부터는 배척과 경멸과 증오를 받았습니다. 하나님은 늘 우리의 판단과 자연스럽게 일어나는 생각을 뒤집어 버립니다.

예기치 않게도 성서는 나아만이 군대의 장군으로서의 소임을 수행함으로써 자신이 알지도 못하는 주님을 섬기게 되었음을 말해줍니다. 그를 통하여서 영원한 주님은 아람 사람들을 구원했던 것입니다. 좀더 깊이 생각해 보면 그 주장은 이상하기 그지 없습니다. 그 사실을 이렇게 말하며 넘기는 것도 안이한 것입니다. "그것은 여호와 하나님의 만유를 다스리는 왕권을 확인하는 것이다. 이 본문은 이스라엘의 하나님이 열방의 하나님인 것을 이스라엘이 인식하게 되었을 때에 기록한 것이다. 여기에 삽입된 구절은 그것을 신학적으로 확인하면서 다른 나라들에 대한 이스라엘 백성의 우위를 명백하게 하려는 뜻이 담겨 있다." 이는 올바른 이해라 할 수 없습니다. 먼저 이스라엘의 적국으로서 대를 이어 늘 위협적인 아람 사람들을 하나님이 그토록 관심과 애정을 쏟는 것을 유대인들의 입장에서 어떻게 받아들일 수 있느냐의 문제가 있습니다. 하나님이 아람에 가지는 그 관심이 얼마나 이상한 것이겠습니까? 또 다른 면에서 그 기록은 어찌 됐든 하나님의 백성이 하나님의 말씀으로 받아들이는 성서에 삽입되어 있다는 사실입니다. 그것을 이스라엘이 받아들이는 하나님의 개념에 대해 신학적으로 발전한 단계로 수용할 수는 없습니다. 우리는 이 문제를 계속해서 환기하게 될 것입니다. 이스라엘이 선택받은 민족일 경우에 이스라엘은 하나님으로부터 계시를 받습니다. 이스라엘이 간직하고 기록하고 전하는 것은 자기 자신이 사고한 것들이 아니라 하나님의 말씀입니다. 이와 달리 이스라엘이 선택받은 민족이 아니면, 이스라엘의 이념들이나 신화들이나 문서들은 아스텍 문명이나 일본에 속한 것들보다 더 많은 주목을 받지는 못할 것입니다.

　우리는 이제 결정을 내려야 할 때가 왔습니다. 믿음의 결단을 내려야 하는 시간입니다. 여기서 나는 이스라엘이 선택받은 민족이라는 믿음의 고백을 하고자 합니다. 따라서 하나님이 나아만을 통해서 아람 백성을 구원했다고 이스라엘이 인정하는 것은 종교적인 변혁의 일단이 아니라 하나님의 진리입니다. 그러한 하나님의 뜻에 어떤 동기들이 작용했을지 우리는 그 어떤 지식도 없습니다.

　하나님은 왜 아람을 위해 행동을 하였을까요? 여기서 우리에게 익숙한 이유를 이용하여 주장하지는 않겠습니다. 그 이유가 정의를 위한 것은 아니었습니다. 인간의 독립성을 지키기 위한 것도 아닙니다. 민족의 자결권은 성서적으로는 존재하지 않는 것입니다. 민족들은 하나님 앞에서 어떠한 생존권이나 자유의 권리를 갖지 못하고 영원성을 보장받지도 못합니다. 반대로 성서는 민족들이 낙엽과 같이 사라지며 간혹 그중에 한 민족이 더 오랫동안 지속하기도 하는 것을 말하는 것 같습니다. 다른 곳에서 그 예를 찾을 필요가 없습니다. 하나님은 아마도 앗시리아로부터 아람을 구원하고자 하였고 그 일을 위해 나아만이라는 일꾼을 선택한 듯합니다.

　역사의 사건들은 역사가들이 표면적으로는 인과관계를 설정해볼 수는 있다 할지라도 근본적으로는 이해가 불가능합니다. 그러나 분명히 이해하면 할수록 그에 대한 설명은 더욱더 표면적이고 작위적이게 됩니다. 성서가 우리에게 말해주는 것은 역사의 사건들 속에는 어느 민족을 향한 분명한 하나님의 뜻이 존재한다는 것입니다. 그 민족이 하나님을 믿지 않는 민족이라 할지라도 말입니다. 그렇다고 해서 역사의 사건들이 직접적으로 하나님의 뜻을 보여주는 분명한 표지가 된다는 의미는 아닙니다. 보쉬에의

『보편사의 이해』3)와 『프랑크족에게 임하신 하나님』Gesta Dei per Francos 4)에서 보듯이 말입니다. 현대 신학자들이 말하는 "역사의 사건들은 교회에 하나님의 말씀을 전한다"라거나 "그리스도가 역사 속에 살아있다"라는 식의 이 모든 주장은 단호하게 떨쳐버려야 할 것들 입니다.

역으로 우리는 하나님의 전적인 자유와 역사의 신비스러운 점을 포착해야 합니다. 우리가 읽는 성서 본문이 그걸 말해주고 있습니다. 하나님의 보편성보다는 하나님의 자유를 말입니다. 하나님은 하나님이 원하는 사람을 사랑하는바, 하나님의 백성의 원수인 아람 민족조차 구원하는 것입니다.

이 사건에서 눈에 보이는 행위들과 눈에 보이지 않는 실상 간에 모순이 생깁니다. 한편으로는 여기서 우리는 국가와 국가 간의 관계에서 행해지는 분명한 비난과 간섭을 봅니다. 그 비난과 간섭은 하나님의 뜻에 아무런 영향도 미치지 못합니다. 다른 한편으로는 눈에 보이지 않는 미세한 간섭을 보게 되는 데, 하나님은 바로 그것을 사용합니다. 아람 왕은 자신의 장군에게 애착이 있습니다. 그래서 그 장군의 병을 고칠 기회가 있을 때 그 기회를 잡아야 합니다. 그 병을 고칠 수 있는 사람이 사마리아에 있다면 한 나라의 왕으로서 아람 왕은 이스라엘 왕 이외에 다른 누구에게 문의할 수 있겠습니까? 아람 왕의 서신은 이스라엘 왕의 대응과 함께 두 나라의 관계를 고려할 때 아주 큰 의미가 있습니다. 아람 왕이 더 강력한 우위를 점하고 있기에 그는 여기서 명령합니다. 아람 왕은 보통의 이방 민족의 왕과 같이 행동하고 또 마술을 믿습니다. 그에게 있어서 모든 백성을 향한 마술적인

---

3) [역주] 프랑스의 신학자 자끄-베닌느 보쉬에(Jacques-Bénigne Bossuet(1627-1704)가 저술한 역사서. 그는 성서의 영감에 따라 역사를 해석하는 것으로 유명하며 이 역사서에서는 과거의 인간사에 나타난 하나님의 역사를 다루고 있습니다

4) [역주] 프랑스의 신학자이자 역사가인 베네딕토회 신부 기베르 드 노장(Guibert de Nogent, 1053-1124)이 제4차 십자군 원정에 관해 쓴 저서입니다. 십자군 원정에 참여한 사람의 목격담을 기초로 해서 기술한 역사서이지만 동시에 거기서 신학적인 의미를 찾으려는 저자 자신의 신학적인 의도도 담겨 있습니다.

능력을 가지는 것은 왕입니다. 왕은 신과 같은 존재입니다. 그래서 그는 이스라엘에서도 사정이 같은 것으로 알고 직접 이스라엘 왕에게 그 기적을 요구하는 것입니다.

다른 면에서 보면, 세상에서 권력을 가진 사람에게는 권력과 권력의 관계만이 있는 까닭에, 모든 정치가가 하는 잘못된 관행에 따라서 그는 정치가에게 문제 해결을 요청한 것입니다. 이스라엘 왕은 그 서신을 받고 아람 왕처럼 반응합니다. 그는 아람 왕의 행동을 정치적인 차원으로 이해합니다. 여기서 아주 놀랍게도 모든 사람 중에서 하나님의 뜻을 제일 믿지 않고 제일 따르지 않는 사람이 결국은 이스라엘 왕임을 확인하게 됩니다. 그의 의심은 합리적입니다. 물론 그는 엘리사를 알고 있고 이미 상대한 적이 있습니다. 그러나 그가 행한 일을 믿지는 않습니다. 아람 왕이 정말로 기적을 요구한다는 것을 사실로 받아들일 수가 없었습니다. 정치적인 차원에서 보면 그런 요청은 하나의 도발일 수밖에 없습니다. 그것은 재앙입니다. 아람 왕이 새로운 전쟁을 일으킬 기회를 찾아서 그런 불가능한 일을 요구한 것입니다. 이스라엘 왕은 엘리사의 존재를 전혀 생각하지 않습니다. 그도 그런 것이 자기 자신이 왕이며 집권자로서 주님의 기름부음을 받은 자이기 때문입니다. 또다시 정치권력이 스스로 모든 문제는 정치적인 차원에서 정치적인 방법으로 해결되어야 하고 그래서 모든 것이 정치적인 의미가 있다고 판단한 것입니다.

우리가 접하는 성서 본문은 모든 것이 꼭 정치적인 의미가 있는 것이 아님을 말해 줍니다. 또한, 모든 것이 꼭 정치권력에 관계된 것은 아님을 말해 줍니다. 어찌 됐든 정치권력의 중재를 받아서 하나님이 일하는 것이 아님은 분명합니다. 제도권 권력이 또 다른 제도권 권력에 개입하는 것은 하나님이 관심을 두는 바가 아닙니다. 그것은 별로 중요하지 않은 인간적인 행동과 반응에 불과한 것입니다. 그러나 이러한 권력의 영역에 나아만이라는 전혀 다른 인물이 등장합니다. 나아만 또한 세상에서는 사람들의 복종과 존경을 받습니다. 그래서 그는 자기의 방문이 예언자에게는 아주 영광스러운 것이 되리라고 예상합니다. 게다가 그는 마술사가 부리는 마술을 알고 있습니다. 그는 자기 집에서 마술사들이 마술을 하는 것을 보았던 것입니다. 그래서 그는 유사한 기적을 기대합니다. 세상 사람으로서 나아만은 마술사들 개개인의 양적인 차이는 인정할 수 있지만, 그 질적인 차이를 인정할 수는 없습니다. 하나님의 현존 앞에서 우리가 모두 다 그렇습니다. 우리는 하나님이 더 강하고 더 자비로운 분인 건 알지만, 우리가 익숙하게 아는 세상의 신들과는 다른 분이라는 사실을 알지는 못합니다.

나아만 장군은 화가 났습니다. 자신을 존중하지 않고, 조롱하고 공손히 대하지 않고, 보통의 마술사들이 예의 바르게 대하는 것처럼 예의 바르게 대하지 않았기 때문입니다. 나아만은 세상의 질서 속에 있기에 의심을 합니다. 그가 의심하는 것은 그에게 전달된 메시지가 정말 불합리하기 때문입니다. 그가 가진 지위나 지식이나 경험에 비추어 보면 엘리사의 말은 하등의 가치도 없습니다.

하나님의 말씀이 우리에게 임할 때 우리도 항상 그렇게 됩니다. 그 말씀은 우리의 관점에서 보면 정말 불합리하게 여겨집니다. 왜냐하면, 그 말씀은 다른 차원에서 오는 것이기 때문입니다. 우리가 회심하는 것은 그 말씀을 소화하여 그 말씀을 합리적인 것으로 받아들이는 데 있지 않습니다. 불합리한 것은 계속 남아 있습니다. 그런데 그 회심의 때부터 세상과 세상의 지혜와 지식과 권력과 정치와 경험이 불합리한 것이 됩니다. 왜냐하면, 하나님의 어리석은 것이 사람의 지혜보다 더 지혜롭기 때문입니다. 나아만이 회심하는 순간부터 아람의 관습과 풍습과 종교는 어리석고 불합리한 것이 됩니다.

하나님이 사용하지 않고 내버려둔 인간의 모든 결정과 대책과는 대조적으로 하나님의 계획을 성취하기 위해서 하나님의 도구로 선택된 눈에 잘 띄지 않는 미천한 사람들에게 주의를 기울여 보아야 합니다. 먼저 다메섹의 나아만 장군 집 여종인 이스라엘 출신의 소녀가 있습니다. 그 사실은 이전에 이스라엘과 전쟁들이 있었던 증거이자 나아만 장군이 그 전쟁들에 참가했던 것을 보여줍니다. 그녀가 곧 하나님이 사용하는 첫 번째 도구입니다. 그녀는 단지 여자이자 어린애이고 여종에 지나지 않습니다. 당시에는 아무도 여성을 중요시하지 않았습니다. 일의 발단으로 이보다 더 하찮고 미천한 사람을 쓰는 일은 거의 찾아보기 어려울 것입니다. 그러나 그녀의 말은 신뢰할 만한 힘이 있었고 그녀의 신앙을 분명하게 보여주는 것이었습니다. 그녀는 엘리사가 영원한 하나님의 참된 예언자인 것을 알아보았고 진실을 말했습니다. 그러나 이 진실을 말하고 자신의 신앙을 표현하여 나아만 장군을 설득하고 나서 그녀는 역사에서 사라집니다. 그녀에 대한 언급은 어디에도 다시 없고 이름도 남지 않았으며 그녀의 나머지 인생 여정은 어떤 관심도 받지 못하고 맙니다. 그녀가 하나님의 말씀을 전한 것이 자기 자신에게나 남들에게 그녀의 인생에서 결정적인 의미가 있는 사건이었던 것입니다. 이 사건 이후에도 하나님은 계속해서 더 미천한 사람들을 사용합니다. 그들은 나아만의 시종들과 노예들과 이방인들입니다.

나아만 장군은 엘리사가 사람을 시켜서 자기에게 전한 말에 화가 나서 따르지 않았습니다. 장군을 직접 맞이하지도 않았다는 것이 얼마나 큰 모욕이었겠습니까. 그를 움직인 것은 그의 노예들이었습니다. 나아만 장군을 설득시킨 것은 엘리사의 위세나 예언자로서의 능력이나 말씀이 아니고 노예들이 평범하게 한 말이었습니다.

그러나 장군이 그 노예들의 말을 믿을 만한 이유는 하나도 없습니다. 그는 그 노예들을 잘 알고 있어서 그들이 마법사들이 아니라는 것도 분명히 인지하고 있었습니다. 그런데도 그는 아주 단순한 그 말에 넘어갑니다.

"그 일은 어느 경우에나 해볼 수 있는 일이잖습니까? 유익을 주지 못한다 할지라도 해가 될 것은 없지 않습니까? 그리 복잡한 일도 아니잖습니까? 그러니 그냥 한 번 시도라도 해보십시오." 이 말은 우리가 통상적으로 생각하기에는 신앙인의 말에서 어긋나는 것입니다. 그러나 나아만 장군이 그 말이 단순하기 때문에 수긍했다는 것은 그 말이 그의 수준에 맞았기 때문이라고 인정해야 합니다. 그런 말이 보통 사람이 들을 수 있고 받아들일 수 있는 말입니다. 그런 말은 예언자의 말이 아닙니다. 그리스도인들이 그런 말을 모범으로 삼을 것은 아닙니다. 그러나 그런 말은 보통 사람이 보통 사람에게 할 수 있는 말입니다. 우리는 그런 말을 멸시하지 말아야 합니다. 그렇다고 과대평가하는 것도 삼가야 합니다. 하나님은 그런 말도 사용하는 것입니다.

그와 같이 여러 가지 상황들과 보통 사람들이 자유롭게 나누는 말들을 통해서 하나님의 뜻이 이루어집니다. 그 가운데 우리는 하나님이 이 나아만 장군을 미리 알고 준비했었다는 사실을 보게 됩니다. 그는 수많은 한센병 환자 중에서 선택되었습니다. 나아가 그가 한센병에 걸린 사실, 그리고 그가 가진 정치 권력과 안으로 그가 앓는 참담한 병이 보여주는 아주 모순적인 상황이 하나님이 그를 예비하여서 정치적인 세계에 개입하여, 그 세계에 하나님의 사랑과 진리의 임재를 증거하려는 것이었다고 말할 수도 있을 것입니다.

그러나 이 사건 속에서 어떤 경우에도 하나님이 분명하고 명백하고 놀랍고 독특하고 의심할 나위 없이 행동하지 않는 것을 우리는 분명하게 인식하게 됩니다. 심지어 치유하는 과정도 예외는 아닙니다. 그 이유는 나아만 장군이 마술에 매달리고 있었기 때문입니다.

아바나와 바르발의 강물은 요르단의 강물만큼이나 치유하는 데 효과가 있지 않겠습니까. 하나님의 말씀은 그 자체로는 아무런 설득력도 없고 아무런 입증도 하지 못합니다. 하나님의 명령은 그것이 진리라거나 합리적이라는 분명한 증거를 갖추지 않습니다. 그와는 반대로 하나님의 말씀은 인간적인 경로들을 따릅니다. 그래서 논쟁의 여지를 갖게 되고 불완전해집니다.

하나님은 목적을 이루는데 합당한 많은 대리인을 사용합니다. 그들 가운데에는 아주 깊은 믿음으로 말하는 어린 여종이 있고, 하나님의 능력을 낮추어보면서 개입한 아람 왕이 있습니다. 익명인 채로 모습을 나타내지 않으며 나아만 장군 앞에 나와 보지도 않는 예언자 엘리사가 있습니다. 그는 하나님의 뜻이라는 비밀과 신비 속에 감추어져 있습니다. 또한, 보통 사람의 단순한 사고를 보여주는 시종들이 있습니다. 그들 중 누구도 자기 혼자서 하나님의 계획을 이루었다고 자랑할 수 없으며, 하나님이 역사하는데 있어서 중심인물로 활약했다고 주장할 수 없습니다. 심지어 엘리사도 거기에서 예외가 될 수 없습니다. 어린 여종이 말해서 나아만 장군이 가지 않았더라면 그는 아무 일도 하지 못했을 것입니다. 그리고 나아만 장군의 시종들이 나아만을 설득하여 따르게 하지 않았더라면 엘리사의 말은 아무 소용도 없었을 것입니다. 그들은 각기 한센병에 걸린 나아만을 향한 하나님의 계획에 참여하게 되었고 각각의 역할을 맡아 사명을 담당하였습니다. 엘리사는 그 사실을 미리 알고 행했지만 다른 사람들은 알지 못한 채였습니다. 그러나 그들은 각기 자신의 성향과 자신의 수준과 자신의 개인적인 결정으로 행했습니다. 각자 그 순간에 자신이 선택한 존재가 되었던 것입니다. 우리는 어떤 순간에도 하나님이 그들 중의 누군가를 강요한 것을 보지 못합니다. 그와는 반대로 그 모든 이야기가 각자 자유롭게 상황에 따라 자유로운 의도를 가지고 행한 것임을 우리에게 보여주고 있습니다. 그 모든 이야기가 하나님에 대한 인간 개개인의 독립성을 보여줍니다. 하나님은 인간의 잠재의식 속에서 역사하지도 않고 직접적으로나 간접적으로라도 인간을 제약하지도 않습니다.

어떻게 내가 그 이야기의 의미를 그렇게 단언할 수 있을까요? 그것은 아주 단순한 논리라고 여겨집니다. 그 이야기가 인간의 의지를 짓밟고 인간이 하나님의 뜻을 이행하도록 강권하는 하나님의 모습을 우리에게 보여주는 것이라면, 모든 것이 아주 단순해집니다. 하나님은 직접 나아만 장군을 엘리사에게 보내고 나아만 장군은 그대로 따릅니다. 그러면 우리는 똑같은 도식이 고대에 속하는 것이든 중세에 속하는 것이든 모든 이야기를 통하여 수도 없이 반복되는 것을 보게 될 것입니다. 거기서 신과 인간의 관계는 인간을 만든 존재인 신이 인간을 자동 기계처럼 부려서 자신의 뜻을 이행하게 하는 관계입니다. 그러나 여기서는 그와 같은 것이 전혀 없습니다. 사람들은 각자 자신의 고유한 의지를 갖추고 행동합니다. 단지 한 사람만이 그렇게 행동하지 않는데 그는 바로 예언자 엘리사입니다.

그는 나아만에 대해 하나님이 가진 뜻을 알고 한센병에 걸린 나아만 장군에게 하나님이 주려는 복음을 알기에 자기 자신의 의지와 뜻과 판단 기준을 넘어설 수 있는 사람입니다. 그래서 엘리사만이 자기 뜻대로 행하지 않고, 절망한 이스라엘 왕에게 사람을 보내서 한센병 환자 나아만을 자신에게 보내게 합니다. 그는 나아만 장군에게 시종을 통해서 하나님의 명령을 전하게 합니다. 그는 나아만에게 복음을 선포하지 않습니다. 그러나 약속의 말씀과 함께 하나님의 명령을 선포합니다. 이 모든 것은 우리로 하여금 교회 내에서 적극적인 행동을 주장하는 사람들이 내세우는 의견이나 교회가 세상으로 나아가 세상 사람들을 만나야 한다는 행동 강령이나 그리스도인들은 사람들에게 하나님의 요구나 명령을 전하는 것을 멈추어야 한다는 주장에 대해 다시 한번 생각하게 합니다. 어쨌든 이 모든 행동은 부분적이고 분리된 것들로 그 자체로서는 아무런 의미가 없습니다. 엘리사의 행동도 그 자체로는 어떤 가치도 없습니다. 하나님이 그 모든 것을 연결해서 하나님의 역사가 되게 하여 그 의미와 방향을 찾게 합니다. 하나님이 인간 개개인의 자유로운 행동을 통해서 하나님이 원하는 것을 궁극적으로 얻게 합니다.

그렇다면, 왜 그 모든 행동들 자체는 의미가 없고 서로 연결되지 않았던 걸까요? 그 모든 행동을 연결 짓는 인간적 고리는 나아만 장군이라는 사실은 분명합니다. 그리고 그 모든 행동이 각기 작고 미세하고 별 의미가 없는 것은 하나님이 나아만 장군의 독립성을 존중하고 모든 다른 사람들의 독립성을 존중하기 때문 입니다.

한 걸음 한 걸음마다 나아만 장군은 하나의 결정을 내립니다. 어떤 순간에도 그 결정은 피할 수 없는 강요나 명명백백한 증거나 놀라운 확신에 따른 것이 아닙니다. 그는 어린 여종이 전하는 말을 듣게 됩니다. 그러나 왜 그가 그 말을 따라야 합니까? 마찬가지로 이스라엘 왕이 그를 엘리사에게 보냈을 때 왜 그는 화를 내어 아람으로 돌아가서 외교 분쟁을 일으키지 않습니까? 엘리사가 시종을 통하여 그에게 전한 말도 강요하거나 압박하는 말이 아닙니다. 게다가 그는 그 말을 듣지 않을 수도 있었습니다. 그래서 엘리사는 그 앞에 나타나지 않으면서 그를 그렇게 냉대한 것입니다.

그러한 익명성은 텔레비전 화면에서 강한 인상을 주거나 일반 대중을 놀라게 하는 법이 없습니다. 바로 그것이 사랑하는 사람의 자유를 하나님이 아주 소중하게 지키는 것입니다. 나아만 장군은 그 시종들의 말을 듣고 나서 스스로 결정해야 했습니다. 이 이야기의 국면마다 사람들은 각기 자신이 할 일을 나아만처럼 스스로 결정합니다. 나아만은 국면마다 단순한 한 말씀 앞에 서 있게 됩니다. 그는 그 말씀을 아주 쉽게 물리칠 수도 있고 무시할 수도 있습니다. 그리고 그 모든 것이 합하여 복음을 완전하게 드러나게 합니다.

그러나 이 역사에서 우리를 혼란하게 하는 것은 이 모든 것이 결국엔 외적으로 아무런 가치도 얻지 못했다는 데 있습니다. 나아만 장군은 치유를 받았습니다. 한 사람의 병자가, 특히 나병환자가 치유되었다는 사실이 무시할 만한 것은 아닙니다. 그러나 그런 일은 다른 많은 사람에게도 일어났습니다. 물론 나아만은 치유를 통해서 하나님의 역사를 인식합니다. 그는 그가 알게 된 하나님이 다른 신들과는 다른 존재로서 다른 신들은 없고 하나님만이 유일한 신으로 존재함을 깨닫습니다. 그것만 해도 그냥 지나칠 만한 일은 아닙니다. 우리는 그렇게 그 기적이 나아만 장군의 회심을 불러일으켰다는 걸 압니다.

그러나 그가 인식하는 것은 그 기적의 눈에 보이는 결과보다는 그 의미였던 것 같습니다. 그는 엘리사의 행동과 다른 마술사들과 무당들의 행동이 다른 것에 충격을 받은 것이 틀림없습니다. 그가 충격을 받은 것은 엘리사의 하나님의 권능으로 말미암은 것이기도 하지만, 하나님의 자비가 더 큰 영향을 주었을 것으로 짐작이 갑니다. 이 모든 사실은 정말 좋습니다. 그러나 나아만 장군에게 미친 이 두 가지 영향들을 빼고는 달리 무엇을 얻을 수 있겠습니까?

먼저 정치적인 관점에서 보면 상황은 전혀 호전되지 않았습니다. 이스라엘과 아람 사이에는 아주 신속하게 새로운 전쟁이 발발합니다. 우리는 열왕기하 6장에서 이 전쟁이 전개되는 것을 봅니다. 역사가들은 두 개의 역사에 연루된 이스라엘 왕이 같은 인물이라는 데 합의합니다. 다른 말로 하면 계속 아람의 장군으로 있던 나아만은 아람의 군대를 동원하여 이스라엘을 대적한 것입니다. 그의 회심 사건은 국가 간의 관계를 바꾸지 못했던 것입니다. 아람과 이스라엘에 있는 교회는 정치가 정치적으로 계속 되는 것을 막지 못합니다. 교회가 전쟁을 막을 수 있다고 믿는 것은 커다란 환상에 지나지 않습니다. 물론 그렇다고 해서 교회가 전쟁이 일어나는 것을 묵인해야 한다는 말은 아닙니다.

더욱이 나아만은 미신들을 하나도 버리지 않았습니다. 참 하나님에게 회심한 것이 그로 하여금 그가 속한 사회와 문명의 신앙을 떠나게 하지 않았던 것입니다. 그는 좋은 신학자가 된 것이 아닙니다. 실제로 그는 하나님을 위해 제단을 쌓으려고 노새 두 마리에 실을 이스라엘의 흙을 달라고 요청합니다. 그는 어떤 일정한 땅에 한해 영향력을 가지는 하나님의 지역성을 믿었습니다. 그래서 그는 그 땅의 흙을 조금 가져감으로써 하나님의 임재를 그만큼 가져갈 수 있다고 믿었던 것입니다. 그는 하나님이 자신이 택한 백성에게 준 그 땅에서만 찬미 받기를 원한다고 믿었습니다. 그는 그 외의 다른 땅에서 하나님에게 제물을 드리는 것을 하나님이 기뻐하지 않는다고 믿었던 것입니다. 우리는 하나님을 땅으로부터 물러나게 해서 최대한 저 먼 곳으로 가게 할 정도로 아주 영적이지 않습니까? 그런 우리가 보기에는 이 행위가 정말 어리석기 짝이 없습니다. 그러나 그런 어리석음은 하나님이 정죄하지 않습니다.

성서 본문에는 엘리사가 그것을 교정했다거나 정죄했다는 말이 없습니다. 신학적인 가르침을 주었다는 말도 또한 없습니다. 나아만은 그 시대의 사고방식들을 벗어나지 못했습니다. 그러나 그는 참 하나님의 임재 앞에서 그런 사고방식들을 굽히고 복종시키고 있습니다. 바로 참 하나님을 섬기고자 우리에게는 터무니없어 보이는 방식으로 그는 행동하는 것입니다. 그는 하나님을 철저한 방식으로 사랑하려고, 자기가 속한 사회의 관습과 사고방식과 풍습을 이용해서 하나님이 다른 신들과 다른 분임을 명백하게 하였던 것입니다.그는 이것을 분명히 명시하였고, 이 둘 사이의 단절을 공표하기에 이릅니다. 따라서 그의 터무니없는 행동을 하나님은 기꺼이 용납하며 기뻐했던 것입니다. "나는 아람으로 이스라엘 땅의 흙을 가져간다. 왜냐하면, 아람의 땅이 좋지 않기 때문이다." 이런 난리가 어디 있겠습니까. 만약에 그가 하나님을 영적으로 사모하는 것에 머물렀더라면 그런 소동은 일어나지 않았을 것입니다. "나는 다른 곳의 흙을 아람으로 가져 간다. 그 목적은 유일한 참 하나님을 구체적으로 증거하기 위함이다. 하나님은 바알과 림몬과 이슈타르의 땅인 이 땅에서는 찬미도 섬김도 받지 않는다." 바로 이것이 하나님을 믿는 신앙이 어떻게 사람이 자신이 속한 문명 속에 그대로 있으면서도 관습들을 변화시키는지 보여줍니다. 바로 이것이 성서의 비신화화라는 헛된 작업을 하지 말아야 하는 이유를 말해 줍니다. 성서를 그냥 읽어가는 것만으로도 비신화화가 어디서 어떻게 이루어지는지 알만합니다. 그렇다고 해서 나아만의 애매한 상황이 다 해결된 것은 아닙니다.

그는 아주 조그만 제단을 쌓음으로써 아람에서 그의 단절을 공고하게 하고 공개적으로 증거합니다. 그러면서 또 다른 한편으로는 정치가요 참모요 장군으로서의 역할을 계속합니다. 그의 삶은 우상화된 군주를 섬김으로 국가에 대한 의무를 다하는 것과 영원한 하나님을 믿는 신앙으로 나뉘어져 있습니다. 계속해서 놀라운 이야기가 전개됩니다. 그는 치유받은 자로서 왕을 개종시키겠다는 생각을 하지 않습니다. 그는 초신자들의 열정과 같은, 증언하려는 열망이 없습니다. 그는 은퇴한다거나 은둔한다거나 현재의 자리를 피하려고 하지 않습니다. 그는 정치인으로 군인으로 계속 남아있습니다. "각 사람은 부르심을 받은 그 부르심 그대로 지내라 내가 종으로 있을 때에 부르심을 받았느냐"고전7:20-21 장군으로 있을 때에 부름을 받았으면 장군으로 그대로 지내는 것입니다. 하지만, 그는 이제까지 자신이 섬겨왔으며 왕이 지금도 계속 섬기는 신이 거짓 우상 신인 것을 압니다. 그는 왕을 수행하여 의전에 참가할 때에 그 거짓 우상 신에게 제사를 드리는 것으로 비칠 것을 압니다. 공적으로 그에게 주어진 임무를 다해야 하니 림몬고대 다메섹에서 숭배하던 신:역주 상 앞에서 절도 해야 할 것입니다. 그것이 악한 것을 알지만 달리할 방도가 없다는 것을 알고 그는 용서를 구합니다. 이것 또한 얼마나 큰 물의를 일으키는 것이 되겠습니까.

죄를 범할 생각을 하면서 그는 미리 용서를 구하는 것입니다. 거기다가 적당한 타협을 위해서 심중유보心中留保, la réerve mentale라는 가장 미심쩍은 태도를 취하고 있습니다. 공적으로는 어떤 행동을 취하지만 내적으로는 그걸 믿지 않는 것입니다. 그래서 내적으로는 자유롭습니다. 그것은 실제로 현대의 모든 타협주의를 합리화하고 있습니다. 바로 그것이 나아만 장군이 취한 태도이고, 나아만 자신도 그것이 정죄 받을 만한 것임을 인정합니다. 그러나 그가 취한 입장은 두 가지 긍정적인 측면이 있습니다.

그것은 그가 명시적으로 림몬이 우상임을 인정한 것입니다. 그는 국가에 대한 봉사가 하나님을 향한 불순종이요 그의 정치적 활동은 정죄 받을 만한 것임을 인정합니다. 우리는 우상들을 섬길 때 그것들이 우상들이라는 걸 확실히 의식하고 있습니까? 민족이나 국가나 민족들의 독립이나 사회주의나 진보나 군대나 문화나 돈에 대해서 우리는 그와 같은 분명한 인식이 있습니까? 우리를 고용한 권력자들을 섬기고 있을 때에 우리는 나아만 장군과 같은 분별력이 있습니까? "나는 달리할 수 없다. 그것은 나의 일이다. 그러나 그것이 악에 속하는 일이라는 걸 나는 알고 있다." 우리는 그와 같은 정직성을 가지고 그 두 가지를 적당히 타협하려고 하지 않을 자신이 있을까요? 여기에 나아만의 태도와 심중유보가 다른 점이 나타납니다.

그는 내적으로 스스로 자위하지 않고 두 가지를 구분하지 않습니다. 그는 세상에서 그가 맡은 일은 하나님이 원한 것이고 그 일이 림몬을 형식적으로 숭배하는 것이기 때문에 결국 그리된 것이라는 식으로 말하지 않습니다. 오믈렛을 만들려면 달걀을 깨트려야 하고 손을 더럽혀야 한다는 식과 같이 말입니다. 그는 한쪽을 섬기려고 한 것이 실제로는 다른 쪽을 섬기게 된다는 식으로 하나님과 림몬을 혼합하지도 않습니다. 과학이나 국가를 섬기려고 한 것이 실제로는 하나님을 섬기는 것이 된다는 논리와 같이 말입니다. 그는 그 둘 사이에 있는 분명한 모순을 인정합니다. 그는 하나님과 맘몬을 동시에 섬길 수 없다는 것을 인정하지만, 사람이 그 모순에서 벗어날 수 없다고 여깁니다. 그는 타협을 수용하지 않습니다. 그는 자신이 모순된 그 점을 스스로 자책합니다. 그는 하나님의 신실한 종이 되려고 하지 않습니다. 그는 계속해서 왕을 섬깁니다. 그것은 아람의 장군으로서 응당 믿어야 할 것을 더는 믿지 않기 때문에 신실하지 않은 것입니다. 그는 그때부터 마음이 갈라지고 이의를 가진 채 살아갑니다. 정말로 해결할 수 없는 상황이 계속 되기 때문입니다. 그런 상황은 사회 활동에 참여하는 모든 의식 있는 그리스도인들이 처한 상황이기도 합니다. 그는 스스로 자책합니다. 그에게는 달리 취할 다른 입장이나 대안이 없습니다.

흙을 가져가는 것으로 보아서 그는 원시적이며, 또 하나님에게 온전히 순종하지 않는 것을 보아서는 저급하게 보입니다. 그러나 이러한 그의 성품은 오히려 결국 훌륭한 본이 되는 것으로 드러납니다. 그는 흙을 가져가서 하나님의 제단을 세우므로 자기에게 속하는 땅인 자신의 조국과 단절하고 자신의 백성과 단절합니다. 그는 그가 속한 사회가 거룩하게 여기는 모든 것을 끊어 버림으로써 참되고 거룩한 길에 들어섭니다. 그러나 겉으로 그는 그 사회에 다시 들어가고, 새로운 관계 속에서 계속해서 왕을 섬깁니다. 그에게는 그렇게 하는 것이 궁극적으로 바르지도 않고 선하지도 않지만 그럼에도 그렇게 해야 한다는 참회와 확신이 있습니다. 미리 용서를 구하는 정직함이 곧 그의 회심이 참된 것임을 보여줍니다.

그는 엘리사에게 그가 처한 상황을 말합니다. 그는 엘리사에게 일종의 조언을 구하고 또한 유일하고 참된 하나님과 자신 사이에서 중재자와 대변인의 역할을 맡아주도록 부탁합니다. 결국, 엘리사는 그에게 응답하지 않습니다. 그는 나아만에게 윤리적인 충고를 하지 않습니다. 그는 나아만 장군이 자신의 지위와 자신이 속한 사회를 포기해야 한다거나 우상들 앞에

절하는 것을 거부해야 한다고 말하지 않습니다. 엘리사는 정당한 것과 정당하지 않은 것으로 양분하는 결의론에 빠지지 않습니다. 그는 어떤 해결책도 주지 않으면서 나아만 장군 혼자서 선택하고 스스로 결정하게 합니다. 그는 그 내용이 무엇인지 밝히지 않으면서 나아만 스스로 자신을 책임지게 합니다. 그러나 그는 빈손으로 출발하게 두지는 않았습니다. 그는 하나님의 평화를 그에게 주었습니다. 그는 나아만에게 결국 복음을 선포합니다.

엘리사가 처음에는 아람 왕과 이스라엘 왕이 보낸 위대한 장군 나아만을 맞이하기를 거절했지만, 이제는 한편으로 새로운 믿음의 고백을 하고 다른 한편으로 그가 가졌던 옛신앙을 져버린 사람으로 나아만을 맞이합니다. 엘리사가 나아만이 치유의 기적을 얻으려고 찾아왔을 때는 그를 만나지 않았지만, 그가 그 기적을 베푸는 것을 거절하지는 않았지만 문제의 본질에 다다랐을 때는 그를 만났습니다. 그것은 또한 우리 그리스도인들을 깨우쳐 주는 말이기도 합니다. 우리는 외적인 행동에 목말라하면서 회개와 내적인 삶을 경멸하곤 합니다.

엘리사는 그에게 평화를 선포합니다. 한편으로 그의 공적인 처신은 그의 믿음과는 거리가 멀지만, 나아만 장군은 하나님과의 평화를 얻은 것입니다. 하나님은 평화를 이루었고 그에게 그 평화를 보장했습니다. 하나님은 겉모양을 보지 않고 사람의 심중을 보는 것입니다. 유력한 장군이었던 그가 마음을 찢고 참회하여 심령이 가난한 사람이 되자 하나님은 그에게 평화를 허락한 것입니다. 또한, 엘리사가 그에게 "평안히 가시오"라고 말한 것은 그의 존재의 통합을 인정한 것입니다. 갈등하고, 믿음과 행동이 모순되고, 양심의 가책을 받고 있지만, 나아만은 그 존재가 둘로 분열되어 있지 않고 하나로 통합을 이루어 내면서 인격적인 통합을 넘어서는 영적인 통합으로 나아가는 것입니다. 이제 나아만 장군은 의문이나 회한이 없어진 것은 아니지만 온전한 한 사람으로 나병에 몸이 망가지지도 않고 하나님의 평화가 그에게 임했기 때문에 국가의 우상에 영혼이 망가지지도 않습니다. 국가의 우상은 인간성을 분열시키고 파괴하는 것입니다.

제2장

요람

열왕기하 6장 24-33절

24그러나 그런 일이 있은 지 얼마 뒤에, 시리아 왕 벤하닷이 또다시 전군을 소집하여 올라와서, 사마리아를 포위하였다. 25그들이 성을 포위하니, 사마리아 성 안에는 먹거리가 떨어졌다. 그래서 나귀 머리 하나가 은 팔십 세겔에 거래되고, 비둘기 똥 사분의 일 갑이 은 다섯 세겔에 거래되는 형편이었다. 26어느 날 이스라엘 왕이 성벽 위를 지나가고 있을 때에, 한 여자가 왕에게 부르짖었다. "높으신 임금님, 저를 좀 살려 주십시오." 27왕이 대답하였다. "주님께서 돕지 않으시는데, 내가 어찌 부인을 도울 수가 있겠소? 내가 어찌 타작 마당에서 곡식을 가져다 줄 수가 있겠소, 포도주 틀에서 술을 가져다 줄 수가 있겠소? 28도대체 무슨 일로 그러오?" 그 여자가 말하였다. "며칠 전에 이 여자가 저에게 말하기를 '네 아들을 내놓아라. 오늘은 네 아들을 잡아서 같이 먹고, 내일은 내 아들을 잡아서 같이 먹도록 하자' 하였습니다. 29그래서 우리는 우선 제 아들을 삶아서, 같이 먹었습니다. 다음날 제가 이 여자에게 '네 아들을 내놓아라. 우리가 잡아서 같이 먹도록 하자' 하였더니, 이 여자가 자기 아들을 숨기고 내놓지 않습니다." 30왕은 이 여자의 말을 듣고는, 기가 막혀서 자기의 옷을 찢었다. 왕이 성벽 위를 지나갈 때에 백성들은, 왕이 겉옷 속에 베옷을 입고 있는 것을 보았다. 31왕이 저주받을 각오를 하고 결심하여 말하였다. "사밧의 아들 엘리사의 머리가 오늘 그대로 붙어 있다면, 하나님이 나에게 벌 위에 더 벌을 내리신다 하여도 달게 받겠다." 32그 때에 엘리사는 원로들과 함께 자기 집에 앉아 있었다. 왕이 전령을 엘리사에게 보냈다. 그 전령이 이르기 전에 엘리사가 원로들에게 말하였다. "여러분은 살인자의 아들이 나의 머리를 베려고 사람을 보낸 것을 알고 계십니까? 전령이 오거든 문을 단단히 걸어 잠그고 그를 들어오지 못하게 하십시오. 그를 보내 놓고 뒤따라 오는 그 주인의 발자국 소리가 벌써 들려 오고 있지 않습니까?" 33엘리사가 원로들과 함께 말하고 있는 동안에, 왕이 엘리사에게 와서 말하였다. "우리가 받은 이 모든 재앙을 보시오. 이런 재앙이 주님께로부터 왔는데, 내가 어찌 주님께서 우리를 도와주시기를 기다리겠소?"

열왕기하 7장 1-17절

1엘리사가 말하였다. "주님의 말씀을 들으십시오. 주님께서 이렇게 말씀하시었습니다. '내일 이맘때 쯤에 사마리아 성문 어귀에서 고운 밀가루 한 스아를 한 세겔에 사고, 보리 두 스아를 한 세겔에 살 수 있을 것이다' 하셨습니다." 2그러자 왕을 부축하고 있던 시종무관5)이 하나님의 사람에게 대답하였다. "비록 주님께서 하늘에 있는 창고 문을 여신다고 할지라도, 어찌 그런 일이 일어날 수 있겠습니까?" 엘리사가 말하였다. "당신은 분명히 그런 일이 생기는 것을 눈으로 직접 볼 것이오. 그렇지만 당신이 그것을 먹지는 못할 것이오." 3그 무렵에 나병 환자 네 사람이 성문 어귀에 있었는데, 그들이 서로 말을 주고받았다. "우리가 어찌하여 여기에 앉아서 죽기만을 기다리겠느냐? 4성 안으로 들어가 봐도 성 안에는 기근이 심하니, 먹지 못하

---

5) 왕이 전투용 마차를 타고 경주에 임하거나 전투를 치를 때에 마차 안 세 번째 위치에서 왕을 돕는 군인을 말합니다.

여 죽을 것이 뻔하고, 그렇다고 여기에 그대로 앉아 있어 봐도 죽을 것이 뻔하다. 그러니 차라리 시리아 사람의 진으로 들어가서 항복하자. 그래서 그들이 우리를 살려 주면 사는 것이고, 우리를 죽이면 죽는 것이다." 5그리하여 그들은 황혼 무렵에 일어나서 시리아 진으로 들어갔는데, 시리아 진의 끝까지 가 보았지만, 어찌된 일인지, 그 곳에는 한 사람도 보이지 않았다. 6주님께서 시리아 진의 군인들에게, 병거 소리와 군마 소리와 큰 군대가 쳐들어오는 소리를 듣게 하셨기 때문에, 시리아 군인들은, 이스라엘 왕이 그들과 싸우려고, 헷 족속의 왕들과 이집트의 왕들을 고용하여 자기들에게 쳐들어온다고 생각하고는, 7황혼녘에 일어나서, 장막과 군마와 나귀들을 모두 진에 그대로 남겨 놓은 채, 목숨을 건지려고 도망하였던 것이다. 8이들 나병 환자들이 적진의 끝까지 갔다가, 한 장막 안으로 들어가서 먹고 마신 뒤에, 은과 금과 옷을 가지고 나와서 숨겨 두고는, 또 다른 장막으로 들어가서 거기에서도 물건을 가지고 나와, 그것도 역시 숨겨 두었다. 9그런 다음에 그들은 서로 말하였다. "우리들이 이렇게 하는 것은 올바른 일이 아니다. 오늘은 좋은 소식을 전하는 날이다. 이것을 전하지 않고 내일 아침 해 뜰 때까지 기다린다면, 벌이 오히려 우리에게 내릴 것이다. 그러니 이제 왕궁으로 가서, 이것을 알리도록 하자." 10그리하여 그들은 성으로 돌아와, 문지기들을 불러서 알려 주었다. "우리들은 지금 시리아 진에서 오는 길인데, 그 곳엔 사람은커녕 인기척도 없으며, 다만 말과 나귀만 묶여 있을 뿐, 장막도 버려진 채 그대로 있습니다." 11이 말을 들은 성문지기들은 기뻐 소리치며, 왕궁에 이 사실을 보고하였다. 12왕은 밤중에 일어나서 신하들과 의논하였다. "시리아 사람들이 우리에게 이렇게 한 것이 무슨 뜻이겠소. 내 생각에는, 그들이 분명 우리가 못 먹어 허덕이는 줄 알고 진영을 비우고 들에 숨어 있다가, 우리가 성 밖으로 나오면 우리를 생포하고, 이 성 안으로 쳐들어오려고 생각한 것 같소." 13그러자 신하 가운데 하나가 의견을 내놓았다. "이

성 안에 아직 남아 있는 다섯 필의 말은, 이 성 안에 남아 있는 이스라엘 모든 사람의 운명과 마찬가지로 어차피 굶어 죽고야 말 것이니, 이 말에 사람을 태워 보내어서, 정찰이나 한번 해 보시는 것이 어떻겠습니까?" [14]그래서 그들이 말 두 필이 끄는 병거를 끌어내니, 왕은 그들을 시리아 군의 뒤를 쫓아가도록 내보내면서, 가서 알아 보라고 하였다. [15]그들이 시리아 군대를 뒤따라 요단 강까지 가 보았지만, 길에는 시리아 사람들이 급히 도망치느라 던져 버린 의복과 군 장비만 가득하였다. 군인들은 돌아와서 이 사실을 왕에게 보고하였다. [16]그러자 백성들은 밖으로 나가서 시리아 진영을 약탈하였다. 그리하여 주님의 말씀대로 고운 밀가루 한 스아를 한 세겔에, 보리 두 스아를 한 세겔에 거래할 수 있게 되었다. [17]그래서 왕은 자신을 부축한 그 시종무관을, 성문 관리로 임명하였다. 그러나 백성이 성문에서 그를 밟아 죽였는데, 왕이 그의 부축을 받으며 하나님의 사람을 죽이려고 왔을 때에, 하나님의 사람이 예언한 그대로 그가 죽은 것이다.

나아만 장군의 경우에 우리가 병이 치료된 것이나 나병의 문제를 강조하지 않은 것처럼 이 본문에서도 주석서들이 일반적으로 다루는 소재인 하나님의 놀라운 역사나 사마리아 성의 기근 문제 해결이나 아람 진영에서 들리는 전차들의 굉음 소리에 역점을 두지 않을 것입니다. 또한, 뜻을 이루는 하나님의 전능함이나 자기 백성을 멸망하도록 내버려 두지 않는 하나님의 사랑을 강조하지도 않을 것입니다. 이 본문의 말씀은 나에게는 더더욱 폭넓고 직접적인 의미로 다가옵니다. 우리는 먼저 등장 인물을 잘 살펴보려 합니다.

1

이 끔찍한 역사에 나오는 이스라엘 왕은 이전에 나온 요람 왕으로 아합 왕의 아들이자 여로보암의 잘못을 그대로 따랐지만, 일반적으로 선한 왕이라는데 이견이 없습니다. 그가 이스라엘의 전통적인 신앙을 가진 것은 명백하게 드러났습니다. 그는 자기 아버지가 세운 바알 우상들을 부수어 버렸습니다. 그 여자가 그를 강하게 질책할 때 그가 한 대답은 경멸의 뜻이 담긴 것이 아니었습니다. 그 여자는 그를 불러 구원해 달라고 했습니다. 나를 구원해 달라는 뜻의 말인 호쉬-안나Hochi-Anna는 아주 애매한 뜻이 있습니다. 즉, 하나님 앞에서 나를 구원해달라는 뜻과 나에게 먹을 것을 주어서 나의 육신의 생명을 구해 달라는 뜻이 같이 있습니다. 우리가 외치는 구조신호SOS도 결국은 마찬가지입니다. 그에게 제기된 구원의 문제에 대해 왕은 뒤로 물러섭니다. 육적인 구원이라면 그가 할 수 있는 일은 아무것도 없습니다. 그는 이미 여기서 그의 정통성을 공표하고 있는지도 모릅니다. 6장 27절에서 "타작 마당으로 말미암아 하겠느냐 포도주 틀로 말미암아 하겠느냐"라는 말이 가나안의 종교 풍습을 암시하는 것이라고 보는 주석가들도 있습니다. 그것에 따르면 왕은 다산과 풍요한 수확을 보장하는 존재로서 그의 활력과 성적인 능력은 모두에게 풍요함을 보증하는 것입니다. 그러나 그 풍습은 거의 모든 원시 부족들에게서 발견하는 것으로 가나안 지역을 넘어서서 훨씬 더 광범위하게 퍼져 있습니다.

요람이 대답합니다. 자신은 그런 왕이 아니라고 말입니다. 자신은 가나안의 왕과 같지 않다는 것입니다. 그는 오직 하나님만이 죽이기도 하고 살리기도 하는 분이라는 것입니다. 그러나 그의 대답을 영적인 의미로 해석할 수도 있습니다. "구원은 내가 아니라 하나님으로부터 오는 것이다. 나 자신은 아무것도 아니고 아무것도 할 수 없는 존재이다." 그것이 신학적으로 올바르고 정확하고 건실한 태도입니다.

요람 왕은 그 여인을 경멸하지 않았습니다. 그렇지만, 그의 대답은 가혹한 것입니다. 왜냐하면, 그 말은 믿음의 모험을 감행하는 것을 포기한다는 뜻을 담고 있습니다. 그는 스스로 그 모험에 관여하지 않고 하나님에게 모든 것을 돌리는 것입니다. 그런데 그는 관여하지 않을 수 없습니다. 그는 이스라엘의 왕으로 이 땅에서 하나님을 대리하는 자이기 때문입니다. 그는 하나님의 기름부음을 받았습니다. 그는 하나님의 결정을 내릴 수 있는 사람입니다. 물러섬으로써 그는 참된 이스라엘의 왕인 것을 이미 포기한 것입니다.

그때에 그는 자신의 왕위6)를 상실합니다. 그것은 우리 모두에게도 해당한다는 것을 명심하십시오. 우리는 이제 그런 능력을 예수 그리스도 안에서 다 부여받았으므로 우리의 책임을 회피하려고 어떤 그럴듯한 신학으로 얼버무릴 권리가 없다는 것입니다. 게다가 스스로 물러났음에도 이스라엘 왕은 그가 원하든 원하지 않든지 간에 아주 고통스러운 일에 관여하게 됩니다.

그는 자기 아이들을 먹기로 한 두 여자의 가증스러운 계약 사건을 다루게 됩니다. 한 여자는 자기 아이를 넘겨주기를 거부합니다. 그러자 다른 여자는 정의를 요구합니다. 그것은 정의의 문제로 계약대로 이행되어야 할 것입니다. 왕은 다시 관여해서 법과 정의의 수호자로서 법규를 지키게 해야 합니다. 그는 가증스러운 사건들을 재판해야 합니다. 그런데 두 번째도 왕은 물러섭니다. 그는 그 같은 경우에 정의대로 심판할 수도, 계약을 지키게 할 수도 없습니다. 그러나 그는 "구해 주세요" 라고 외치는 그 여인을 심

---

6) 폰 라드가 보여주듯이(『구약 신학 I』, p.46), 북왕국에 수립된 왕위는 유다의 왕위와는 성격이 다른 것입니다. 북왕국의 왕위는 여호와 하나님이 다윗을 선택한 것에 그 근거를 두지 않고 각각의 왕마다 새롭게 선택을 받아야 하는 것이었습니다. 왕들은 각기 여호와 하나님이 내린 카리스마를 받아서, 스스로 하나의 세력과 종교적인 권력을 대표했습니다

판할 수도 정죄할 수도 없습니다.

여기서 우리는 두 아이가 얽힌 솔로몬의 재판 사건을 환기시켜 봅니다. 이 같은 사건을 재판하려면 참된 이스라엘의 왕인 솔로몬의 지혜가 필요합니다. 하지만, 요람 왕은 솔로몬이 아닙니다. 한 걸음 더 나아가서 보면 선택받은 백성의 왕이 인간의 상상력이 미치는 한 가장 잔혹한 죄를 눈앞에 두고 있습니다. 한 여인이 자기 아이를 먹었는데 그것도 미쳐서가 아니라 자신의 목숨을 구하려고, 계약을 맺어서, 계획적으로 한 일이었습니다.

그것은 요람에게 선택받은 백성의 범죄를 깊이 있게 통째로 드러내주는 표지였습니다. 백성 가운데는 이렇게까지 된 사람이 있었던 것입니다. 그 모든 백성을 대표하는 왕으로서 그는 거룩한 나라를 통합해야 하지만 아무것도 하지 않았습니다. 극도로 고통을 겪는 가운데 더는 어떤 규범도 도덕도 없고 아무것도 존중하지 않는다는 사실을 암묵적으로 그가 인정하는 것으로 볼 수도 있습니다. 즉 그 여인들의 행위는 용서받을 수 있는 것으로 생존의 필요가 법이 된 것입니다. 그는 주저앉아서 비통해하고 참회하는 것 이외에는 아무것도 하지 않습니다. 그는 자기 옷을 찢고, 그 모습으로 백성들 사이로, 성벽 위로 걸어갑니다. 그는 치욕과 굴욕을 당한 왕으로 모든 백성에게 자신의 연약함과 함께 경건한 신앙을 보여줍니다. 그의 참회 가운데서 그의 경건한 신앙이 드러나기 때문입니다.

그는 양식이 떨어진 비참한 상황과 짐승 같은 범죄 앞에서 아무것도 할 수 없어서, 하나님 앞에 주저앉아 그 자신과 백성을 위해 용서를 구합니다. 그가 매우 진실한 참회의 마음을 가졌다는 것은 분명합니다. 그는 모든 백성을 위해서 왕으로서 띠를 두르고 하나님 앞에서 참회합니다. 그는 예수가 한 말처럼 은밀하게 참회합니다. 그는 왕으로서 참회하고 징벌을 받아야 한다는 믿음으로, 하나님 앞에서 모든 백성의 죄악을 담당합니다. 이처럼 그는 영적인 것들을 지키는 수호자가 되고자 하고, 아무 행동도 취하지 않습니다.

우리는 이런 사건에서 흔히 믿는 사람의 열정적인 행동은 어리석은 것이라고 말하곤 합니다. 그래서 그 반대의 경우가 여기서는 더욱 뚜렷하게 보입니다. 왕은 행동을 취하고 관여하고 주도해야 하는 존재입니다. 왕으로서는 진실한 참회나 진실한 신앙만으로 충분한 것이 아닙니다. 그에게는 지혜가 있어야 합니다. 즉, 하나님의 뜻에 맞도록 다스리는 능력이 필요한 것입니다.

경건하고 연약한 그 왕은 갑자기 행동으로 폭발합니다. 엘리사를 죽이려는 것입니다. 엘리사는 군사적인 패배와 도덕적인 재앙, 이 모든 것을 책임져야 합니다. 그는 항상 하나님의 신실함을 선포하고 하나님의 도움을 약속했는데 하나님이 자신의 백성을 저버렸기 때문입니다. 왕은 엘리사를 죽여야 합니다. 그는 하나님의 말씀을 전달하며 하나님이 우리의 삶에 관여할 것을 끊임없이 선언하고 있고 궁극적으로는 이스라엘에서 하나님을 대표하고 있기 때문입니다.

그러나 왕은 자신도 그렇다는 것은 잊고 있습니다. 하지만, 엘리사의 뒤에는 하나님이 있으니 요람 왕은 바로 하나님을 겨냥한 것입니다. 그의 판결은 명백히 하나님에 대한 인간의 판결입니다. "이 재앙은 하나님으로부터 온 것이다." 즉, 책임을 져야 하는 존재는 바로 하나님이라는 것입니다. 만약에 하나님이 진정 이스라엘의 하나님이라면 그런 재앙이 일어나는 것을 어떻게 방치할 수 있겠느냐는 것입니다.

왕은 흔들리지 않고 패전을 받아들일 수 있었습니다. 포위된 것도 백성의 현실적인 비참한 상황도 마찬가지였습니다. 그런데 이제는 도가 넘어버렸습니다. 왕이 목격한 끔찍하고도 가증스러운 현실 앞에서 하나님이 현존하는 사랑의 하나님인 것을 더는 믿을 수 없습니다. 왕이 엘리사를 죽인다는 것은 바로 하나님을 겨냥한 것입니다. 또한, 이때에 왕과 예언자의 오래된 갈등이 폭발하기도 했습니다.

한편으로 왕은 기존에 조직된 종교의 정당하고도 당연한 수호자입니다. 그 종교는 하나님도 바라던 것인데 사람들은 너무나 자주 그 사실을 잊어버리곤 합니다. 다른 한편으로 왕은 하나님이 절대적인 타자로서 어떤 종교적 신학적 형상으로 축소할 수 없으며 항상 새롭고 놀라운 존재로서 언제나 현존하며 우리의 의식과 관습과 경건을 흔들어 놓는 존재임을 보여줍니다. 한편에선 하나님의 과거의 행위와 존재 양태를 지키는 수호자의 역할은 정말 합당하고 정당한 것으로 하나님이 바라는 것입니다. 하나님은 말씀 속에서 끊임없이 "기억하라"고 말합니다. "내가 예전에 너에게 어떤 존재였는지를 기억하라." 그러므로 하나님에게는 정당하고 진실한 전통적인 수호자로서의 역할이 있습니다.

다른 한편에선 왕은 천둥 번개를 불러일으킬 만큼의 권력자로서 간섭하고 격변을 일으키면서, 하나님이 과거와 죽은 자의 하나님이 아니고 현재와 산 자의 하나님인 것을 확증합니다. 양자의 갈등은 일어날 수밖에 없습니다. 갈등을 일으키는 두 당사자는 둘 다 진실할 뿐만 아니라 하나님으로부터 그 역할을 부여받았습니다. 왕은 기존의 질서를 어지럽히는 것을 허용할 수 없습니다. 그는 하나님이 원하는 그 질서를 지키고 유지하는 임무를 하도록 왕위에 오르게 된 것이기 때문입니다. 그는 비이성적인 모험과, '지금 여기서' 선포되는 하나님의 말씀이 격변을 유발하는 것을 용납할 수 없습니다.

그러나 그가 잘못 판단한 것은, 현재의 하나님에 반해서 과거의 하나님을 따르고, 예언자 엘리사를 죽이도록 하나님에게 기원한 데 있습니다. 왕의 처지에서는 엘리사는 이런 혼란스런 일을 불러온 편에 속합니다. 왜냐하면, 엘리사는 왕에게 영적인 위기를 불러일으킨 그 끔찍한 일에 전혀 개의치 않았기 때문입니다.

이스라엘 왕의 면모를 파악하는 데 도움이 되는바 또 하나의 성격적인 특성이 있습니다. 한센병 환자들이 아람 군대가 도망한 소식을 알리려고 왔을 때 왕은 그것을 고전적인 수법인 함정으로 보려 합니다. 즉, 아람 군대가 도망가는 척 위장을 해서 이스라엘 군대를 바깥으로 유인하여 이스라엘 군대가 바깥으로 나오면 그때 다시 돌아와서 죽이려고 한다는 것입니다. 왕은 상식선에서 합리적인 태도를 보였습니다. 아람 군대가 도망가야 할 아무런 이유가 없고, 성을 포위한 군대가 포위망을 풀어버리는 척 위장하는 것은 고전적인 작전입니다.

왕의 말은 어떤 장군이나 국가 원수라도 그런 상황에서 행할 정상적인 판단이고, 합리적인 의심입니다. 그것은 이 왕의 특성이기도 합니다. 그가 아람 왕의 편지를 받고서는 그 편지를 전쟁을 일으키는 구실이라고 해석한 것은 나아만 장군의 일화에서 보여준 모습을 재현한 것입니다. 왕의 그런 태도를 비난할 수는 없습니다. 그는 백성의 실질적이고 군사적인 수장으로서 이성적으로 전략을 짜서 최선의 방법으로 백성을 통제하고 인도해야 합니다. 그는 그에게 있는 인간적인 판단의 수단들을 써야 합니다. 그가 정치적 군사적 함정 속으로 맹목적으로 뛰쳐 들어간다면 왕으로서 어떤 평가를 받겠습니까? 어떤 왕이라도 그와 같이 판단했을 것입니다. 그러나 그에게 있어서 가장 어려운 것은 그가 어느 평범한 왕에 그칠 수 없다는 데 있습니다.

그는 하나님의 백성인 이스라엘의 왕입니다. 그런 상황 속에서 그는 신앙적인 판단이 아닌 신중한 판단을 합니다. 그는 그를 향한 하나님의 말씀을 듣지 못했습니다. 그는 이 사건이 전개되는 가운데 어떤 하나님의 말씀도 분간할 수 없었습니다. 인간이 하나님의 말씀을 듣지 못하는 것이 정상이긴 하지만 왕은 하나님의 말씀을 듣고 이해할 수 있는 능력이 있으므로 왕에 추대된 것입니다. 하지만, 그가 마땅히 해야 할 신중한 정치적 행보와 합리적인 의심이 그로 하여금 하나님이 말씀한 때에 그 말씀을 들을 가능성을 차단했습니다. 그는 씨를 받았고 말씀을 들었던 사람입니다. 그러나 세상의 염려에 말씀이 막혀 결실하지 못합니다. 마13:22 여기서 우리는 정치적인 중대한 문제와 마주칩니다. 어떻게 그에게 세상의 염려가 없겠습니까? 어떻게 그가 신중한 처신과 역량 있는 행보와 이성적인 판단을 하지 않을 수 있겠습니까? 하지만 그와 같은 오래된 습관은 또한 하나님의 말씀을 막아버릴 수밖에 없습니다. 그의 불안과 연약함과 앞날을 예측할 수 없는 것과 함께 말입니다.

2

이 사건에서 우리가 살펴볼 두 번째 인물은 바로 예언자 엘리사입니다. 여기서 분명하게 먼저 짚고 넘어갈 문제가 있는데 그것은 곧 엘리사는 어떻게 예언자로 인정받게 되었느냐는 것입니다. 그것은 열왕기하 6장 32절에서 보는 바와 같이 왕이 엘리사를 적대시하여, 그를 암살하고자 사람을 보낸 것을 미리 보는 그의 선견적인 능력 때문은 아닙니다. 그렇다고 열왕기하 7장 1절에서 보는 바와 같이 다음 날 사람들에게 양식이 주어질 사건들을 미리 예언하였기 때문도 아닙니다. 곧 일어나게 되는, 아람 군대가 도망가는 사건과 같은 기적 때문도 아닙니다.

일반적으로 그러한 종류의 사건들이 우리 눈에는 예언자임을 입증하는 것들입니다. 사실 그런 사건들은 부차적인 것들로서 예언의 말씀에 함께 따라오기도 합니다. 그러나 그것이 예언자가 되게 하는 것은 아닙니다. 그것들은 무익한 것도 아니고 신화적인 것도 아닙니다. 하나님이 전적인 타자라면 그 현현인 모든 사건은 단지 말하는 방식들에 지나지 않고, 실제 내용은 없는 것이라는 불트만의 영적 원리도 물론 용납할 수 없는 것입니다. 왜 전능자가 그런 방식으로도 행동할 자유가 없겠습니까? 그러나 거짓 예언자들도 그런 것들을 행할 수 있고, 마법사들과 마술사들도 마찬가지로 그렇게 할 수 있습니다.

예언자는 지금 하나님의 선택과 하나님의 행하실 것을 정확하게 엄밀하게 선포하는 것입니다. 객관적으로, 가령 어느 정도의 냉정하고 초연한 태도로서, 자기 자신과는 관련이 없는 것처럼 예언자는 "하나님이 이 길을 선택하셨습니다"라고 선언하는 것입니다. 그렇지만, 예언자는 또한 하나님의 뜻을 밝히고 드러내는 것에만 그치지 않습니다. 예언자는 "하나님의 말씀을 들으시오"라고 명령을 내리기도 해야 합니다. 장사를 하고 양식을 마련하고 성벽을 지키고 범죄자를 잡는 것보다 더 중요한 것이 있습니다. 그러니 일단 멈추고 지금 하나님의 말씀을 들으시오. 예언자는 살아있는 말씀을 현재에 재생시킵니다. 그 말씀은 사람들이 겪는 실제 상황에 맞으며 하나의 응답으로 제시됩니다. 하지만, 말씀은 아주 불합리하고 예상치 못하게, 인간의 처지에서는 자신이 해온 방식들과 정치와 정상적인 대응을 포기하는 것이 됩니다. 예언자는 실제로 인간의 구체적인 현실 상황 속에, 정치적인 상황 속에 하나님의 말씀을 전달하는 사람입니다.

그 말씀은 우리의 정치적 의도와 판단과는 아무런 공통점이 없습니다. 여러 가지 정치적 경제적 체제들 가운데서 그중 좋은 것을 제시하는 것이 하나님의 말씀이 아닙니다. 어떤 정당이나 노동조합에 가입하는 것이 필요하다고 선언하는 것이 하나님의 말씀이 아닙니다. 백성의 기근이나 국가나 식민지의 노예제도 문제에 해결책을 찾는 것이 하나님의 말씀이 아닙니다. 이 모든 것이 요람 왕의 입장입니다.

예언자는 하나님이 모든 일상적인 삶의 영역과 정치적인 사건들의 영역에 두루 현존함을 알리는 사람이라는 게 맞습니다. 그러나 그는 어떤 대안도 제시하지 않고 어떤 활동에도 참여하지 않습니다. 그는 믿음을 전달하지만 입증하지는 않습니다. 그는 명령을 내립니다. "하나님의 말씀을 들으십시오. 여러분은 지금 그 말씀 앞에 있습니다. 그러니 이제 여러분은 결단하십시오." 그는 걸음마다, 국면마다 모든 믿음의 태도를 근본으로 삼습니다. 예언자와 함께하는 길에는 진전이 없습니다. 정치적인 상황에도 진전이 없습니다. 나아만 장군의 치유는 아무런 변화도 불러오지 못했고, 이후에 전쟁은 발발하고 말았습니다. 영적인 면에서도 진전이 없습니다. 예언자는 모든 것을 항상 원점으로 되돌립니다. 정치적인 상황은 항상 새로워집니다. 영적인 삶은 늘 믿음의 결단이라는 벽에 놓입니다. 그 삶은 우리가 도덕적·신학적·교회와 관련된 이론들을 수단으로 해서 항상 회피하려고 노력하는 것입니다.

　　하나님의 말씀을 이제 듣고 싶습니까, 아닙니까?
　　하지만, 저는 이미 어제 그 말씀을 들었는데요!
　　그러나 우리는 오늘을 말하는 겁니다.
　　하지만, 말씀은 똑같은데요!
　　그렇지만, 당신은 똑같은 사람이 아닙니다. 바로 지금 당신은 결단해야 합니다.

　　예언자는 우리에게 우리의 믿음 자체를 인생의 지표로 삼거나, 우리의 믿음 위에 도덕율이나 교회론이나 정치 이론을 세워서는 안 된다고 합니다. 사람들은 자신의 믿음을 통해 예언자가 전하는 말을 듣습니다. 예언자는 그 말을 통하여 사람들에게 바로 지금 믿음의 결단을 내리도록 촉구합니다. 왜냐하면, 내일이면 너무 늦어버리기 때문입니다. 그는 사람들의 믿음에 호소합니다. 그가 전하는 말은 오직 사람들의 믿음을 통해서 응답이 되고, 그것은 하나님의 말씀이 됩니다.

　엘리사는 믿음이 없는 사람을 설득하려는 노력을 전혀 하지 않습니다. 그는 믿는 자들에게 입증하려고 하지 않으며, 믿지 않는 자들에게는 더욱 그러합니다. 그는 객관적으로나 주관적으로나 어떤 변증도 하지 않습니다. 그러나 말씀의 선포 때문에 엘리사가 받은 첫 번째 반응은 회피요 불신이었습니다. 왕의 신하는 어깨를 한 번 들썩이며 무시했습니다. 엘리사는 처음부터 다시 시작했을까요? 아니면 토론이라도 벌였을까요? 아니면 설득하기 위해서 노력했을까요? 물론 다 아니었습니다. 그는 그 신하가 처할 상황을 하나님 앞에서 선포합니다. "네가 네 눈으로 보리라. 그러나 그것을 먹지는 못하리라." 예언자 엘리사는 말씀을 부정했던 그 신하를 따로 분리해서 그에게 일어날 일을 말해주었습니다. 그의 불신은 그의 운명을 정하고 말씀의 진리에서 벗어나게 합니다. 그러나 하나님 앞에서 그의 삶의 길을 벗어나게 하는 것은 아닙니다. 선지가가 그에게 말할 수 있는 것은 그 사실 뿐입니다.

　생각해보면, 그렇게 많은 기적을 일으켰던 엘리사가 자신이 선포한 것을 확증하고, 사람들을 설득하고 사람들에게 믿음을 불러일으키기 위해서는 아무런 기적도 행하지 않았다는 사실은 정말 놀랍습니다. 그러나 나는 과감하게 그 성서 본문을 전체적으로 보아야 한다고 생각합니다. 모든 것을 촉발시킨 것은 여인의 부르짖음이었습니다. "나를 도와주소서!" 왕은 참혹한 사실을 알고 나서 절망하게 됩니다. 그때 예언자 엘리사가 개입합니다. 이는 나아만 장군의 일화와 일종의 병행이 됩니다. 나아만도 부르짖습니다. "병을 낫게 해주소서. 나를 도와주소서." 이스라엘 왕도 또한 절망해서 옷을 찢습니다. 이 두 가지 이야기 속에서 왕은 "도와주소서!"라는 부르짖는 간구를 들어줄 수 없음을 선포합니다. 한 여인의 곤혹스러운 문제에 대해서, 수치스럽고 절망스러운 상황에 대해서 응답하는 하나님의 말씀을 전한 것은 예언자 엘리사였습니다. 그 말씀은 긍정적이었습니다. 물론 그것은 그 여인에게 개인적으로 응답하는 말씀이 아니라 그녀의 행동은 두말할 것 없이 법의 심판을 받아야 했을 것입니다 모두를 위한 구원의 말씀이었습니다. 왜냐하면, 나병환자 중의 한 사람은 절망하여 극단의 선택을 했기 때문입니다.

엘리사는 그렇게 그 백성 가운데 함께 했습니다. 하나님의 사람인 그는 참혹한 일들을 겪은 그 백성을 정죄하고, 자기 자신은 홀로 초연한 태도를 취한다거나 하지 않았습니다. 그 여인들의 범죄가 일어남과 함께 수많은 다른 수치스러운 일들이 그 백성을 고통스럽게 하였습니다. 예를 들자면 소량의 곡식도 그 값이 엄청나게 폭등한 것이 보여주듯이 특권층의 투기와 가난한 백성에 대한 압제가 있었습니다. 그런데 예언자 엘리사는 그의 백성을 비난하지 않고 여인을 정죄하지 않고 투기꾼들도 심판하지 않습니다. 그는 백성과 하나가 되어서 장로들과 의논하고, 그에게는 여전히 하나님의 백성인 그들에게 도움을 베풉니다. 어떤 상황에서든지 그 백성에게 하나님의 말씀은 전해져야 합니다. 모든 사람이 하나님이 더는 함께 하지 않는다고 생각할 때에, 엘리사는 하나님의 사랑이 계속되는 것과 물질적인 구원의 소식을 전하고자 개입합니다.

그러나 거기에서도 그는 행동하지 않습니다. 이상하게도 예언자 엘리사는 정치적인 문제들에 대해 아무런 행동을 취하지 않고 직접적으로 개입하는 일도 없고, 어떤 기적도 행하지 않으며, 심지어 자기 방어를 위해서조차 행동 하지 않습니다. 우리는 그 사실을 뒤에 가서 또 확인하게 됩니다. 왕은 엘리사를 죽이려고 사신을 보냅니다. 이 경우에 엘리사는 자신의 목숨을 구하려고 자신의 능력을 사용하지 않습니다. 그가 일으킨 기적들을 떠올려 보면 그 경우에 그가 능력을 행하기는 너무도 쉬운 일이었을 것입니다. 그는 어떠한 영적인 능력도 사용하지 않고, 하나님에게 자신을 지커달라고 요청하지도 않습니다. 이 장면은 우리에게 감람산에서의 예수를 연상하게 합니다. "내가 내 아버지께 구하였더라면 열두 군단도 더 되는 천사들이 나를 보호하기 위해서 보내졌을 것이다." 그러나 예수는 구하지 않았고 그것은 엘리사도 마찬가지였습니다.

엘리사는 순전히 인간적인 방법들만을 사용합니다. 그는 보통 사람이 그러하듯이 문들을 닫아걸게 하여서 자신을 지키려고 했습니다. 아주 실제적인 위험에 처해 있으면서도 그는 자신을 위해서 그가 가진 능력을 사용하려는 생각을 추호도 하지 않습니다. 하나님의 권능은 예언자 자신을 위해서 쓰라고 주어지지 않았습니다. 그는 닫힌 문 안으로 피하였습니다. 그 허술한 방어망을 통해서 그는 잠깐 자신의 안전을 확보할 수 있었습니다. 이스라엘 백성이 불행의 밑바닥을 겪고 있기에 엘리사는 그렇게 하나님이 선택한 이스라엘 백성과 행복도 고통도 함께합니다.

그렇지만, 그것이 엘리사가 위로와 희망과 자비만 준다는 것을 의미하는 것은 아닙니다. 그는 왕에 대한 심판과 왕을 호위하는 신하에 대한 심판도 선포했습니다. 이스라엘을 대표하는 왕인 요람은 살인자의 아들입니다. 그는 여호와의 예언자들을 죽이고, 나봇을 죽인 아합왕의 아들입니다. 나봇의 비참한 작은 일화는 늘 언급이 됩니다. 요람 왕 자신도 살인자입니다. 그는 자신의 아버지가 한 일을 계속하려고 했고, 예언자 엘리사를 죽이려고 했습니다. 요람 왕은 심판을 받게 되는바 이는 사필귀정입니다. 앞에서 본 바와 같이 요람 왕은 자신도 의식하지 못한 채 이스라엘 왕의 직임과 역할을 포기하고, 왕하6:30 이제는 엘리사를 죽이려는 결정을 내림으로써 하나님의 말씀에 의한 명백한 심판을 스스로 받게 됩니다. 그 두 가지에 대한 심판은 엘리사가 예후에게 기름을 부어 요람 왕을 퇴위시킴으로써 성취됩니다.

그러나 또 다른 심판도 있습니다. 그것은 왕의 신하를 향한 것입니다.

그는 백성에게 준 약속의 말씀으로부터 버림받게 됩니다. 엘리사는 그를 직접적으로 정죄하지는 않았지만, 그것이 그의 불신에 대한 응보입니다. 그는 사실 사형이 선고된 것입니다. 엘리사가 선포한 정죄의 선고들은 '최후의 심판'과 인간의 구원과 그 정죄 선고들의 유효한 범위라는 문제를 불러옵니다. 요람 왕과 장관에게 선고한 정죄의 말씀이 하나님의 말씀이므로 그들은 영원히 저주받는 것입니까? 하나님은 이제 그들과 함께 하는 하나님이 아닙니까? 그 정죄는 그들에게는 최후의 심판입니까? 그들은 믿음이 없어서 이미 심판을 받은 것입니까?요3:18 아니면 최후의 심판이라는 하나님의 말씀에 대한 경고로 주어진 일시적이고 임시적인 현실적 표지들입니까? 그리하여 예수 그리스도의 죽음으로 말미암은 그 두 사람의 구원 문제와는 상관이 없을까요? 나는 그 모든 것이 일시적으로 버림받은 것이고 정죄를 당한 것에 지나지 않는 것이지 영원한 것은 아니라고 확신합니다.

그들은 정죄를 당한 것이지 저주받은 것이 아닙니다. 그들은 하나님의 역사에서 멀어진 것이지 하나님의 사랑으로부터 멀어진 것은 아닙니다. 역사가들은 고대 이스라엘 사람들이 영생과 부활을 인식하지 않았기에 선한 자에게나 악한 자에게나 영원한 보상이라는 생각이 없었다고 합니다. 그러니 모든 것은 이 땅에서 일어나는 것입니다. 하나님의 심판은 이 땅 위에서만 실효성이 있는 것이었습니다. 시간이 가면서 사람들은 영생이라는 관념을 가지게 되어서 하나님의 심판에 다른 차원의 의미를 부여한 것입니다. 이 모든 것은 정확하지만 그래도 불충분합니다. 왜냐하면, 신앙적으로는 유일하고 총체적이고 완전한 하나님의 말씀으로 인정되는 성서의 내용은 하나로 일치를 이루고 있기 때문입니다. 이 유일한 말씀 안에서 인간에 대한 두 가지의 하나님의 선택이 있습니다. 그것은 땅 위의 구체적인 삶과 관계되는 것들입니다. 거기에는 유기와 정죄와 징벌이 있을 수 있습니다. 각자는 자신을 향한 하나님의 선택을 받게 됩니다. 하나님의 선택은 참으로 중대하고 고통스러운 것일 수도 있습니다. 아무튼, 여기서 우리는 이중적인 사형 선고를 보게 됩니다. 하나는 즉시 집행되고, 다른 하나는 12년 후쯤이 될지 모르지만 그건 중요하지 않습니다. 우리는 인간과 하나님의 궁극적인 관계에서 본질적인 문제로 하나님의 심판에 직면하게 됩니다. 예수 그리스도는 바로 거기서 죽음에 매인 인간을 위한 값을 치르려고 속죄의 희생으로 자신을 내어놓습니다. 그는 하나님의 공의를 지키려고 인간의 자리를 대신하는 하나님입니다. 그것은 요람 왕과 그 신하를 위한 것이기도 합니다.

그러나 그렇게 판단함으로써 우리는 옛날의 개념들로 되돌아가는 것일까요? 역사적인 일시적인 유기는 우리의 죄악들에 대한 '속죄'일까요? 하늘에서의 구원을 기다리는 동안에 땅 위의 벌을 받는 것일까요? 그렇게 말하는 것은 실제로는 예수 그리스도의 공로를 희석시키는 것입니다. 만약에 우리의 죄악들을 속죄하기 위해서 우리가 땅에서 형벌을 받는 것이라면, 일시적인 심판이 영원한 심판을 상쇄하게 될 것입니다. 성서가 우리에게 말하는 것은 그렇지 않습니다. 그렇다면, 욥기에서 논의된 옛날의 신학 이론에 따라서 인간의 행복과 하나님께 순종하는 것(믿음), 인간의 불행과 하나님께 불순종하는 것 사이에 연관 관계가 있다는 말일까요? 내게는 그런 것도 전혀 성서의 가르침은 아니라고 여겨집니다. 하지만, 그런 점에서 본다면 인간의 구체적인 삶 속에서 그 같은 하나님의 역사적인 심판은 무엇에 해당하는 것일까요? 내게는 언제나 문제가 아주 분명한 것으로 여겨집니다. 하나님은 말씀합니다. 한 인간에게 지금 실제로 전해지는 살아있는 하나님의 말씀이 임하면 거기에 대해서 그는 지금 믿음의 실제적인 결단으로 응해야 합니다. 하나님이 한 인간에게 말씀할 때는 그 사람의 개인적인 만족이나 그 영혼이나 그의 행복을 위한 것이 결코 아닙니다. 하나님이 인간에게 선포하는 것은 항상 하나님이 내릴 명령이나 하나님이 그 인간에게 기대하는 사역이나 그에게 줄 사명과 관계가 있습니다.

하나님이 기대하는 믿음의 응답은 인간이 그 사명과 사역을 완수하여 하나님의 계획에 참여하는 것입니다. 사람이 거부하거나 그 말씀을 하나님의 말씀으로 받아들이지 않거나, 의심이나 오랜 숙고나 인간적인 지혜에 빠지거나, 하나님에게 기다려 달라고 요구할 때에 하나님은 그 사람을 버립니다. 그렇지만, 하나님이 그를 지옥에 떨어지도록 버리는 것은 아닙니다. 하나님은 그를 사용할 수 없는 도구로서 버리는 것입니다. 해야 할 일이 있어서 하나님이 한 사람을 불렀는데 그가 그 일을 하기를 거부하거나 원하지 않는다면 하나님은 그를 내보내고 다른 사람을 부르는 것입니다. 그렇다고 처음 부른 사람은 하나님의 사랑이나 그리스도의 구원으로부터 배제되는 것은 아닙니다. 그는 사용불가로 처리된 것입니다. 그는 구원의 거대한 역사와 거대한 모험의 여정에서 제외되어 하나님의 계획에 참여하지 못하는 것입니다. 모든 것은 그가 순종하느냐 아니냐에 달려 있었습니다. 그는 참여하지 않기로 했습니다. 하나님은 그의 선택을 수용합니다.

요람 왕은 이제 더는 이스라엘의 진정한 왕이 되지 못하고 어디에도 소용없는 존재가 되고 맙니다. 그가 계속해서 정치하고 전쟁을 치른다 할지라도, 혹은 아무리 분주히 활동하고 동맹을 체결한다 할지라도 그 모든 것이 아무 소용도 없게 된 것입니다. 그는 하나님의 계획에서 제외되어 버린 것입니다. 그가 행한 일들이 역사가들에 의해서 자세히 평가될 수도 있겠지만, 하나님의 역사에서는 완전한 공백에 불과합니다. 일시적인 유기의 의미가 바로 그런 것입니다. 일시적인 선택이 바로 하나의 사역을 위한 선택인 것처럼 말입니다. 물론 그걸 지켜보는 사람들에게는 그 일시적인 유기는 표징이자 경고로서, 우리에게 전해진 말씀의 중대성을 상기시켜 줍니다. 왕의 신하는 죽음을 당함으로써 우리에게 지금 이 시대에 대한 경고를 줄 뿐만 아니라 그리스도 안에 있는 하나님의 무한한 은혜를 바라보게 합니다. 그리스도는 모든 정죄를 용서로 변환시킵니다. 더 나아가 모든 정죄를 하나님의 무한한 사랑으로 감싸게 합니다. 하나님은 죄에 대해서는 삼대에 걸쳐 벌하지만, 용서는 천대에 걸쳐 베풉니다.

아직도 한 가지 의문이 일어날 수 있습니다. 그런데 왜 예언자 엘리사는 두 가지 태도를 보이는 것입니까? 왜 그는 백성의 죄악들과 범죄를 저지른 여인들의 죄악들은 정죄하지 않고, 반대로 왕과 신하는 정죄하는 것입니까? 여기에 대한 대답은 간단하고도 성서의 가르침에 맞는 것입니다. 첫 번째 경우는 도덕적인 죄악들과 관계되어 있습니다. 도덕적인 죄악들도 물론 중대한 것으로 때로 예언자들이 바르게 지적합니다. 한 어린아이를 살해하는 것이 결코 그냥 지나칠 범죄가 아닌 것은 확실합니다. 여기서는 그런 범죄를 저지른 사람들에 대한 하나님의 심판, 곧 그런 죄는 어떤 것으로도 속죄될 수 없기에 하나님의 아들이 받게 되는 하나님의 심판에 대해 말하고 있지 않습니다. 그러나 여기서 우리는 바로 그 하나님의 심판에 직면합니다. 그것은 하나님의 실제적인 명령을 이행할 것을 거부하거나 사역을 거절하는 것과 같은 문제가 아닙니다.

반대로, 요람 왕과 그 신하는 문제가 아주 다른 것입니다. 하나님의 명백한 말씀이 그들에게 전해졌고 그 말씀에 대해 그들은 스스로 결단을 해야 했습니다. 그들이 백성의 책임자들이요 인도자들이요 권위자들이기에 하나님의 말씀이 우선으로 그들에게 전해진 것입니다. 그들은 믿음으로 사역을 감당하고, 그들 각자에게 주어진 말씀을 따라 순종하는 결단을 앞에 두고 있습니다. 한 사람은 "내가 하나님으로부터 무얼 기대할 게 있는가?"라고 하고, 다른 한 사람은 어깨를 한번 들썩이면서, "하나님이 하늘에 창문을 낸다 해도 그게 무슨 소용이 있을까?"라고 합니다. 그런 의심과, 사역에 대한 거부는 일시적인 유기遺棄의 심판을 가져왔습니다. 비참한 상황에 있는 백성은 필요의 법칙에 순응하여 악을 행한 것입니다. 하나님은 그런 처지에 빠진 백성에 대해 아주 긍휼히 여기십니다. 하나님의 말씀을 받은 사람들은 자유를 회복하게 됩니다. 하나님의 말씀이 먼저 전해진 왕과 신하는 선택에서 자유를 얻었습니다. 그러므로 그들은 자신들이 순종하기를 거부한 데 대한 책임을 당연히 져야 하므로, 그리스도 안에서 궁극적인 구원을 얻기까지는 어떤 변명도 구원도 받을 수 없습니다.

3

이제 우리는 이 책에서 계속해서 보아온 중심 문제인, 하나님의 선택과 인간의 선택 간의 관계를 다루려고 합니다. 먼저 하나님의 입장 그 자체에 대해서 고려해 보아야겠습니다. 성서가 하나님의 존재와 본질에 대해서는 거의 언급이 없으면서 하나님의 행위와 임재에 대해서는 끊임없이 보여주기 때문입니다.

여기서 확실하게 첫 번째로 가장 눈에 띄는 점은 하나님의 선택에서의 순전한 자유입니다. 하나님의 입장에 대해서는 어떤 이유도 찾아볼 수 없습니다. 왜 이스라엘은 그렇게 침략을 받았을까요? 왜 사마리아 성은 두 번이나 이런 극단적이 상태에 빠지게 되었을까요? 왜 이런 참상을 겪어야만 했을까요? 이스라엘은 다른 민족들보다 더 악한 것도 아니었고, 당시의 이스라엘이 다른 시대들보다 더 악한 것도 아니었습니다. 하나님의 자유로운 의지에는 어떤 이유나 동기나 원인이나 조건이 없습니다. 하나님은 하나님입니다. 하나님이 말씀하면 만물이 존재하게 됩니다. 거기에 다른 게 있을 수 있지 않을까 생각하지 말아야 합니다.

불행을 당한 이스라엘 백성은 그 환난을 겪었으면서도 더 큰 죄악에 빠져 들어갑니다. 포위되어 고통을 당하면서 그들은 영웅적인 행동이나 덕행을 베풀지 않았습니다. 오히려 그들에게는 범죄와 압제가 늘어갔습니다. 하나님이 자기 백성을 이렇게 넘치는 죄악에 빠지게 했다고 말할 수도 있을 것입니다. 그 말이 맞습니다. 반대로 말을 바꾸면 환난이 멈춰야 할 이유가 없었고, 하나님이 그 상황을 끝내고 포위를 풀어야 할 어떤 합당한 동기도 없었습니다. 우리는 이렇게 말하고 싶습니다. "사람이 감당할 시험 밖에는 너희가 당할 것이 없다." 그러나 바로 이스라엘 백성이 그 환난 가운데서 감당하지 못할 시험을 당했다는 생각이 듭니다.

아닙니다. 하나님은 그런 제한을 받지 않고, 절대적인 자유 가운데 백성을 구원할 때를 택합니다. 기도나 왕의 회개가 하나님을 움직이게 하는 것이 아닙니다. 어느 날 하나님의 말씀이 인간에게 임하여서 선포됩니다. "이제 시험은 끝이 났다." 그 때가 언제인가는 하나님의 비밀입니다. 우리는 여기서 예수가 마지막 때에 대해 말할 때 언급한 것과 같은 하나님의 자유를 발견합니다. 그는 아들조차도 그 때에 관해서는 아무것도 알 수 없다고 확언합니다. 거기에 관해서는 식별할 수 있거나 계시되어 미리 알려진 계획은 존재하지 않습니다. 미리 예측해볼 수 있는 전조란 없습니다. 역사적인 시기들에 상응하는 어떤 시점이나, 역사나 사명이나 교회에서 실현한 어떤 업적이나, 복음 전파의 그 어떤 경우나, 인간으로서 겪은 어떤 과도한 고통스러운 일이나, 그 어느 것도 우리로 하여금 "바로 내일입니다"라고 말할 수 없게 합니다. 그 때를 선포하는 하나님의 말씀은 독수리처럼 우리를 덮칠 것입니다. 아무도 기대하지 않고 그야말로 아무도 더는 기대하지 않는 때에 말입니다.

그와 같은 하나님의 철두철미한 자유는, 역사가들이 주님의 재림이 곧 있을 것이라고 기대했다가 실망한 초대 그리스도인들이 기록한 것이라고 주장하는, 신약의 그 모든 성서 본문들을 설명해 준다고 나는 생각합니다. 재림이 늦어짐으로 인해 당시의 그리스도인들은 견디기 어려울 정도로 당혹해했습니다.

아마도 그들이 사용한 말들이 인간적인 동기에서 그런 실망을 담고 있었는지도 모릅니다. 그러나 그런 해석의 논지는 아주 빈약합니다. 왜냐하면, 그 말들은 누구의 조언도 선택도 받아들이지 않는 하나님의 자유 의지에 대한 진리를 보여주기 때문입니다. 인간이 고통받도록 내버려 두고, 그고통의 부르짖음에 침묵하고, 박해를 허용하고, 구원도 기도 응답도 주지않는 하나님을 볼 때, 하나님에 대한 인간의 비난을, 곧 "이 악은 하나님으로부터 왔다"라고 하는 요람 왕의 비난을 우리가 너무도 잘 이해할 수 있지 않겠습니까? 그렇습니다. 그것을 그대로 용납해야 합니다. 하나님이 모든 것을 지은 주인이니 말입니다.

그러나 그 요람 왕의 비난이 여인들의 범죄 이야기가 전해진 다음에 일어났다는 사실에 주목해야 합니다. 왕은 사마리아 성의 포위와 패전과 기근에 굴하지 않았습니다. 그러나 그 추악한 도덕적인 죄악은 그가 견딜 수있는 한계를 벗어났습니다. 그는 이스라엘의 왕으로서 더는 버틸 수가 없었습니다. 그런 추악한 죄악의 무게를 견딜 수가 없었습니다. 이제 이 모든가증스러운 죄악에 대한 책임은 나에게 있지 않고 하나님에게 있습니다. 사실 이 모든 일 가운데 있는 하나님의 절대적인 자유가 우리로 하여금 이런 결론에 이르게 합니다. 성서도 분명하게 반영한, 하나님에 대한 인간의이러한 비난이 수백 번에 걸쳐 되풀이되어도 하나님은 결코 아무런 대답도하지 않습니다.

하나님은 인간에게 자신을 정당화하지 않는 것처럼, 시시비비를 요구하는 인간에게 그의 행동과 결정에 대해 해명하지 않습니다. 그것은 욥기에서 나오는 문제이기도 합니다. 거기서도 하나님은 악의 원천이라고 비난을 받았습니다. 기나긴 토론이 있고, 고통받는 인간의 기나긴 절규가 있은 다음에 하나님은 욥에게 설명하거나 대답하지 않고 그냥 말을 건넵니다.

거기에는 어떤 신학도, 속죄도, 시험도, 사단의 존재도 없습니다. 욥과 친구들이 펼치고 또 펼친 모든 가설은 대꾸없는 연설에 그치고 말았습니다. 하나님은 그 가설 중의 어느 것도 확증 도장을 찍도록 선택하지 않았습니다. 하나님은 욥에게 단지 한 가지 사실만을 보여 주었습니다. 하나님은 자유로운 존재로 어떤 제한도 받지 않으며, 그 누구에게도 해명할 필요가 없습니다. 그러나 또한 하나님은 욥이라는 인간에게 말을 건네는 존재로서 그와 함께 하는 존재이기도 합니다. 그 사실로 해서 모든 반론과 비난과 신의 계보론과 반역과 소동을 잠잠하게 하는 데 충분합니다.

"제가 잘 알지도 못한 채 말만 앞세웠습니다." 이 말이 하나님이 자유로운 존재임을 안 뒤에 인간으로서 할 수 있는 말입니다. 그러기에 요람 왕의 비난을 받으면서 하나님은 해명하지도 정당화하지도 않습니다. 하지만, 돌연히 예언의 말씀이 임합니다. 인간의 비난에 대해서 하나님은 믿음을 가지도록 말합니다. 예언자 엘리사는 정확히 내일 모든 환난이 사라지고 문제가 해결되고 다 잘될 것이라고 말합니다. 당신은 오늘 이 언약의 말씀을 받아들이고 믿어야 합니다. 당신은 의심하는 것을 멈추고 믿음으로 내일까지 기다리면 됩니다. 당장 일어나는 기적적인 구원이 아닙니다. 내일을 말하는 인간의 단순한 말일뿐입니다. 바로 그것이 하나님이 궁극적으로 그 왕에게 주는 진정한 시험입니다. 오늘 받는 고통으로 분개하는 그가 이 말씀 속에서 하나님의 임재를 분별하고 내일까지 기다리는 인내를 가질 수 있을까요? 그는 몇 개월 전부터 포위망이 풀어질 것을 기다려 왔습니다. 오늘의 우리는 수백 년 전부터 주님의 재림을 기다리고 있습니다. 예언자 엘리사는 이스라엘 왕의 비난에 대해 직접적으로 대응하지 않습니다. 그는 신학적인 토론을 하지 않습니다. 그는 절대적인 무상의 은혜가 믿음에 대한 응답으로 주어질 것이라고 선포합니다. 그는 그렇게 선포할 뿐입니다. 다른 말로 하면 그 문제는 형이상학적인 문제가 아니라는 말입니다.

　현존하는 악, 그 악의 원인, 악에 대한 하나님의 태도, 그리고 하나님의 권능과 악 사이의 관계, 그 모든 것은 정확히 아무 유익 없는 형이상학적인 논문에서 다루는 문제입니다. 거기에 대해 무얼 안다고 해도, 그것이 우리의 삶이나 우리가 겪는 고통을 변화시키는 것은 정말 하나도 없습니다. 악과 악의 근원에 대한 교리가 우리의 호기심을 충족시킬 수도 있습니다. 그러나 그것은 중요한 것이 아닙니다. 하나님은 우리의 호기심을 충족시키기 위해 만들어진 백과사전이 아닙니다. 진짜 문제는 고난을 겪는 상황에서, 해악 속에서 인간이 취하는 태도의 문제입니다. 이스라엘의 요람 왕은 그것이 하나님의 잘못이라며 반항합니다. 그는 자신이 희망을 가질 게 없다며 절망합니다. 엘리사 예언자만이 신앙에 호소합니다. 거기에는 해악을 형이상학적으로 선으로 변화시키거나 이해할 수 있게 하거나 인간이 처한 객관적인 상황을 바꾸게 하는 요술 방망이는 없습니다. 거기엔 주어진 하나님의 언약 앞에서 인간이 변화할 것을 구하는 요청이 있습니다.

　당신은 현실적으로 출구가 없는 상황에서 희망이 없는 상태에 있었습니다. 그런데 이제 하나님의 말씀이 당신에게 임한 것입니다. 당신은 내일 식량을 얻게 될 것입니다. 옛날에 사막에서 만나를 얻게 된 것과 똑같이 당신은 내일 식량을 얻게 되리라고 지금 믿음을 가져야 합니다. 그러니 오늘 당신은 그 약속의 말씀을 믿어야 합니다. 인간으로서는 그대로 받아들일 수밖에 없는, 하나님의 전적인 자유에 대해서 오늘 인간에게 아무런 표지도 주지 않았다 할지라도, 우리에겐 예수 그리스도 외에 어떤 표지도 없다 할지라도, 인간은 오직 믿음으로 응답해야 합니다.

　이러한 하나님의 자유는 사용할 수단들을 선택하는 데에서도 나타납니다. 사마리아는 구원을 받을 것입니다. 그러나 거기까지 이르는 데 하나님은 병사들의 용기나 지휘관들의 재능이나 왕의 정치나 모든 백성이 미덕과 도덕을 회복하는 것을 도구로 삼거나 근거로 삼지 않습니다. 하나님은 사마리아를 기적을 일으킴으로 구원할 것입니다. 더욱 분명하게 말하자면 소리와 바람과 메아리라는 아주 어처구니없고 헛되게 보이는 기적으로 환상을 일으켜서 승전한 적의 군대가 환상에 속아서 도망가게 한 것입니다. 이것은 하나님이 없는 것들을 택하여 있는 것들을 멸한다는 고린도전서의 말씀에 대한 실제 사례이기도 합니다.

그러나 이것은 또한 사람들이 만들어내는 모든 소리에는 어떤 비중도 가치도 의미도 없다는 것을 보여줍니다. 내 생각에는 인간의 정치들과 폭탄들과 선거들을 심각하게 받아들이는 우리가 그 사실을 아주 심각하게 받아들여야 한다고 봅니다. 승리한 군대, 모든 것을 유린한 전쟁, 제국들의 정치들, 그리고 하나의 메아리가 있습니다. 더는 아무것도 없습니다. "하나님은 열국의 혼란을 보시고 하늘에서 웃으신다"라는 말씀이 맞습니다. 하나님은 우리의 정치의 열정들과 우리의 군사적인, 혁명적인 격변들을 보시고 웃습니다. 그 역사의 아주 핵심적인 것은 하나의 소리가 가지는 크기와 가치입니다. 바로 그런 차원에서 열방의 극적인 사건들이 실제로 해결이 됩니다. 그것은 아무도 궁극적인 결과에서 영광을 얻지 못하게 하려는 것입니다. 물론 이스라엘의 왕도 그 군대도 승리자의 영예를 누릴 수 없습니다. 우리도 또한 우리의 정치적인 행위들 가운데서 우리도 승리자의 영예를 누리기에 합당한 어떤 이유도 없다는 것을 깨달아야 합니다. 그렇다고 우리의 정치적인 행위들이 쓸모없다는 것은 아닙니다. 오히려 그 반대입니다.

그렇습니다. 하나님은 인간이 배제된 완전한 기적을 일으키는 것에 만족하지 않습니다. 하나님은 항상 인간을 하나님의 행위와 하나님 일의 수행에 결부합니다. 하나님의 일은 인간을 위한 것입니다.

하나님의 일은 추상적이지 않습니다. 그것은 인간에게 포착되어 사용될 때에 의미가 있습니다. 기적은 기적 자체로는 가치가 없습니다. 아람 사람들이 도망간 것은 그 자체로는 아무 의미가 없습니다. 이스라엘이 하나님의 행위에 참여하여 그 기적을 포착해야 의미가 주어집니다. 이스라엘 백성이 기적이 일어났음을 믿지 않으면 아람 병사들이 도망을 간 것이 이스라엘 백성에게 아무런 해결책도 가져다주지 않습니다. 예수 그리스도는 이미 받은 줄로 믿으라고 말씀했습니다. 기적 그 자체로는 기적이 아닙니다. 인간이 그 기적을 받아들이고 기적으로 인정할 때에 비로소 기적은 기적이 됩니다.

여기에서도 수단들을 선택하는 데 있어서 하나님의 자유가 나타납니다. 하나님은 많은 이들 가운데 사람들을 택하여 하나님의 일을 수행하는 데 보조적인 협력자로 세웁니다. 그렇지만, 그 택한 사람들은 어떤 사람들일까요? 그들은 제일 능력이 많은 사람도 아니고, 제일 다양한 지식을 가진 사람들이거나 가장 존귀한 사람들이거나 의식이 제일 많이 깨어 있는 사람들도 아닙니다. 하나님은 한센병 환자들을 택하여 기적을 발견하게 합니다. 무덤에서 부정한 일을 한 여인들이 놀라운 기적을 발견한 것과 같이 말입니다. 한센병 환자들은 버림받은 자들이요, 정결하지 못한 자들로서 누구보다도 병의 증상들과 죄의 표지를 명백하게 드러냅니다. 한센병 환자들은 진 바깥으로 쫓겨나야 하는 자들로서 종교적인 삶에는 전혀 참여할 수 없습니다. 바로 그 한센병 환자들이 곧 하나님이 자신이 일으키는 기적에 한 몫을 담당하게 한 사람들입니다. 다른 한편에서는 심판을 이행하기 위해서 하나님은 군중을 택하는데 군중은 인간으로서는 가장 동물적이고 무감각하며 불합리한 상태에 있습니다. 인간은 하나님이 예비한 것을 행합니다. 그렇지만, 인간이 그 고귀한 임무를 행하는 사람을 스스로 선택하지 않는다는 것은 분명합니다.

그럼에도, 인간의 말을 존중하는 하나님은 또한 당신의 자유 가운데 그 말을 받아들여 성취합니다. 예언자 엘리사의 말은 하나님이 이루는 것입니다. 여기서 풀 수 없는 문제를 고집하여 계속 제시하는 것은 무익합니다. 즉, 하나님이 그런 일들을 성취하고 싶어서 미리 예언자를 시켜서 그 말을 하게 한 것이 아닐까, 혹은 하나님이 예언자의 말을 듣고서 그를 사랑하기에 그 말대로 실현해 주지 않았을까, 라는 식의 문제입니다. 그것은 잘못된 딜레마입니다. 그 두 가지는 똑같이 동시에 다 맞습니다. 또한, 하나님은 간혹 요나의 경우와 같이 분명하게 예언자에게 어떤 말씀을 선포하라고 명하고 나서 그 뒤에 그대로 이행하지 않기도 합니다. 하지만, 하나님은 자유로이 이스라엘 왕의 말대로 행하기도 합니다. "오늘 엘리사의 머리가 그대로 붙어 있다면 하나님이 나에게 가혹하게 대하는 것이리라"라고 이스라엘의 왕은 선포합니다. 엘리사의 머리는 떨어지지 않을 것입니다. 그렇지만, 하나님을 향한 부르짖음이 헛된 것으로 그치지 않습니다. 이스라엘의 왕은 실제로 버림을 받고 죽음을 당합니다. 우리는 그러한 하나님의 자유로운 선택과 그와 같은 정죄를 깊이 성찰해보아야 할 것입니다. 하나님은 그와 같이 이스라엘 왕국과 이스라엘의 왕에 대한 자유로운 결정권을 가진 것을 분명하게 보여 주었습니다. 하나님은 자기 백성의 진정한 왕으로서 남아있을 것이고, 이스라엘을 통치하고 구원하고 전쟁을 이끄는 대장은 나약한 이스라엘 왕이 아니라 하나님임을 보여 주었습니다.

그러나 하나님은 또한 자기 백성의 모든 고통을 자기 자신이 짊어지고 그 책임을 떠맡고 고통을 치르는 존재로서 자신의 책임을 회피하는 이스라엘의 왕과 같지 않습니다. 하나님은 자기 백성이 범한 모든 죄악을 다 담당하는 존재로서 눈먼 자와 같은 이스라엘의 왕과 같지 않습니다. 그 백성은 하나님의 백성입니다. 이스라엘 백성의 왕은 버림을 받았다 할지라도 백성의 진정한 왕을 상징하는 존재입니다. 버림받은 왕에게 임한 것은 하나님의 백성의 진정한 왕에게 임하게 될 것입니다. 가증스러운 죄악과 범죄는 왕인 하나님이 스스로 담당하는 것이 하나님의 아들 예수 그리스도 안에서 드러나게 됩니다.

4

앞에서 살펴본 바와 같이 모든 것은 하나님의 자유로운 선택에 달렸습니다. 그러나 아주 놀라운 사실이 있습니다. 그것은 모든 것이 또한 인간의 결정들에 달렸다는 사실입니다. 그 결정들은 인간의 진실한 결정들을 말하며 하나님에게 순종하여 전해진 하나님의 뜻이나 율법이나 분명한 명령에 따르는 행위들이나 선행들을 말하는 것이 아닙니다. 예언자 엘리사는 행동을 취할 명령을 내리거나 어떤 일을 지휘하지 않습니다. 그는 장차 일어나게 될 일을 선포합니다. 그는 어떤 일에 참여하라고 명하지 않습니다. 인간 자신이 인간적인 동기에서 합리적이거나 직관적으로 스스로 자신이 취할 행동을 선택할 것입니다. 그와 같은 사실은 하나님이 인간을 기계로 삼거나 선동하지 않는다는 것을 말합니다. 하나님도 인간도 각자 자신의 고유한 동기를 가지고 자신의 길을 결정하는 것입니다.

우리는 먼저 한센병 환자들이 개입하는 것을 봅니다. 그들은 레위기 13장 46절에 기록된 율법대로 성 밖에서 지냈습니다. 그들은 구걸해서 얻은 것으로 살고 있는데, 성이 포위되고 기근에 빠진 당시에는 구걸해서 얻는 것이 별로 없었을 것입니다. 그들은 하나님이 특별히 귀하게 여기는 사람들이 아닙니다. 그들은 나아만과 같이 치유를 받지 못하였습니다. 그런 사실을 보아도 하나님은 자기 백성의 자녀를 내버려두기로 작정한 듯합니다.

한센병 환자들은 운명적이라 불릴 만한 상황에 처해 있습니다. 그들은 우리가 보기에 아주 현실적이고도 분명하게 합리적으로 판단합니다. 성 안으로 들어가면 그들은 아사하거나 돌에 맞아서 죽을 것입니다. 반대로 그들이 그 자리에 계속 머무른다고 해도 아무도 그들에게 먹을 것을 주지 않을 것이므로 죽게 될 것입니다. 만약에 그들이 아람 진영으로 간다면 아람 병사들에게 죽임을 당할 위험이 있습니다. 아람 병사들은 유대인들과 한센병 환자들을 가리지 않고 죽일 것입니다. 그러나 아람 병사들이 한센병 환자들을 죽이지 않을 가능성도 있습니다. 그렇게 되면 그들은 먹을 것을 얻을 수도 있을 것입니다. 그들이 한 선택은 명백히 현실적인 불가피성을 따른 것입니다. 그와 같이 그들은 가장 인간적인 차원에서 행동합니다.

그들의 다른 모든 행위는 좁은 의미에서의 그들의 인간성을 정말 잘 드러냅니다. 아람 군대 진영이 텅 비어 있는 것을 발견하고 나서, 그들은 먼저 그 상황을 자신들을 위해 이용합니다. 그들은 도둑질하고 약탈하고 개인적으로 조그만 보물을 몰래 품에 넣습니다. 그들은 먼저 자기 자신들을 생각합니다. 여기서 그것으로 그들을 비난하고 도덕적인 판단을 내리는 것은 아닙니다. 그렇지만, 여기서 한 가지 지적하고자 하는 바는 그들이 하나님의 뜻을 찾고 이해하기를 구하는 덕망 있는 이스라엘 사람들은 아니라는 것입니다. 그들은 하나님을 떠난 믿지 않는 사람과 똑같이 행동을 합니다. 즉, 먼저 나 자신을 위해서 기회를 활용하는 것입니다.

그리고 나서 그들의 이차적인 행동 역시 일차적인 행동보다 나아진 것이 없습니다. 자신들의 욕구를 다 충족시키고 나서 그들은 도덕적인 문제들에 부딪혀서 그 상황에 대한 종교적인 인식을 하게 됩니다. "우리의 행동이 잘못되었다." 이는 좀 뒤늦은 반성입니다. "우리가 이렇게 계속하면 벌을 받게 될 것이다." 이는 종교적으로는 참으로 가장 낮은 수준에 해당합니다. 하나님 앞에서의 그 상황에 대한 도덕적인 이해, 두려움 때문에 유발된 회개, 선악의 판단에 따라 벌을 내리는 하나님에 대한 관념이 그렇습니다. 이는 자연인의 자연적인 종교적 반응입니다.

드디어 이 현명한 한센병 환자들은 이런 일은 조심스럽게 해야 하는 것을 알고 행동합니다. 그리하여 이들의 행동은 아주 뛰어난 결과를 초래합니다. 그들은 그 놀라운 소식을 당사자들인 백성에게 전하지 않고 관군에게 전달합니다. 따라서 그 소식은 먼저 관군의 서열에 따라서 수위 군사들에게 전해지고, 수위 군사들은 왕에게 가서 전달합니다. 실제로 한센병 환자들은 성 안으로 들어갈 권리가 없어서 그들이 처한 곳에 남아있기로 했을 것입니다. 그 사람들은 자신들의 아주 인간적인 생각에 따라 행동하면서, 영적이거나 도덕적인 자질은 전혀 보이지 않고 그들이 목격한 상황을 단순히 객관적으로 보고하였을 뿐입니다. 그런데 그들이 한 것은 하나님이 기대하던 바와 정확히 일치하는 것이었습니다. 예언자 엘리사의 예언이 성취되는 것을 확인한 사람들은 바로 그들이었던 것입니다. 그러나 그들이 그 전날의 예언을 실제로 알고 있었을까요? 물론 그들은 모르고 있었습니다. 그들은 성 밖에 있었습니다. 그들은 기적을 목격했습니다. 그러나 그것이 기적인지도 또 하나님이 그 기적이 일어날 것을 미리 선포한 사실도 모르고 있었던 것입니다. 그들은 하나의 사실을 목격했고 인간적인 생각으로 그 사실 때문에 발생한 통상적인 결과들을 인지했을 것입니다. 그러나 그들은 예언이 성취된 것을 목격한 증인들입니다. 그들은 이스라엘 백성에게 기쁜 소식을 전한 것입니다.

그것은 억지로 성서 본문을 짜 맞춘 것이 아닌, 말 그대로의 기쁜 소식으로서 하나님에게서 온 소식이요 하나님의 행동을 알리는 말씀입니다. 그런 의미에서 비셔Visscher가 말한 것처럼 그들은 구조와 구원의 소식의 전달자로서 4명의 복음 전파자입니다.

그것은 무덤가의 여자들이 부활의 복음 전파자들이 된 것과 같은 의미에서 그렇습니다. 그러나 그것이 의도치 않은 데서 일어난 것임을 우리는 알게 됩니다. 혹은 그들의 분명한 의도와 의식적인 선택과 명백한 동기가 그들 자신도 알지 못하는 차원과 의미를 내포하고 있었다고 볼 수 있습니다. 그들은 그들 자신의 말과 의지의 저 깊은 심연에 숨어 있는 것을 알 수 없었을 것입니다. 그들 자신의 고유한 의지는 그들을 전혀 조종하지 않는 하나님의 뜻에 함께하게 되었고, 그들의 자유로운 결정은 그들을 감추어진 더 큰 계획 속에 참여하게 합니다. 다른 사람들이라 할지라도 나름의 역할을 감당할 수 있었을 것입니다. 그러나 그것을 실제로 한 것은 바로 그들이었습니다. 그들은 하나님의 뜻을 이루겠다는 생각은 꿈에도 하지 않고 그 일을 하게 되었던 것입니다.

그와 똑같은 맥락에서 이스라엘 왕은 자유롭고도 신중하게 결정을 내립니다. 왕하7:12 이하 우리가 앞에서 본 바와 같이 그는 정말 인간적인 동기들에 따라 행동을 취합니다. 그는 정치적인 계산을 하고 행합니다. 가장 볼품없는 말 다섯 마리와 마차 두 대를 보내는 결정은 경계심과 조심성과 위험을 최소한 줄이려는 의도에 따른 것입니다. 그것은 하나님이 인간에게 요구하는 전적인 위험 부담을 지며 믿음으로 결정한 것과는 거리가 멉니다. 우리는 다 얻거나 아니면 다 잃는 식의 결단은 멀리 합니다. 하나님은 그것을 감수하지만 우리는 결코 받아들이려 하지 않습니다.

이스라엘 왕은 엘리사가 선포한 하나님의 말씀을 전혀 믿지 않았습니다. 그는 한센병 환자들이 전한 목격담만큼이나 그 구원의 기쁜 소식도 신뢰하지 않았습니다. 그는 의심 많은 왕처럼 대응했고, 자신만의 정치적인 계산에 따라 어떤 경우에라도 대비하는 행동을 취합니다. 유익을 얻을 수 없다면 손해도 입지 않는다는 식으로, 즉 손해를 최소화하도록 대처하려고 했습니다. 그러나 왕이 그렇듯 경계심과 신중함과 의심을 하고 결정한 것도 하나님의 계획에 정확히 들어맞게 됩니다. 어쩌면 결단을 내려서 예언의 말씀이 성취된 것을 정확하게 검증하도록 선택해야 하는 사람은 이스라엘 왕이어야 했을 것입니다. 그런데 그의 처지에서 보면 그 예언의 말씀과 왕에게 전달된 말씀 사이에는 어떤 관련도 없습니다. 그는 그 두 가지를 연결하지 않았습니다. 그러나 왕은 자신의 정치적인 식견에 따라서 하나님의 뜻이 백성을 위해서 실현되고 예언의 말씀이 그 자체로서가 아니라 하나님이 구원하기로 작정한 백성을 위해서 성취되는 데 불가피하게 필요한 역할을 자발적으로 담당하였습니다.

마침내는 세 번째로 군중의 행동과의 제휴가 일어나는 것을 발견하게 됩니다. 그 기쁜 소식이 사실로 확인되자마자 그 소식은 백성 사이에 전파되었고, 그 기쁜 소식을 접하자마자 군중은 폭발적으로 반응합니다. 그 비참한 처지에 있는 굶주린 사람들을 제어할 수 없다는 건 분명합니다. 그들은 포위가 계속되어 굶주린다든가, 혹은 공격을 당하여 칼에 찔린다든가 어느 형태로든 죽음만을 기다리고 있던 처지였습니다. 그런데 갑자기 그런 두 가지 위험이 사라져버린 것입니다. 사람들은 더는 어떤 의문도 가지지 않습니다. 훗날에 사람들은 아마도 그런 일이 어떻게 일어났는지 묻게 될 것입니다. 훗날에 사람들은 엘리사의 예언이 그때 일어난 사건과 관계된 것을 알게 될 것입니다. 본문 말씀이 남아있으니 그 말씀을 묵상한 결과로 말입니다. 그러나 당장은 사람들은 각자 자기 자신을 위하여 음식물을 향하여, 동시에 자유를 향하여 돌진합니다. 그들은 정말로 고삐 풀린 군중으로서 각자 자기 몫을 찾아 나섭니다. 먼저 가서 가장 많은 음식물을 즉시 손에 넣어야 합니다. 그 음식물의 양이 모든 사람에게 골고루 돌아갈 만큼 되지 못할 경우를 대비해서라도 말입니다. 그들은 격렬하게 가장 원초적인 충동에 따라 행동합니다. 그것은 공포에 상응하는 행동입니다. 공포 때문에 앞으로 돌진한 것입니다. 군중이 그렇게 고삐가 풀린 상태에서는 질식사 때문에 희생자들이 생겨나기 마련입니다.

성문에 있던 왕의 신하가 군중에 의해 압사하게 됩니다. 그 사람들에게는 그런 의도가 전혀 없었다는 것은 분명합니다. 그러나 스스로 야수와 같이 행동하게 된 그 군중이 충동적으로 벌인 일이 하나님의 심판을 성취합니다. 그들은 하나님의 도구가 아니었습니다. 그들을 움직이게 한 것은 하나님의 손길이 아니라 배고픔과 음식물이 있다는 소식이었던 것입니다. 그들은 공포에 휩싸인 군중의 본능에 따라 움직였습니다. 그게 전부입니다. 그들은 하나님의 말씀에 관계된 것을 그 무엇이든지 간에 실현하고 싶었던 것이 아닙니다. 다만, 그들 자신의 강렬한 본능에 따라 행함으로써 그들은 하나님이 기다리던 바를 정확히 실현한 것입니다. 어찌 되었든 간에 왕의 신하는 사형 선고를 받았고 인간은 하나님의 심판을 집행하는지도 모르는 채 그 일을 단행했던 것입니다.

물론 그것을 일반화시켜서는 안 됩니다. 인간이 부지불식 간에 행하는 것과 본능적인 충동을 따르는 것이 모두 하나님의 심판을 구현하게 하는 것이라는 말은 확실히 사실이 아닙니다. 그러나 그렇게 구현될 수도 있다는 사실을 받아들이면서 결코 그 가능성을 배제하지도 말아야 합니다.

이 길고도 복잡한 사건 속에서 우리는 기적과, 인간의 가장 흔한 행동이 서로 융합되어지는 것을 봅니다. 우리는 인간이 자유로운 일련의 선택들을 하는 가운데 하나님의 뜻이 이루어지는 것을 보게 됩니다. 그 선택들은 때로는 강력하고 때로는 미약합니다. 우리는 인간이 내린 결정들이 하나님이 개입할 필요가 없이 서로서로 조율되는 것을 봅니다. 아람 병사들이 도망간 것은 자발적으로 일어난 것으로 군중의 공포 심리 현상에 기인한 것으로 볼 수 있습니다. 그러나 우리는 또한 인간이 결정한 것 중에 어떤 것들은 하나님이 정한 뜻과 일치를 이루어 가는 것이 있는가 하면 또 어떤 것들은 그렇지 못한 것을 보게 됩니다. 우리는 먼저 하나님의 역사가 인간에 의해 결정되고 유발되는 것이 아니라는 사실을 인식하게 됩니다. 하지만, 하나님은 인간이 겪는 재앙과 회개 그리고 인간의 탄원이나 혹은 저항을 헤아립니다. 하나님이 개입하는 시간과 방식을 우리는 알 수도 없고 예측도 파악도 할 수 없다는 것은 명백합니다. 오직 하나님만이 결정하는 것입니다.

그러나 우리가 이 사건에서 알 수 있는 것은 택한 백성의 하나님이기에 하나님이 개입한다는 점입니다. 선택받은 백성에게 하나님을 대리해야 하는, 백성의 대표자로서의 왕이 자기 역할을 하지 않아서 실제로 더는 백성의 왕이 되지 못하는 까닭에, 하나님이 개입하여 친히 백성의 재앙과 수치와 고통을 짊어집니다. 어떤 주어진 상황에서 하나님의 행동을 결정하게 하는 것은 하나님이 인간의 고통과 환난을 담당하는 것이라고 말할 수 있습니다.

그것을 예수 그리스도에게 적용해보면 지금 여기에서 하나님의 행동과 선택을 결정하게 하는 것은 하나님이 아들 예수 그리스도 안에서 인간의 모든 고난과 반역을 담당했다는 것입니다. 모든 불행과 고통, 또한 우리가 지금 겪는 구체적인 현실을 말입니다. 하나님은 바로 그러한 이유로 지금의 현실 속에 개입하는 것입니다. 이는 하나님이 아들 예수 그리스도를 사랑한 것처럼 구체적인 모든 상황 속 모든 시간 속에서 모든 인간을 사랑한다는 말을 달리 표현한 것입니다. 더도 아니고 (예수 그리스도는 유혹과 시험과 고됨과 배고픔과 고통과 죽음을 당하였습니다) 덜도 아니게 말입니다.

마찬가지로 예수 그리스도의 행동이 하나님에 의해 결정되지 않았던 것과 같이 인간의 행동은 하나님이 결정하지 않습니다. 인간의 행동은 자신의 의지에 의한 것입니다. 인간은 알든 모르든 자신의 계산과 필요와 열정과 두려움에 따라 행합니다. 하나님은 인간에게 이와 같은 독립적인 의지를 주어서 하나님이 기대하는 것과는 다른 일, 즉 악도 행할 수 있게 허락합니다. 하나님은 인간에게 스스로 선택할 수 있는 독립적인 의지를 준 것입니다. 그러나 인간의 모든 행동은 그럼에도 불구하고 하나님의 전체적인 계획 내에 있습니다. 인간이 내린 수많은 복잡한 선택들과 행위들 가운데 어떤 것들은 궁극적으로 하나님의 계획에 들어가서 그것을 성취하고 실현합니다. 인간의 행위들이 퍼즐 조각들처럼 맞춰져 있는, 이같은 이미 만들어놓은 하나님의 계획이란 존재하지 않습니다. 하지만, 완전하고도 거룩하고 자비로운 하나님의 의지와 연관되어서 하나님은 경우에 따라서 인간의 행위들을 하나님의 일을 위해서 사용합니다. 인간의 행위들로만 이루어지는 하나님의 일이란 없습니다. 더더구나 인간의 행위들을 통해서 기계적으로 성취되는 하나님의 일이란 더더욱 있을 수 없습니다. 하나님이 하나님의 일을 위해서 사용하는 인간의 행위들이 있지만 모든 인간의 행위들이 다 쓰임 받는 것은 아닙니다. 하나님의 뜻과 인간의 의지가 섞여지거나 혼합되지는 않습니다. 완전하고 영원한 가치가 있는 모든 것은 하나님의 뜻입니다. 그러나 그 어느 것도 인간 이외의 존재를 통해서 이루어지는 것은 없습니다. 이는 인간이 스스로 완전하고 거룩한 것을 만들 수 있는 능력이 있기 때문이 아니라 하나님이 인간이 행한 일 가운데서 완전하고 영원한 것을 취하기 때문입니다. 이처럼 하나님의 역사 혹은 하나님의 일과 완전히 동떨어져 독립된 인간의 역사가 존재한다고는 결코 말할 수 없습니다.

그러나 오늘날 흔히 주장하는 바와 같이 궁극적으로 인간의 역사는 하나님의 역사라는 말도 사실이 아닙니다. 예수가 역사의 주인이라는 데서 추론하는 것은 빈약한 결론들에 이르게 할 뿐입니다. 개인적 공적인 행위들과 정치적 경제적 결정들의 거대한 더미 속에서, 인간 역사의 기이하고도 불가해한 복잡성 속에서 어떤 특정한 결정들과 일들은 하나님의 뜻을 궁극적으로 실현하게 하거나 혹은 하나님이 골라서 채택합니다. 물론 모든 역사를 만들어 가고 역사 속에서 하나님의 뜻을 실현하는 존재는 바로 인간입니다. 인간만이 있습니다. 그러나 마구 섞이고 들끓고 혼잡스럽고 모순투성이인 인간 역사 속에 하나님의 선택이 있습니다. 역사적인 상황이 항상 인간에 의해 조성되고 하나님은 그 상황 속에 거하고, 하나님은 인간과 함께하기에 하나님이 인간의 모순과 불합리성에 종속하고, 인간들에게 내어준 예수 그리스도 안에서 성취한 바대로 인간이 내린 수많은 결정이 역사가들에 의해 기록되는 하나의 역사가 된다 할지라도, 그것이 인간의 모든 행위를 하나님이 받아들인다거나 그 상황이 정당하다거나 역사의 진보에는 그림자가 있다거나 역사는 하나님이 행하기 원하는 뜻에 맞는다는 것을 의미하는 것은 아닙니다.

인간의 어떤 행위가 실제로 하나님의 뜻을 실현하는지 알아내는 것은 언제나 불가능합니다. 인간의 역사라 부르는 인간이 일으킨 소동 대부분이 무로 사라질 때에, 그리스도에게서 구현된 그 요약된 삶 속에서만 그것을 알아보게 될 것입니다. 그러나 우리가 언제나 알아야 할 것은 인간 자신만이 자신의 고유한 동기를 가지고 싫든지 좋든지를 드러낸다는 것입니다. "주는 자는 다시 받는 자가 되고, 죽이는 자가 살리는 자가 된다."

여기서 세 가지 점을 주목해야 합니다. 먼저 주목할 점은 인간에 의해서 하나님의 뜻이 실현되는 것은 한센병 환자들의 경우와 같이 겉으로는 전적으로 개인적인 결정들이었다 할지라도, 정치, 경제, 역사 전반에 걸쳐 그 과정 한가운데 있다는 것입니다.

두 번째로 주목할 점은 그 모든 것이 하나님의 백성 안에서, 그 백성에 관해서 벌어지는 것들이라는 사실입니다. 그것이 인간의 역사임은 틀림없지만 이스라엘의 역사와 교회의 역사와 관련되는 역사입니다. 그것은 인간의 역사에 의미를 주는 역사가 아니라 이스라엘과 교회와 관련된 역사와 끊으려야 끊을 수 없게 연결되어 있습니다. 그것은 하나님의 선택과 상관관계가 있는 것입니다.

게다가 인간이 일상적인 선택을 통해서 이처럼 하나님의 뜻을 실현한다고 해서 자발적으로 순종해야 하는 의무를 면제받는 것이 아님은 명백합니다. 이런 이유를 대면서 면책을 보장받을 수 없습니다. "나의 모든 일상적인 행위 중에 나는 모르지만 하나님의 뜻에 맞는 것도 있고, 하나님이 선택하게 될 것도 있으며, 나의 아주 작은 행위들도 하나님의 섭리에 쓰이게되기 때문에, 하나님의 뜻이 무엇인지 알려고 할 필요가 없고 선을 행하려애쓰지 않아도 되고 의지적으로 하나님의 섭리 가운데 들어가려고 하지않아도 된다." 그러한 논리는 기막힌 합리화이자 위선입니다. 하나님의 말씀이 나에게 전해지는 순간부터 왕과 그의 신하에게도 그렇게 된 것처럼 나는 그말씀을 토대로 삼아 행동하고 선택하여 그것을 실현하고 성취할 수 있도록 노력해야 할 것입니다.

궁극적으로 하나님이 받아들이는 것은 언제나 최선의 경건성과 도덕성과 신앙심과 하나님의 뜻을 구하는 노력으로 한 것만은 아닌 것을 내가 안다고 한들 무슨 소용이겠습니까. 내가 사소한 것이라고 생각했던 행동들이 바로 하나님이 받아들일 수 있는 것이그렇다고 반드시 받아들이게 된다는 것은또 아니지만 되리라는 사실을 알고 있다고 한들 또 무슨 소용이겠습니까. 내가 마태복음 25장을 잘 알고 있다고 한들 무슨 소용이 있습니까. 내가 그모든 것을 이용해서 하나님이 내게 원하는 것을 꼭 해야 한다는 마음을 떨쳐버리고, 하나님이 분명하게 말씀한 명령과 지시와 뜻을 거부한다면, 나는 하나님의 배역자, 위선자, 거짓말쟁이, 비방자가 될 뿐입니다. 우리는끊임없이 똑같은 왜곡된 인간성으로 돌아갑니다. "하나님은 어떤 것이라도 사용하실 수 있으니까 나는 어떤 일이라도 벌일 수 있다." 하지만, 그것은 하나님을 만홀히 여기는 것에 지나지 않습니다. "어찌 됐든 난 무익한종에 지나지 않으니까 하나님이 율법 속에서 분명하게 보여주셨던 것과 같이 유익한 것을 위해 노력하지 않아도 된단 말야." 그것은 자본가의 방관을정당화하는 말에 지나지 않습니다. "나는 무익한 종입니다"라는 자기 자신에 대한 판단은 언제나 율법과 계명 속에 지시한 모든 것을 다 이행하고 내리는 것이지 그 이전에 내리는 것이 아님을 명심해야 합니다.

하나님의 말씀이 명백하게 주어지지 않은 사람이 처한 상황과 (물론 그 결정 또한 하나님이 한 것입니다) 그 말씀을 받아 알게 된 사람의 상황은 아주 다릅니다. 후자는 그 명령을 이행하기 위해서 부단한 노력을 하지 않겠다고 할 권리가 없습니다. 그런 노력을 하지 않으면 그는 왕과 그 신하처럼 심판을 받게 됩니다.

당신을 섬기려고 의지적으로 행한 나의 모든 행위와 또한 애매하면서 인간적인 것에 불과한 나의 모든 행위와, 그리고 불순종과 죄에 해당하는 나의 행위들을 나의 구원자요 나의 주님이신 하나님께 모두 내려놓습니다. 그 모든 것은 이제는 다 끝난 것들이오니 그것들을 받으셔서 당신의 역사에 포함될 것들과 심판과 죽음에 이르게 될 것들로 구별하소서. 그것들을 사용하시고 잘라내시고 재단하시고 다시 꿰매시고 바로잡으소서. 이제는 결정하고 인지할 수 있는 것은 내가 아닙니다. 이미 행한 것은 행한 것이고 내가 썼던 것은 이미 써진 것입니다. 한 구절이라도 진리일 수 있게 하시는 분은 당신입니다. 왜냐하면, 당신이 그것을 당신의 진리로 취하기 때문입니다. 하나의 행위를 정당하게 하실 수 있는 분은 당신입니다. 왜냐하면, 당신이 그것을 당신의 섭리 실현에 사용하시기 때문입니다. 내가 써나가는 지금 이 순간에는 불가사의한 섭리이지만 당신이 당신의 아들 안에서 나에게 보여주셨던 영원 속에서는 자명한 것입니다. 아멘.

제3장

하사엘

열왕기하 8장 7-15절

7엘리사가 다마스쿠스에 갔을 때에 시리아 왕 벤하닷은 병이 들어 있었는
데, 어떤 사람이 왕에게 하나님의 사람이 이 곳에 와 있다는 소식을 전하였
다. 8왕이 하사엘에게 말하였다. "예물을 가지고 가서, 하나님의 사람을 만
나시오. 그리고 그에게, 내가 이 병에서 회복될 수 있겠는지를, 주님께 물어
보도록 부탁을 드려 주시오." 9하사엘은 다마스쿠스에서 제일 좋은 온갖
예물을 낙타 마흔 마리에 가득 싣고, 몸소 예를 갖추어 하나님의 사람을 만
나러 갔다. 그리고 그의 앞에 서서 말하였다. "예언자님의 아들 같은 시리아
왕 벤하닷이 나를 예언자님에게 보냈습니다. 왕은, 자신이 이 병에서 회복
되겠는가를 여쭈어 보라고 하였습니다." 10엘리사가 그에게 말하였다. "가
서, 왕에게는 회복될 것이라고 말하시오. 그러나 주님께서는, 그가 반드시
죽을 것이라고 내게 계시해 주셨소." 11그런 다음에 하나님의 사람은, 하사
엘이 부끄러워 민망할 정도로 얼굴을 쳐다 보다가, 마침내 울음을 터뜨렸
다. 12그러자 하사엘이 "예언자님, 왜 우십니까?" 하고 물었다. 엘리사는 다
음과 같이 말하였다. "나는, 그대가 이스라엘 자손에게 어떤 악한 일을 할
지를 알기 때문이오. 그대는 이스라엘 자손의 요새에 불을 지를 것이고, 젊
은이들을 칼로 살해하며, 어린 아이들을 메어쳐 죽일 것이고, 임신한 여인

의 배를 가를 것이오." 13하사엘이 물었다. "그러나 개보다 나을 것이 없는 나 같은 사람이, 어떻게 그런 엄청난 일을 저지를 수 있겠습니까?" 그러자 엘리사가 말하였다. "주님께서, 그대가 시리아 왕이 될 것을 나에게 계시하여 주셨소." 14그는 엘리사를 떠나서 왕에게로 돌아갔다. 벤하닷 왕이 그에게 물었다. "엘리사가 그대에게 무엇이라고 말하였소?" 그가 대답하였다. "엘리사는, 왕께서 틀림없이 회복될 것이라고 말하였습니다." 15그 다음날, 하사엘은 담요를 물에 적셔서 벤하닷의 얼굴을 덮어, 그를 죽였다. 하사엘이 벤하닷의 뒤를 이어 시리아의 왕이 되었다.

열왕기하 13장 14-25절

14엘리사가 죽을 병이 들자, 이스라엘 왕 여호아스가 그에게로 내려왔다. 그리고 그 앞에서 눈물을 흘리며 말하였다. "나의 아버지, 나의 아버지, 이스라엘의 병거와 마병이시여!" 15엘리사가 그에게 말하였다. "활과 화살을 가져 오십시오." 그가 활과 화살을 가져 오자, 16엘리사가 이스라엘 왕에게 말하였다. "활을 잡으십시오." 그가 활을 잡으니, 엘리사가 그의 손 위에 자기의 손을 얹었다. 17엘리사가 말하였다. "동쪽 창문을 여십시오." 왕이 창문을 열자, 엘리사가 말하였다. "쏘십시오." 그가 활을 쏘자, 엘리사가 말하였다. "주님의 승리의 화살입니다. 시리아를 이길 승리의 화살입니다. 임금님께서는 아벡에서 시리아를 쳐서, 완전히 진멸하실 것입니다." 18엘리사가 또 말하였다. "화살을 집으십시오." 왕이 화살을 집자, 엘리사가 이스라엘 왕에게 말하였다. "땅을 치십시오." 왕이 세 번을 치고는 그만두었다. 19하나님의 사람이 그에게 화를 내며 말하였다. "임금님께서 대여섯 번 치셨으면 시리아 군을 진멸할 때까지 쳐부술 수 있었을 터인데, 고작 세 번입니까? 이제 임금님께서는 겨우 세 번만 시리아를 칠 수 있을 것입니다." 20그런 다음에 엘리사가 죽으니, 거기에 장사하였다. 그 뒤에 모압의 도적 떼가 해마다 이스라엘 땅을 침범하였다. 21 한 번은 장사지내는 사람들이 어떤 사람의 주검을 묻고 있다가, 이 도적 떼를 보게 되었다. 그러자 그들은 놀라서 그 주검을 엘리사의 무덤에 내던지고 달아났는데, 그 때에 그 사람의 뼈가 엘리사의 뼈에 닿자, 그 사람이 살아나서 제 발로 일어섰다. 22 시리아의 하사엘 왕은 여호아하스가 다스리는 동안에 줄곧 이스라엘을 억압하였다. 23 그러나 주님께서 이스라엘에게 은혜를 베푸셔서, 그들을 불쌍히 여기시고, 그들을 굽어살피셨다. 이는 아브라함과 이삭과 야곱과 맺으신 언약 때문이었다. 그래서 그들을 멸망시키지 않으시고, 이제까지 주님 앞에서 쫓아내지 않으셨다. 24 시리아의 하사엘 왕이 죽고, 그의 아들 벤하닷이 그의 뒤를 이어 왕이 되었다. 25 이 때에 여호아하스의 아들 여호아스가 하사엘의 아들 벤하닷의 손에서 성읍들을 도로 되찾았다. 이 성읍들은 부왕 여호아하스가 전쟁으로 **빼앗겼던** 것이다. 여호아스는 세 번이나 벤하닷을 쳐서, 이스라엘의 성읍들을 도로 되찾았다.

이제 우리는 그 관계의 새로운 측면을 보게 될 것입니다. 여기서 우리는 예언자의 말씀을 통해서 사건들이 전개되는 것을 목격하게 됩니다. 단적으로 말하면, 우리는 여기서 예언자 엘리사가 아람에서 쿠데타를 일으켜서 왕조의 변화를 불러오고 나서 그 후로 이스라엘과 유다에서 똑같은 쿠데타를 일으키는 것을 보게 될 것입니다. 바로 엘리사 자신이 하사엘을 아람 왕으로, 예후를 이스라엘과 유다의 왕으로 세우는 일에 분명하게 간여합니다.

그러나 이어서 우리는 첫 번째 문제에 부딪힙니다. 엘리사가 하는 일은 직접적으로 분명하게 하나님이 요구한 것입니다. 실상 엘리사는 하나님이 엘리야에게 명하였던 것을 실천한 것입니다. 그 일은 아합 왕 시절에 일어난 일이었습니다. 엘리야가 바알 예언자들을 무찌르며 하나님의 권능을 나타내고 기적들을 연이어 일으키고 난 후에 아합 왕은 이제벨에게 사주받아 예언자를 죽이려고 합니다. 얼마 전에는 그렇게 담대했던 엘리야는 이제 도망을 가고 맙니다. 그 뒷이야기는 너무도 잘 알려졌습니다. 광야를 40일 동안 걸어가고 그 뒤에 동굴에서의 휴식을 취하고 엘리야는 하나님을 만나는 잊을 수 없는 시간을 보냅니다. 하나님은 고요함 가운데 세미한 음성으로 나타났습니다. 그 직후에 하나님은 공적으로는 무서운 존재로 보였지만 예언자 엘리야에게는 온유하게 대하면서 그가 다 실현할 수 없는 일을 맡겼습니다. 왕상19:15-18 엘리야는 하나님에게 이렇게 말했습니다. "모든 신실한 자들은 다 죽음을 당하였고 이스라엘 사람들은 하나님을 버리고 말았습니다. 오직 나만 남았을 뿐입니다. 이제 나도 금방 죽게 될 것입니다." 그 때 만군의 왕인 하나님이 다음과 같이 말합니다.

"너는 네 길을 돌이켜 광야를 통하여 다메섹에 가서 이르거든 하사엘에게 기름을 부어 아람의 왕이 되게 하고, 너는 또 님시의 아들 예후에게 기름을 부어 이스라엘의 왕이 되게 하고 또 아벨므홀라 사밧의 아들 엘리사에게 기름을 부어 너를 대신하여 예언자가 되게 하라. 하사엘의 칼을 피하는 자를 예후가 죽일 것이요 예후의 칼을 피하는 자를 엘리사가 죽이리라. 그러나 내가 이스라엘 가운데에 칠천 명을 남기리니 다 바알에게 무릎을 꿇지 아니하고…" 바로 이것이 하나님의 응답입니다.

하나님은 이번에도 또한 당신의 예언자를 구하고자 스스로 행동을 취하지는 않을 것입니다. 그리고 직접적으로는 예언자를 위로하지도 않습니다. 그러나 간접적으로는 물론 그렇게 했습니다. 예언자에게 먹을 것을 주었고 하나님의 사랑을 보여주었습니다. 하나님은 뒤로 물러가 거리를 두어서 그를 견고하게 세우지 않았습니다. 반대로 절망하고 좌절하고 홀로 떨어져 있는 그 예언자에게 하나님은 인간의 능력을 넘어서는, 어떤 면에서는 불가해한 임무를 맡겼습니다. 그러나 그 임무는 엘리야가 선포했던 내용과 관련되어 있습니다. 하나님이 선포한 심판은 모든 백성에게 적용됩니다.

백성은 하나님을 버렸고 언약을 어겼습니다. 그러니 그 언약은 파기될 것이고, 외부의 적국이 이스라엘을 공격할 것입니다. 그 전쟁에서 살아남은 것을 내부의 혁명이 파멸시킬 것입니다. 무리와 당파로 나뉘어버린 백성의 분열이 이스라엘을 멸망시킬 것입니다. 재앙이 선포된 것에 바로 뒤이어서, 그 재앙의 선포 그 자체에 약속과 위로가 함께합니다. 칠천 명의 남은 자가 있습니다. 엘리야의 생각과는 달리 이스라엘에는 아직도 신실한 남은 자가 있습니다. 칠이라는 숫자는 전부를 뜻하는 숫자인 것을 늘 기억해야 할 것입니다.

구원받은 그 남은 자는 또한 이스라엘의 전부입니다. 거기엔 양면성이 있습니다. 한편으로는 이 칠천 명은 부분으로 전체 이스라엘 백성을 대표하는 것입니다. 실제로 구원받는 이스라엘 백성은 그 숫자 안에 다 들어갑니다. 다른 한편으로는 그 칠천 명은 전체 이스라엘 백성의 숫자로서 그 이외의 다른 사람들은 이스라엘 백성에 속하지 않습니다. 그 칠천 명만이 온전한 하나님의 백성입니다. 딱 잘라 어느 한 쪽이 맞는다고 결론을 내려서는 안 됩니다. 하나님은 유기하여 정죄하는 때나 아주 명백하게 엄정한 심판을 할 때도 곧이어서 그것을 구원과 용서의 선포로 연결하는 존재임을 알아야 합니다. 그 두 가지는 불가분의 관계로 서로 연계되어 있습니다. 똑같은 행동 안에 심판과 은총이 명확하게 존재합니다. 그러나 그것이 여기서 우리가 고찰하는 대상은 아닙니다.

여기서 분명히 우리가 주목할 것은 하나님이 엘리야의 어깨 위에 얹어 놓은 짐이 정치적인 짐이라는 사실입니다. 하나님은 그에게 다메섹과 사마리아에 가서 쿠데타를 일으키라고 명령을 내립니다. 그러한 예언적인 명령은 순전히 정치적인 것으로 보입니다. 그런데 아주 놀라운 것은 엘리야는 엘리사의 경우를 제외하고는 결코 그 명령을 다 이행하지는 않은 것입니다. 실제로 본문은 곧장 나아갑니다. 엘리야는 거기서 떠나 엘리사를 만나게 되었습니다. 그는 엘리사에게 그의 능력의 상징인 겉옷을 입힙니다. 더나아가서 그는 자신의 인격 전체를 덧입힙니다. 이때 엘리사는 엘리야와같은 인물로서 그의 계승자가 됩니다. 그러나 이렇게 새로운 예언자를 임명한 것 빼고는 엘리야는 아무것도 하지 않습니다. 그는 다메섹에도 가지않고 하사엘도 예후도 임명하지 않습니다. 오히려 하나님이 아합과 이스라엘 백성에게 내린 심판은 하나도 실현되지 않은 것 같습니다.

오늘날 모든 역사학자는 아합 왕의 통치는 영광스럽고 강력했다는 평가에 동의하고 있습니다. 우리가 접하는 성서 본문도 그 사실을 보여주고있습니다. 하나님의 심판이 있은 후에 아합 왕은 아람을 상대로 아주 대대적인 승전을 거듭해서 거뒀습니다. 벤 하닷은 두 번이나 패전을 해서 과거에 정복했던 이스라엘의 성읍들을 돌려줘야 했고 다메섹에는 이스라엘군의 상주를 허락해야 했고 그래서 몇 개 지역들을 이스라엘 사람들을 위해내어 놓아야 했습니다. 더욱이 이상한 것은 하나님이 예언자들을 통하여아합 왕이 그러한 전승들을 거둘 것을 전한 것입니다. 왕상10:13 그렇지만, 성서는 이스라엘 군이 칠천 명이라는 것을 강조하고 있습니다. 어쩌면 바알을 숭배하지 않은, 하나님을 경외하는 이스라엘 백성과 아합 왕의 군대전체에 해당하는 이 칠천 명의 분명한 정체성을 규명하는 데에 모든 것이달린 것 같습니다. 어찌 되었든 아합 왕은 정치와 전쟁에서 성공했습니다. 그는 안정을 이룬 것 같았고 그를 향한 심판은 아주 가벼운 것처럼 보였습니다. 그러나 그는 중대한 실수를 하나 저질렀습니다. 그는 아람 왕과 동맹을 체결하였습니다. 하나님의 명령에 따르자면 그는 반대로 아람 왕을 죽여야만 했습니다. 그는 하지 말라는 하나님의 명령에 그렇게 불순종했던 것입니다.

　우리는 여기서 이상한 모순을 발견합니다. 아람에서 쿠데타를 일으키고 하사엘로 하여금 벤하닷을 대체하게 하는 역할은 원래 엘리야가 담당했던 것입니다. 그런데 여기서 하나님은 아합 왕이 벤하닷을 죽이게 했던 것입니다. 마치 하나님이 아합 왕과 예언자 엘리야의 제휴를 원한 것처럼 말입니다. 아합 왕은 정복자로서 당시 전쟁의 관습을 따라서 자신의 적을 죽여 멸망시켜야 하는데 그 적의 계승자를 선택할 수는 없었습니다. 예언자 엘리야는 아람 왕을 죽일 수 있는 능력은 없었지만, 아람 왕을 계승할 인물을 지명하라는 확실한 명령을 받았습니다. 어찌 됐든 하나님이 원한 것은 어느 것도 실현되지 않았습니다. 아합 왕은 벤하닷을 죽이지 않았고 엘리야는 하사엘에게 기름을 붓지 않았습니다. 엘리야는 왜 이렇게 지체를 한 것일까요? 그것은 이해할 수 없는 문제입니다. 엘리야는 하나님의 명령을 이행하지 않았습니다. 엘리야는 대체 무엇을 기다린 걸까요? 역사는 계속되지만 우리는 분명하게 그것이 무엇인지 알 수 없습니다. 하나님의 심판에 따른 결과는 찾아볼 수 없습니다. 이스라엘의 국위는 높아졌습니다. 그리고 그 유명한 나봇의 포도원 이야기가 나옵니다. 이 일이 그렇게 기다려왔던 것일까요? 그러나 그 일은 혁명을 발발시키는 계기가 되지 못했습니다.

　엘리야가 아합 왕을 정죄하고서 아합 왕은 회개하고 하나님 앞에 무릎을 꿇고 참된 하나님을 진정으로 받아들였습니다. 바로 그 뒤에 하나님은 엘리야에게 말합니다. 네가 그가 회개하는 것을 보았느냐? 이런 상황에서 하나님은 심판은 일단 잠시 거두었습니다. 아합 왕이 살아있는 동안에는 징벌이 내리지 않았습니다. 그러므로 하나님이 기다린 것은 이스라엘의 가장 사악한 왕의 회개였던 것입니다. 그래서 사건들의 진행이 잠시 멈추어버린 것입니다. 아합 왕의 회개와 개종을 기다리느라 수년의 세월이 흘

렀습니다. 마침내 그는 진정으로 회개하기에 이르렀고, 미리 예견하고 있던 대로 마지막 전투에서 임종을 맞이합니다. 이처럼 하나님의 역사는 아주 은밀하게 진행되었습니다. 시간은 아무것도 변경시키지 않았습니다. 하나님의 심판은 계속 유효한 것이었지만, 일시적으로 유보되었던 것입니다. 그렇다면, 그 기간은 과연 얼마 동안일까요? 아합 왕의 통치 기간인 5, 6년에다가 아하시야 왕의 2년, 그리고 아합 왕의 또 다른 아들인 요람 왕의 5년이 이어집니다. 이 기간에 엘리야에게 엄정하고도 분명하게 주어진 하나님의 명령은 다시 반복되지 않습니다. 엘리야는 그의 생전에 광야에서 그에게 선포된 하나님의 대심판과 엄숙한 명령이 이행되는 것을 볼 수 없었습니다. 그 자신도 하나님의 명령에 따른 일들을 하나도 이행하지 않았습니다. 아합 왕의 말년 통치 기간과 아하시야 왕의 통치 기간에 엘리야 예언자의 역할은 완전히 축소된 것처럼 보입니다. 이제 다른 예언자들이 아합 왕에게 말씀을 전합니다. 그중에 특별히 미가 예언자가 있습니다. 엘리야는 단 두 번만 말씀을 전합니다. 나봇에 대한 중대한 예언과 아하시야 왕의 죽음에 대한 예언이 그것입니다. 엘리야는 자신에게 주어진 하나님의 명령을 다 이행하지 못한 채 하늘로 들어 올리어집니다. 어쩌면 엘리야는 늘 자신의 가슴에 그 명령을 지체한 데 대해서 무거운 마음을 지니고 있지 않았을까 싶습니다.

엘리야가 떠나고 수년이 흐른 뒤에 엘리사가 그의 스승인 엘리야에게 주어졌던 하나님의 명령을 이행합니다. 그 명령이 엘리사에게 특별히 주어지거나 갱신된 것은 아닌 듯합니다. 단지 엘리야가 그것을 엘리사에게 이행해야 할 하나님의 명령으로 전해준 것으로 추정되고 있습니다. 엘리사가 그 명령을 이행했다는 사실은 사역의 계속성을 분명하게 보여줍니다. 한 예언자에게 주어진 하나님의 말씀은 또 다른 예언자에 의해서 실현되는 것입니다. 그들의 사역들은 서로 보완적입니다. 여기서 사도 바울의 말씀이 떠오릅니다. "나는 심었고 아볼로는 물을 주었으되 오직 하나님께서 자라나게 하셨나니…" 고전3:6 하나님의 역사와 결정에 따라서 그리스도 안에서 우리가 얼마나 서로 연결되어 있는지, 우리가 행한 사역들이 하나님의 계획 속에서 얼마나 서로 보완적이고 필요한 것인지 우리가 다 이해하기는 정말 어려운 것입니다.

　　그러나 예기치 않게도, 예언의 실현이 이렇게 지체된 것, 즉 엘리야에게 주어진 하나님의 명령을 결국에는 엘리사가 이행했다는 사실은 현대의 성서 비평에 하나의 문제를 제기합니다. 우리는 하나의 역사적인 시각이 갖는 체계를 압니다. 성서 기자들은 종교인인 까닭에 역사적인 사실들에 대해 종교적인 해석의 체계를 덧붙입니다. 하나님은 일어난 모든 일의 주권자이므로 역사를 주관하고 선한 자들에게 보상한다는 것을 보여주려고 합니다. 어떤 면에서 역대기에서는 그와 유사한 단순한 논리를 찾아볼 수 있다 하더라도, 여기서는 전혀 그렇지 않습니다. 열왕기를 기록한 종교적인 성서 기자들이 실제로 역사적인 사실에다가 종교적인 해석을 가하려고 했다고 한다면 어떻게 그렇게 잘 맞지 않게끔 서투르게 했을까요? 하나님의 명령이 엘리야에게 주어졌다고 하고서 십 년에서 십이 년이 흐르는 동안 어떻게 해서 아무 일도 행해지지 않았을까요? 왜 그들은 간단하게 하나님이 엘리사에게 명령을 했고 엘리사는 순종했다고 말하지 않았을까요? 그렇게 했더라면 단순한 사람에게는 훨씬 더 좋았을 것입니다. 왜 그들은 아합 왕에 대한 하나님의 정죄를 언급하고 나서 바로 아합 왕의 전승 기록들을 펼쳐 놓았을까요? 엘리야에게 하나님의 명령이 주어졌다는 식의 "꾸며낸 이야기"를 아예 꺼내지도 않는 편이 훨씬 더 쉬웠을 것입니다. 왜 아합 왕은 회개하고 나서 전쟁에서 패배하고 죽음을 당하게 됩니까? "그 아들의 시대에야 그의 집에 재앙을 내리리라" 왕상21:29 라는 예언이 선포된 후에 아합 왕의 장남인 아하시야 왕의 통치 기간에 아무런 일도 일어나지 않아서 예언이 하나도 이루어지지 않게 된 이유는 무엇이었을까요?

역사 속에 하나님이 말씀으로 개입한 사건들인 그 모든 예언이 신앙이 독실한 저자들의 종교적인 해석에 지나지 않았던 것이라면 오히려 모든 것이 다 들어맞도록 그 말들을 잘 정리하는 편이 훨씬 더 쉬웠을 것입니다. 그들은 정말 서투르고 어리석고 단순해서 일관된 분명한 해석을 펼칠 능력이 없어서 그렇게 혼란스럽고 애매모호한 기록을 계속했던 것일까요? 그러나 바로 그런 점이 어쩌면 그 단순성과 경박성은 오히려 역사 비평가들에게 돌려야 한다고 볼 수 있지 않을까 하는 의문을 자아냅니다. 그들이 훨씬 더 복잡하고 어렵고 심오한 역사를 합리주의적이고도 불가지론적으로 해석하는 것이 그런 의문을 갖게 합니다. 그런 역사 가운데 하나님은 어떤 뜻을 전하고자 한 것으로 짐작됩니다. 비평적인 역사가들이 그것을 자신들의 독단적인 주장 대신에 그냥 하나의 단순한 가정으로 제시할 수 있었더라면 좋았으리라 싶습니다.

아무튼, 엘리사는 다메섹으로 길을 떠납니다. 거기에는 어떤 이유도 제시되지 않습니다. 왜 그 시점에서 그런 행동이 나왔을까요? 하나님은 그에게 어떤 분명한 암시도 주지 않았습니다. 두말할 것 없이 그 시기는 좋은 시절이었습니다. 사마리아와 다메섹 간에는 잠정적인 평화의 기간이었습니다. 그러나 바로 엘리사가 그 시점을 선택하여 엘리야에게 준 하나님의 말씀을 그날 실행하려고 주도했던 것은 명백합니다. 그가 스스로 기회가 좋다고 판단한 날이 그 날입니다. 여기엔 어떤 기회주의적인 계산이 깔렸다고 생각해볼 수도 있을 것입니다. 그것은 그의 판단에 맡긴 것으로 정치적인 시각에서 나온 것이 확연합니다. 그 순간은 하나님의 개입이라는 날카로운 칼을 정치적인 역사에 삽입한 순간입니다.

그러나 엘리사가 자신이 아는 바를 따라 일단 결정을 내리자 우연적인 상황들이 직접적으로 사건들을 일어나게 했습니다. 아람 왕이 병에 걸린 것입니다. 그러자 아람 왕은 엘리사에게 특별히 요청합니다. 아람 왕은 엘리사가 하나님의 사람인 것을 인정합니다. 이는 그리 이상한 일이 아닙니다. 아람 왕이 전에 나아만 장군을 자신의 심복으로 곁에 두고 있었던 사실을 상기한다면 말입니다. 분명히 그는 나아만 장군이 진실하게 엘리사에 대해 얘기한 것을 전해 들었을 것입니다. 그래서 그는 알고 있었던 것입니다. 그는 하나님의 사람에게 요청하여 무슨 일이 일어나게 될지 알고자 했습니다. 어쩌면 아람 왕은 그 예언자가 나아만 장군의 경우처럼 멀리서 힘을 써서 자신을 낫게 하기를 바랐는지도 모릅니다. 그러나 그 동기와 원인이 묘하게 뒤섞여서 엘리사를 부른 것이 정반대로 아람 왕의 죽음의 원인이 되어 버립니다. 엘리사는 한 사람에게는 병의 치유를 불러온 사람이지만 또 다른 한 사람에게는 죽음을 불러온 것입니다. 그리고 우리는 또 하나의 새로운 우발적인 사건을 보게 됩니다. 그것은 아람 왕이 엘리사에게 사자로 보낸 사람이 차기 왕으로 지명된 사람이었다는 사실입니다. 그러한 우발적인 상황들 가운데 우리는 그런 우연한 사건들을 통해서 하나님이 스스로 현현하여서 홀로 모든 일을 조정한다는 인상을 받습니다. 물론 엘리사가 다메섹으로 가기로 한 것과 아람 왕이 예언자 엘리사를 부르기로 한 것처럼, 인간이 독자적으로 분명한 결정들을 내리지만 말입니다. 그러한 인간의 행위들을 단순히 하나님이 원격 조종한 것이라고 말할 수는 없습니다. 그 행위들은 그 나름의 원인이 있고, 인간과 그 처한 상황 속에는 개별적인 사정이 있습니다.

이제 엘리사는 그가 전하는 애매한 말씀으로 정치적인 사건을 일으키게 됩니다. 그것은 아람 왕이 치유된다는 말인지 왕이 앓는 병에 대한 문제를 언급한 것인지 의문입니다. "너는 가서 그에게 말하기를 왕이 반드시 나으리라 하라" 왕하8:10 이것이 왕에게 전하라는 메시지입니다. 왕이 걸린 병은 치명적인 것이 아닙니다. 실제로 왕은 그 병으로 죽지는 않을 것입니다.

떠들썩할 것 없이 사실상 그것이 엘리사가 왕에게 전하는 또 하나의 위로의 말씀이라는 사실을 받아들이도록 합시다.

왕은 자신을 근심하게 한 문제점에 대해서는 안심할 수 있었습니다. 엘리사가 말한 것은 하나님에게서 온 것이기에 정말로 왕은 안심할 만했습니다. 위선이라고요? 아닙니다. 물론 아람 왕에게 한 말만을 보면 그렇다 할 수도 있겠지만, 왕의 태도를 보면 그렇지 않습니다. 벤하닷은 점쟁이와 마술사에게 문의했습니다. 그는 그 모든 것을 마술적인 차원으로 받아들인 것입니다. 그리고 왕은 자신의 병에만 신경을 쓰고 있습니다. 하나님은 마술적인 차원에 의지하려는 것도 용인합니다. 우리는 하나님이 그렇게 인간의 연약함을 용인하는 또 다른 많은 예를 들 수 있습니다. 먼저 우림과 둠밈7)이 그렇습니다. 그런 것에 의지하는 사람은 같은 수준의 응답을 받게 되는 것은 명백한 일입니다. 마술적인 질문에는 애매모호한 대답이 주어지고, 아주 저차원의 질문에 아주 저차원의 답변이 주어집니다. "이 병으로 죽겠습니까?"라는 질문에 대해서 "아니다"라는 답변이 주어질 뿐입니다. 다만, 덧붙여서 하사엘에게 주어지는 말씀이 있습니다. "그런데 하나님은 나에게 그가 죽을 것이라고 말씀하셨다." 이 모순을 알 리가 없었던 하사엘은 아무것도 물어보지 않습니다. 그러나 엘리사는 하나님이 결정한 것을 압니다. 그는 자기 백성을 향한 비탄에 잠깁니다. 엘리사의 눈물을 보고 하사엘은 묻습니다. 엘리사는 예언자로서 하사엘에게 그가 하게 될 일을 전하고 하나님이 그로 하여금 이스라엘에 재앙을 불러올 자로 택한 것을 전합니다. "네가 이스라엘 자손에게 행할 모든 악을 내가 앎이라." 왕하 8:12 엘리사는 그에게 전쟁의 아주 참혹한 일들을 말합니다. 하사엘은 그 말을 들으면서 아주 놀라기만 할 뿐이지 아무것도 이해하지는 못합니다.

---

7) [역주] 빛과 완전함(진실)이라는 뜻을 지닌 이스라엘 사람들이 하나님의 뜻을 묻기 위해 사용한 도구

그는 아람 군대의 고위 사령관이 아니기에 엘리사가 그에게 전한 일을 이행할 희망이 인간적으로는 전혀 없었습니다.

"내가 어떻게 그런 큰일을 할 수 있겠습니까?" 하사엘의 이 순진한 질문에는 두 가지 측면이 있습니다. 먼저 하사엘은 자신이 믿는 바대로 말한 것으로 그는 그 말이 의미하는 것을 마음에 둔 적이 없었습니다. 달리 말하면 그는 음모를 꾸미지 않았고 아직 왕이 되고자 하는 의도도 없었고, 권력을 잡으려는 생각도 없었습니다. 그러므로 사실상 그 뒤에 이어지는 모든 일을 불러일으키게 한 발단은 바로 하나님의 말씀입니다. 하사엘의 순진성에서 보이는 또 다른 측면은 그가 엘리사가 말한 것을 '그런 큰일'이라고 생각하는 점입니다. 엘리사는 전쟁으로 말미암은 악과 참상들을 말했는데 하사엘은 그것을 분명히 '그런 큰일'이라고 해석합니다. 실상 이스라엘의 영원한 적인 아람 사람에게는 평화의 시기에도 이스라엘의 패배를 생각할 수밖에 없을 것입니다. 이스라엘 백성의 자녀의 목을 따고 임산부들의 배를 가르는 것이 '그런 큰일'이 되고 맙니다. 하사엘은 정말 아무 다른 생각 없는 단순한 자연인의 훌륭한 표본에 해당합니다. 하사엘의 질문에 대해서 엘리사는 정확하고도 모호한 하나님의 말씀으로 대답합니다. "여호와께서 네가 아람 왕이 될 것을 내게 알게 하셨느니라"왕하8:13 이는 명쾌합니다. 그러나 그 방법과 그 시점은 모호한 가운데 있습니다. 여기서 우리는 인간적인 선택의 차원을 발견합니다. 하나님의 사람인 엘리사는 하사엘에게 하나님 앞에서 하사엘 자신이 어떤 사람인지 실제로 어떤 사람이 될 것인지 말하고 있습니다. 이는 요람 왕의 믿음 없는 신하에게 하나님 앞에서 자신이 어떤 사람인지 실제로 어떤 사람이 될 것인지 말했던 것과 정확히 일치합니다. 그러나 그 말씀을 전하는 것, 벤하닷이 실제 죽게 될 것과 하사엘이 왕좌에 오를 것을 선포하는 것은 예언자 엘리사에게 쉬운 일이 아니었습니다. 물론 그가 하는 것은 말을 전하는 것뿐입니다. 이 점에 대해서 뒤에 가서 다시 살펴볼 것입니다 그러나 그가 할 말은 어떤 위대한 행동보다도 기적보다도 하기가 더 어렵고 표현하기가 더 어렵고 그 자신에게 더 무거우며 자신의 생명을 더 옥죄는 것이었습니다. 정녕 그가 그 말을 한 것은 자신의 의지에 반하는 것이었기 때문입니다.

여기서도 우리는 서로 다른 세 가지의 경우들을 분명하게 상정해 볼 수 있습니다. 하나는 하나님이 장기판의 장기처럼 인간을 기계적으로 사용한다는 단순한 경우입니다. 또 다른 하나는 하나님이 자신에게 전한 말씀을 어떤 값을 치르게 될지라도 인간이 자발적으로 복종하는 경우입니다. 그 복종이 인간의 의지와 욕망과 판단과 선택과 일치하게 되는 때에 그 인간은 기쁨으로 충만해질 것인데, 그것은 하나님의 나라에서의 상황과 같을 것입니다. 그런데 그 복종이 인간의 의지와 욕망과 판단과 선택과 일치하지 않을 때에는 겟세마네 동산의 커다란 슬픔이 따르게 될 것입니다.

마지막으로 세 번째 경우는 인간이 하나님의 뜻을 모르는 가운데 스스로 결정하는 것입니다. 이 모든 이야기는 첫 번째 가설은 확실하게 배제될 것을 우리에게 말해 줍니다. 그때까지는 엘리사가 하나님과 뜻이 일치한 것을 보아 왔다면 이제는 그가 하나님의 뜻에 순종하기는 하지만 고통과 수고와 혼란을 겪는 것을 봅니다. 엘리사는 통곡합니다. 그는 하나님의 말씀에 대한 믿음과 순종으로 그 말을 전하는 것 이외에 달리 행동할 수가 없었습니다. 그는 자신의 자유로운 의지적 선택으로 그렇게 순종하였습니다. 그러나 그것은 그 자신의 본래 의지에 반하는 것이었습니다. 그는 그 말을 함으로써 생길 장래의 일을 두려워했던 것입니다. 그것은 자신의 백성에 대한 그의 사랑에 반하는 것이었습니다. 실제로 사마리아 성이 포위되었을 때의 그 재앙에는 아무런 원인이나 이유도 없어 보이는 만큼 더더욱 그는 자기 백성을 결단코 떠나지 않았습니다. 그 당시 그의 백성은 불순종하거나 반역을 일으킨 일이 없었습니다.

엘리사는 그 사실을 잘 알고 있습니다. 곧 있으면 유다에 정말 선하고 신실한 왕이 나올 것입니다. 엘리사가 이스라엘에서 하나님의 징벌과 회개할 것을 선포할 의무는 없습니다. 그러나 재앙은 다가옵니다. 엘리사는 통곡하며 하나님의 뜻을 선포하고 순종합니다. 그는 불가해한 하나님의 결정에 복종합니다. 예수 그리스도의 예표로서 그는 하나님의 심판에 스스로 순종하면서 통곡하는 것입니다. 그와 그의 백성은 하나이기 때문입니다. 엘리사 자신이 하사엘에게 권력을 서임하여 그 권력으로 정복자가 된 그는 자기 백성과 그의 왕을 살해하는 것입니다. "위에서 주지 아니하셨더라면 나를 해할 권한이 없었으리니" 요19:18 엘리사는 자신을 그의 백성과 분리하지 않습니다. 그러나 하나님이 원하는 이 시험을 통과해야만 합니다.

하사엘에게 한 엘리사의 말은 모호합니다. "그가 반드시 죽으리라", "네가 이스라엘 자손에게 행할 모든 악을 내가 앎이라", "네가 아람 왕이 될 것을 내게 알게 하셨느니라". 거기서부터는 하사엘이 자신의 성향대로 하게 그대로 내버려두면 됩니다. 엘리사가 전한 말은 하사엘이 보기에는 하나님의 말씀이 아니었습니다. 물론 예언자 엘리사는 두 번이나 하나님의 이름으로 전하는 것임을 밝혔습니다. 그러나 하사엘이 그 말을 진짜 하나님의 말씀으로 들을 이유는 하나도 없었습니다. 그가 행동을 취하게 된 것은 하나님의 뜻에 순종하기 위한 것이 아니었습니다. 단지 자신이 왕이 될 수 있다는 가능성과 그 영광에 대해서 언급된 것만으로도 그로 하여금 그런 행동을 취하게 하기에 충분했던 것입니다. 권력이 그의 손으로 장악할 수 있을 만큼 가까이 있었습니다. 이제 야심과 권력에 대한 갈증과 영광8)에 대

---

8) 벤하닷이라는 왕의 이름이 바알(주인)이라는 칭호로 불리는 하닷이라는 우상신과 연관된다는 사실을 주목해 봅시다. 황소에 비유되는 하닷이라는 우상신은 천둥으로 말하고 비를 내립니다. 그는 주인이자 생식력이 있는 존재였습니다. (뒤소(Dussaud), 『페니키아의 신화』Mythologie phéicenne). 그러나 엘리사의 행동에는 어떤 종교적인 이유도 없습니다. 이스라엘의 하나님이 하닷의 아들 [벤하닷]을 대적하는 것이 아닙니다. 왕의 시해를 통해서 진정한 종교를 확립한

한 갈망을 자극하도록 그의 탐욕이 행하는 대로 그냥 두면 되는 것이었습니다.

길을 제시할 필요가 전혀 없습니다. 암시만 하는 것으로도 충분합니다. 엘리사의 말이 모호해도 하사엘에게는 모호하지 않습니다. 하나님이 그에게 시키지 않아도 그의 내면에 있는 죄가 하나님의 뜻을 따라 악을 실현합니다. 하나님은 그에게 하나의 단순한 가능성을 보여주고 문을 열어 놓고 그가 하는 대로 내버려 둡니다. 그의 내면에 있는 탐욕을 그대로 내버려 두기만 하는 것으로도 충분하고도 남습니다.

여기서 우리는 두 가지 교훈을 얻습니다. 우선 정치적인 맥락 속에서, 우리의 관심은 그것을 넘어서지 않을 것입니다 하나님은 하나님의 말씀을 한 인간을 통하여 전합니다. 믿지 않는 사람들에게 그 말은 한 인간의 말에 지나지 않습니다. 하나님은 그 말씀에 하나님의 현현이나 영광이나 권능이 나타나게 하지 않습니다. 그 단순한 말씀은 누구에게나 확실한 것도 아니고 절대적인 명령도 아닙니다. 하사엘은 어떤 경우에라도 그 말씀에 매여 있지 않습니다. 하나님이 역사하는 것은 하사엘의 마음속이 아닙니다. 하나님은 단지 그를 그 말씀 앞에 서게 합니다. 그 말씀은 명령이 아닙니다. 하사엘은 암시된 내용과는 아주 다르게 행동할 수도 있습니다. 하나님은 그 불쌍한 왕이 아무것도 변경할 수 없는 채로 휩쓸려 들어갈 가차없는 미래를 제시한 것은 아닙니다. 하사엘은 자신과 같은 한 인간에 의해 전해진 이 말씀에 이론을 제기해 볼 수도 있습니다. 그 말씀은 아무것으로도 되돌릴 수 없는 말이 아닙니다. 그는 그 말씀을 다르게 해석할 수도 있습니다. 그도 그럴 것이 그 말씀 자체가 모호하기 때문입니다. 하사엘은 냉혹한 운명에 따라서 왕이 되는 불쌍한 사람이 아닙니다. 그는 스스로 취할 행동을 선택

다는 것은 말이 되지 않습니다. 그걸 풍자적으로 보여주는 것이 바로 하사엘의 아들이 다시 벤 하닷이라는 이름을 취하게 된다는 사실입니다.

합니다. 자신의 독립적인 의지와 자율적인 선택에 의해서 그는 권력을 잡고 열국을 정복하는 것입니다.

나에게는 이러한 상황이 완벽한 표본으로 보입니다. 즉, 교회는 결코 정치권력을 향하여 하나님의 명령을 공식적으로 표명하지 않아야 합니다. 정치권력은 원칙적으로는 그 명령을 내린 하나님이 진짜 하나님인 것을 알수가 없습니다. 교회는 국가에 어떤 것을 해야 한다는 식으로 말하지 말아야 합니다. 그러나 교회는 하나님을 대신해서 실제로 어떤 일이 일어나게 될지를 전해야 하고, 국가가 제 의지로서 하게 될 일을 알려야 합니다. 그렇다면, 교회가 꼭 예언자가 되어야만 할까요? 어떤 의미에서는 그렇습니다. 그러나 또한 하나님 앞에서의 진지한 묵상과, 하나님 안에서의 냉정하고 초연한 이해가 그런 일을 알게 해줄 것입니다. 초연한 태도는 어찌 됐든 간에 필수적입니다. 그것이 없으면 그에 따른 행동과 편파성이 불가피하게 미래의 의미를 가려버릴 것입니다. 이는 우리로 하여금 성서 본문의 다른 측면을 보게 합니다.

예언자는 말씀을 전하는 것이 전부입니다. 그는 행동을 취하지 않습니다. 그는 하나님의 말씀을 전하지만 그 말씀이 효과적으로 실행되도록 노력할 의무가 없습니다. 예언자는 말합니다. 그러면 사건들과 사람들이 거기에 대한 부담과 열정과 힘을 떠맡게 될 것입니다. 그러나 예언자 엘리사는 하사엘을 인도하지 않습니다. 성서 본문은 엘리사가 그에게 기름을 부어 왕으로 세우지도 않은 것을 보여줍니다. 엘리사는 그에게 어떤 권고도 하지 않습니다. 사마리아 성이 포위되었을 때에 무기를 잡지 않은 것처럼 그는 다메섹에서도 개입하는 행동을 취하지 않습니다. 예를 들어 그는 하사엘을 편들어줄 사람들의 조직을 만들지 않습니다. 엘리사는 행동할 것이 없습니다. 하나님의 말씀을 전하고 나서 그는 그 말씀의 이행을 위해 행동할 의무가 없습니다. 그 말씀이 실현되도록 그가 개입할 의무가 없습니다. 그 말씀이 효율적으로 실행되도록 구체적인 방법들을 찾을 의무가 그에게 없습니다. 사람들이 그 방법들을 잘 찾아낼 것입니다. 그 말씀 자체에 있는 실효성을 그가 보여줄 의무는 없습니다. 말씀 앞에 하사엘을 서게 합니다. 하사엘은 마치 가장 단단한 물건에 부딪힌 것 같을 것입니다. 그리고 나서는 예언자는 뒤로 물러섭니다. 정치적 행동이라는 현실은 그의 소관 밖입니다. 그러나 하사엘은 일단 행동을 취하면 모든 일을 잘해낼 것이 확실합니다. 그는 왕을 시해할 것입니다. 그는 혼자서 그 일을 하기 위한 수단을 찾아냅니다. 그리고 그는 반세기 동안 왕좌를 지키고 실제로 하나님의 백성을 도탄에 빠지게 합니다. 그는 요단강 건너편 지역부터 시작하여 유린하고 병합합니다. 그는 이스라엘의 전지역을 뚫고 나아가면서 요람 왕에게 부상을 입힙니다. 왕하8:28 그는 사마리아를 정복하여 그 군대를 무너뜨리고 예후와 겨루어 승전하기에 이르고, 예후의 아들 여호아하스를 제압합니다. 그는 이스라엘에는 열 개의 병거와 50명의 기병만을 남겨둡니다. "아람 왕이 여호아하스의 백성을 멸절하여 타작마당의 티끌같이 되게 하고." 왕하13:7

그러나 하사엘은 또한 남왕국 유다도 공격합니다. 그는 유다의 가장 강력한 주요 요새 중의 하나인 갓을 취하고 무너뜨립니다. 왕하12:17 그리고 그는 예루살렘을 공격합니다. 그런데 유다에는 그때에 선하고 신실한 왕인 요아스가 있었습니다. 그는 패전했고 예루살렘은 포위되어 버립니다. 요아스 왕은 예루살렘을 구하고자 공물을 내려고 합니다. 그러나 그 공물로 내야 할 것이 너무나 큽니다. 왕의 재물뿐만 아니라, 성전의 보물, 즉 그의 조상인 여호사밧과 요람과 아하시야가 하나님에게 봉헌한 것들과, 하나님의 집의 모든 보물을 내놓아야 합니다. 하사엘은 공물을 받는 조건에 예루살렘을 공격하지 않기로 했습니다. 다른 말로 하면, 아람 왕이 행한 것은 정치적 군사적 악행에 그치지 않고 가장 신성한 것으로 여겼던 것을 모독한 것이고, 사실상 하나님이 정한 예배를 모독한 것입니다. 이는 의심할 나위 없이 하나님이 그 예배를 더는 용인하지 않으며, 예배에서 봉헌되는 제물들을 더는 받지 않는다는 의미입니다.

하나님의 백성은 너무나 불순종을 했고 너무나 종교적이었고 다른 이방 민족들과 다를 바 없었으며 거룩한 백성이 되지 못했습니다. 백성이 거룩하지 않은데 예배와 제물을 올리는 것이 무슨 소용이겠습니까. 하나님은 그 상황 속에서 자기 백성의 경배에 대한 거절의 의사를 표현하고 있습니다. 하나님은 그것을 정복자를 통하여 표현합니다.

그러나 우리는 전에 앗시리아에 대해서 지적한 것처럼 또 한 번의 반전을 보게 됩니다. 악행을 저지른 사람이 "나를 보낸 분은 하나님이다. 이것은 하나님이 원하는 것이다. 바로 하나님이 그렇게 제안하셨다." 라고 말하는 것으로는 충분치 않습니다. 하나님의 징벌은 징벌로 남습니다. 사람이 저지른 악행은 하나님 앞에서는 악행으로 남습니다. 그것은 하나님이 심판합니다. 하나님의 진노의 도구로 사용된 자에게도 심판이 따르는 것입니다. 도구로 쓰임 받은 자는 실제로 책임을 지게 됩니다. 하나님의 말씀 앞에서 따를 것을 강요받지 않은 채, 하나님의 징벌 도구가 될 것을 선택한 것은 바로 그 자신입니다. 또 다른 예언자 아모스는 하사엘에 대한 징계를 선포합니다. "다메섹의 서너 가지 죄로 말미암아 내가 그 벌을 돌이키지 아니하리니, 이는 그들이 철 타작기로 타작하듯 길르앗을 압박하였음이라. 내가 하사엘의 집에 불을 보내리니… 아람 백성이 사로잡혀 가기에 이르리라." 암1:3-5 하나님은 하사엘의 주관자이기도 합니다. 사람들과 자기 백성을 향한 하나님의 사랑에 반하는 것은 언제나 하나님의 심판을 받게 됩니다. 하사엘은 그 모든 것이 악행임을 알지 못했다고 변명할 수 없습니다. 엘리사는 그에게 "네가 이스라엘 자손에게 할 모든 악을 내가 앎이라"라고 전했습니다. 거기에는 모호함이 있을 수 없습니다. 예언자와 교회의 역할은 그 악을 알리는 것입니다. 그러나 하나님이 그에게 그것이 악한 일임을 전하지만, 하사엘은 "그런 큰일"이라고 말합니다. 실제로 정치적으로 그것은 크고 위대한 일입니다. 정치적인 열망이 그로 하여금 그 모든 것이 심판당할 일인 것을 망각하게 하여서 역사적으로 큰일이라는 영광에 빠지게 합니다. 여기서 하나님이 만왕의 왕, 만군의 주일 뿐만 아니라, 역사적으로 성공한 위대한 업적들에 대해 심판을 내리고 그 종말을 결정하는 존재임이 계시됩니다.

또한, 아모스서의 구절들에 대한 네헤르Neher의 해석에 주목할 필요가 있습니다. 그는 3절을 이렇게 번역합니다. "서너 가지 죄로 말미암아 … 내가 응답하지 않겠다." 하나님은 이 민족아람에게 응답할 것을 거절합니다. 이 백성을 심판할 뿐만 아니라 말하는 것을 거절하는 것입니다. 이 이방 민족들은 이스라엘과 동맹을 맺음으로 인해서 하나님의 통치권에 들어가기 때문입니다. 이스라엘과의 동맹을 차치하고서도 노아의 언약에 따른 보편적인 동맹이 있습니다. 이 모든 이방 민족들은 이 보편적인 동맹의 수혜자들입니다. 그런데 이 민족들이 이제 차례대로 하나님의 새로운 징벌을 받게 될 위기에 처해 있습니다. 다메섹은 이미 받았고 이제 앗시리아의 차례입니다. 이 민족들은 아람을 필두로 해서 하나님을 향해 돌아서서 하나님에게 간청하기에 이른 듯합니다. 하사엘과 그의 가문도 그렇게 합니다. 그러나 이제 하나님은 응답하지 않을 것입니다. "하나님의 침묵은 죄가 있음을 보여주는 것입니다." 하사엘은 하나의 악행을 저지른 것이 아니라 동맹 자체를 위반한 것입니다. 하나님은 더는 아무 말도 않을 것입니다. "역사는 하나님의 말을 대신할 것입니다." 이스라엘과 유다가 역사의 손에 넘겨진 것처럼 아람도 그렇게 된 것입니다. 하사엘의 영광은 곧 땅에 떨어질 것입니다. 그의 영광을 초래했던 하나님의 말씀은 하사엘이 다시 간청할 때에 침묵할 것입니다.

결국, 이 하나님의 심판을 받으면서 하사엘은 반세기 동안 영광의 통치를 마치고 죽음을 맞이합니다. 그 이야기는 아직도 강렬한 인상을 줍니다. 왕하13:14 이제 이스라엘을 다스리는 왕은 요아스입니다. 요아스는 악한 왕입니다. 요아스는 하나님의 눈에 악한 일을 했습니다. 그에 대해서는 여호아하스의 경우와 같이 여로보암의 죄를 계속 저질렀다는 얘기가 전해집니다. 여로보암의 죄가 종종 언급되는데 그 죄는 정치적인 비중을 지닌 것이었습니다. 그가 국가의 영광을 위하여 하나님을 이용하였기 때문입니다. 이 일에 대해서는 뒤에 가서 더 자세하게 살펴볼 것입니다. 요아스가 다시 시작한 것이 바로 그 죄입니다. 그러나 그는 엘리사가 예언자로서 진정한 하나님의 사람인 것을 인정했습니다. 엘리사가 죽어가는 것을 알고 그는 울면서 그에게 갑니다. 그는 이스라엘이 보호받은 것은 황금 송아지에 의한 것이 아니라 엘리사에 의한 것임을 인정합니다. 엘리사에게서 그는 하나님의 진정한 영광과 진정한 능력과 '이스라엘의 병거와 마병' 을 봅니다. 엘리사는 이스라엘에겐 그 어떤 무기보다도 더 귀한 존재입니다.

수년 동안 이스라엘은 전쟁에서 패했고 엘리사는 요람 왕 때처럼 거짓 신의 예언자로 치부될 정도였는데 그럼에도 요아스가 엘리사를 그렇게 인정한 것은 대단한 것입니다. 요아스는 상반되는 마음의 갈등을 겪으면서도 엘리사를 '내 아버지' 라고 부릅니다. 엘리사는 그의 요청을 물리칠 수가 없었습니다. 엘리사는 응답하였고 구원을 보장했습니다. 그는 요아스 왕에게 상징적인 행동을 하도록 시켰습니다. 여기서 주목할 것은 어떤 망설임도 없이 요아스가 그대로 복종했다는 사실입니다. "활을 잡으십시오", "동쪽 창문을 여십시오" "쏘십시오". 요아스 왕은 그대로 했습니다. 그다음에 엘리사는 활을 잡은 왕의 손을 잡습니다. 즉, 상징적으로 엘리사는 하나님의 사람의 힘을 왕에게 전달한 것입니다. 요아스는 엘리사가 '이스라엘의 병거요 마병' 인 바, 왕 자신보다도 더 진정한 이스라엘의 왕으로서 참된 왕국의 통치와 참된 이스라엘의 보호를 구현하는 존재임을 인정합니다. 왕의 이 고백에 대한 응답으로 예언자 엘리사는 왕에게 그의 능력을 전해준 것입니다.

"쏘십시오." 왕은 그 말에 복종합니다. 다메섹으로 향하는 그 화살은 상징적 예언으로서 엘리사는 그 의미를 전합니다. "이는 주님의 승리의 화살입니다." 이제 하나님은 결정을 내려서, 자비를 베풀며, 그의 언약을 기억하며 긍휼을 베풉니다. 고난은 끝이 났고 아람의 역할도 끝났습니다. 이것이 하나님의 포괄적인 결정입니다. 그러나 아직 끝난 것이 아닙니다. 엘리사는 다시 왕에게 말합니다. "화살들을 집어 땅을 치십시오." 왕은 이해하려고 하지 않고 그냥 순종했습니다. 그는 아무 생각 없이 세 번 땅을 쳤습니다. 그러나 엘리사는 마지막으로 화를 냅니다. "왕께서 대여섯 번 치셨으면 시리아 군을 진멸할 때까지 쳐부술 수 있었을 터인데, 고작 세 번입니까? 이제 왕께서는 겨우 세 번만 시리아를 칠 수 있을 것입니다." 여기서 우리는 하나님의 결정과 인간의 의지가 기묘하게 만나는 것을 봅니다. 하나님은 예언자를 통해서 하나님의 뜻을 밝혔습니다. 이제 이스라엘의 왕은 하나님의 계획을 실현할 것입니다. 그러나 왕은 자신의 수단과 선택과 능력을 동원해서 그렇게 해야 할 것입니다. 왕은 자신이 원하는 대로 두 번이나 세 번이나 다섯 번 땅을 치도록 자유가 주어졌습니다. 멈추는 것도 그가 원해서 그런 것입니다. 그것은 그의 행동의 크기에 따르는 것입니다. 그렇지 않다면 측량할 수 없이 무한한 하나님의 선한 뜻에 따르게 되었을 것입니다. 사실상 이제 '전쟁의 운'은 바뀌어서 악한 왕 요아스는 아람으로부터 이스라엘의 모든 성읍을 탈환하게 됩니다.

엘리사는 임종을 맞이하고 있었습니다. 그는 고난의 종결과 하사엘의 죽음을 선언했습니다. 하사엘은 엘리사의 존재와 현존에 밀접하게 연결되어 있어 보입니다. 예언자 엘리사가 그를 자극하여 왕좌에 앉게 하였고, 엘리사의 죽음은 그의 몰락과 종말을 가져옵니다. 마치 하사엘의 권력이 엘리사의 현존과 밀접하게 연결된 것 같이 말입니다. 이는 불가해한 것이 아닙니다. 엘리사의 긴 생애를 통하여 이스라엘은 끊임없이 고난에 처해서 패전과 기근 그리고 반역과 학살이 이어졌습니다. 이 모든 시기에 하나님의 손은 아주 엄중하여 징벌에 징벌을 내렸습니다. 그러나 항상 이 사실을 유념해야 합니다. 하나님은 치유하는 법이 없이 때리지 않고, 위로하는 법없이 정죄하지 않으며, 복음이 없이 심판하지 않습니다. 70년간의 고난 기간에 예언자 엘리사가 함께 한 것입니다.

하나님의 눈에 보이는 현존을 나타내는 자요, 가난하고 고통받는 자들에게 때마다 위로를 전하는 자요, 말씀을 구현하는 기적을 늘 새롭게 행하는 자로서 엘리사는 모든 방면의 백성을 위로할 수 있었습니다. 그는 하나님이 그의 백성을 절대 포기하지 않는다는 사실을 증거하고 증언하는 자이기 때문입니다. 징벌은 끔찍한 것입니다. 그러나 엘리사가 그 자리에 함께합니다. 볼 눈이 있고 들을 귀가 있는 자들에게는 그것이면 충분한 것입니다. 예언자 엘리사가 비록 사건들 자체를 변화시키지는 않았다 할지라도 하나님의 충만한 임재가 모든 문제에 대한 대답이 되었습니다. 그렇게 보면 그리스도의 몸인 교회는 정치와 직접적으로 관계를 맺도록 불가피하게 운명 지워진 것은 아닌 듯합니다. 그러나 교회의 존재만으로도 최악의 비참한 상황들을 견뎌낼 힘이 주어집니다. "내가 너희와 항상 함께 있으리라"고 예수 그리스도가 말하였기 때문에 말세의 역사는 사복음서와 베드로서 그리고 요한계시록이 선포하듯이 인간적인 견지에서는 참담한 재앙들이 계속되는 것일 수밖에 없습니다. 예수 그리스도가 오셨고 또 늘 함께 있기 때문에 인간적인 행복의 실현에는 어떤 진전도 있을 수가 없습니다.

그러나 이제 엘리사가 죽어갑니다. 이스라엘에는 위로가 사라질 것이고 하나님의 권능의 확실한 선포도 없게 될 것입니다. 이제 이스라엘이 감당할 능력을 넘어서는 고난은 그칠 것입니다. 이제 하나님은 재앙을 멈출 것입니다. 그렇지 않으면 자신의 힘으로 살아가야 하는 이스라엘 백성은 영적으로 파멸할 것이기 때문입니다. "사람이 감당할 시험 밖에는 너희가 당할 것이 없다." 그렇습니다. 예후와 하사엘과 같은 대학살자들은 하나님이 위로할 사람을 예비하고 파송하여 등장시켰을 때에만 출현하여 맹위를 떨칠 수 있었습니다. 하나님이 보낸 사람의 존재는 모든 기대치를 넘어설 정도로 인간을 충족시킬 수 있는 것입니다. 이제 예언자 엘리사는 더는 존재하지 않습니다. 그러므로 이스라엘에게 유예가 주어질 것입니다. 고난과 심판의 시간은 끝이 난 것입니다. 위선적이고 교만하고 우상을 숭배하는 악한 왕들인 요아스, 여로보암, 므나헴의 통치하에서 이스라엘은 잠깐 영광과 패권과 정치적 자유를 누리면서, 궁극적인 패망과 유배를 당하기까지 자신의 능력과 되찾은 영광의 환상에 젖어서 지낼 것입니다.

성서에 기록된 역사는 신앙적이어서 왜곡되었다고 생각하는 역사가들에게는, 무언가를 증명하려는 '성서적 역사가들'이 경건한 왕들이 전쟁에서 패하고 우상숭배자인 왕들이 승리하는 것을 밝힌 점을 어떻게 보아야 하는가가 하나의 문젯거리가 될 것입니다. 그리고 우리에게는 한 민족에게 주어질 수 있는, 물질적인 행복과 영광과 평안과 문화의 증진이라는 유예기간의 문제가 또 하나의 문젯거리가 됩니다. 사단이 하늘에서 번개처럼 땅에 떨어졌습니다. 왜냐하면, 사람의 아들이 하나님의 아들이기 때문입니다.

평화의 유예 기간은 우리에게 있어서 더 큰 주의와 더 큰 사랑을 가지라는 경고가 아닐 수 없습니다.

제4장

예후

열왕기하 9장

1예언자 엘리사가 예언자 수련생들 가운데서 한 사람을 불러 말하였다. "너는 허리를 단단히 묶고, 손에 이 기름병을 들고, 길르앗의 라못으로 가거라. 2거기에 가면, 그 곳에서 님시의 손자이며 여호사밧의 아들인 예후를 만나게 될 것이다. 그러면 안에 들어가, 그의 동료들 사이에서 그를 불러내어 밀실로 데리고 들어가거라. 3그리고 기름병을 기울여 그의 머리에 부으며 '나 주가 말한다. 내가 너를 이스라엘의 왕으로 세웠다' 하고 말하여라. 그렇게 말한 다음에 너는 문을 열고 속히 도망하여라. 지체해서는 안 된다." 4그리하여 예언자의 시종인 그 젊은이가 길르앗의 라못으로 갔다. 5그가 도착하였을 때에, 그 곳에는 군대의 장군들이 둘러앉아 회의를 하고 있었다. 그가 그들에게 말하였다. "장군님! 드릴 말씀이 있습니다." 그러자 예후가 말하였다. "우리들 가운데 누구에게 말하고 있는 겁니까?" 그 시종이 말하였다. "바로 장군님께 말씀을 드리고 있습니다." 6예후가 일어나서 집 안으로 들어가자, 예언자의 시종인 그 젊은이는 그의 머리에 기름을 부으며 말하였다. "나 주 이스라엘의 하나님이 말한다. 내가 너에게 기름을 부어, 주님의 백성 이스라엘의 왕으로 세웠다. 7너는 네가 섬기는 상전 아합의 가문을 쳐라. 나는 내 종들인 예언자들의 피와 또 주님의 다른 종들의 모든 피를 이세벨에게 갚으려고 한다. 8나는 아합의 가문을 모두 다 멸망시킬 것이다. 그렇다. 아합에게 속한 사람은 매인 사람이건 놓인 사람이건 가릴 것 없이, 남자는 누구나 이스라엘 안에서 끊어 버릴 것이다. 9나는 아합의 가문을 느밧의 아들 여로보암의 가문과 같이 만들고, 아히야의 아들 바아사의 가문과 같이 만들 것이다. 10그리고 개들이 이스르엘 땅 안에서 이세벨을 뜯어 먹을 것이다. 그를 매장할 사람조차 없을 것이다." 그리고 난 뒤에 예언자의 시종인 그 젊은이는 문을 열고 도망하였다. 11예후가 왕의 신하들이 있는 데로 나오자, 한 사람이 그에게 물었다. "좋은 소식이었소? 그 미친 녀석이 장군께는 무슨 일로 왔었소?" 예후가 그들에게 말하였다. "장군들께서도 그 사람이 누구고, 그가 쓸데없이 떠들고 간 말이 무엇인지 짐작하고 있을 것이라 믿소." 12그러나 그들이 말하였다. "슬쩍 넘어가지 마시오. 우리에게 사실을 말해 주시오." 예후가 대답하였다. "그의 말이, 주님께서 나를 이스라엘의 왕으로 기름 부어 세웠다고 말씀하시었다고 하였소." 13 그러자 그들은 황급히 일어나, 각자 자기의 옷을 벗어서, 섬돌 위 예후의 발 아래에 깔고, 나팔을 불며 "예후께서 임금님이 되셨다" 하고 외쳤다. 14그리하여 님시의 손자이며 여호사밧의 아들인 예후는, 요람을 칠 모의를 하게 되었다. 그 때에 요람은 이스라엘 전군을 이끌고, 시리아 왕 하사엘과 맞서서 길르앗의 라못을 지키고 있었다. 15요람 왕이 시리아 왕 하사엘과 싸울 때, 시리아 사람에게 다친 상처를 치료하려고 이스르엘로 돌아와 있을 때였다. 마침내 예후가 말하였다. "장군들이 나와 뜻을 같이 한다면, 아무도 이 성읍을 빠져 나가서, 이스르엘에 이 사실을 알리는 일이 없도록 해주시오." 16그런 다음에 예후는, 병거를 타고 이스르엘로 갔다. 요람이 그 곳에서 병으로 누워 있었다. 유다의 아하시야 왕은 요람을 문병하려고 벌써 거기에 와 있었다. 17이스르엘의 망대 위에 서 있는 파수병이, 예후의 군대가 오는 것을 보고 "웬 군대가 오고 있습니다" 하고 외쳤다. 그러자 요람이 말하였다. "기마병을 보내어 그들을 만나, 평화의 소식이냐고 물어 보아라." 18그리하여 기마병은 그들을 만나러 가서 말하였다. "임금님께서 평화의 소식이냐고 물어 보라 하셨소." 그러자 예후가 말하였다. "평화의 소식인지 아닌지가 너와 무슨 상관이 있느냐? 너는 내 뒤를 따르라." 파수병이 왕에게 보고하였다. "그들에게 간 전령이 돌아오지 않습니다." 19그리하여 왕이 두 번째 기마병을 보내자, 그가 그들에게 가서 말하였다. "임금님께서 평화의 소식이냐고 물어 보라 하셨소." 그러자 예후가 말하였다. "평화의 소식인지 아닌지가 너와 무슨 상관이 있느냐? 너는 내 뒤를 따르라." 20파수병이 왕에게 또 보고하였다. "그들에게 간 전령이 또 돌아오지 않습니다. 그런데 미친 듯이 말을 모는 모습이, 님시의 아들 예후와 비슷합니다." 21이 말을 듣자, 요람은 "병거를 준비하라!" 하고 명령하였다. 병거를 준비하니, 이스라엘 왕 요람과 유다 왕 아하시야가 각각 자기의 병거를 타고 예후를 만나러 나가서, 이스르엘 사람 나봇의 땅에서 그를 만났다. 22요람이 예후를 보고 "예후 장군, 평화의 소식이오?" 하고 물었다. 예후는 "당신의 어머니 이세벨이 저지른 음행과 마술 행위가 극에 달하였는데, 무슨 평화가 있겠소?" 하고 대답하였다. 23요람이 그의 손에 쥔 말고삐를 급히 돌려 도망하면서, 아하시야에게 소리쳤다. "아하시야 임금님, 반역이오." 24예후가 힘껏 활을 당겨 요람의 등을 겨누어 쏘자, 화살이 그의 가슴을 꿰뚫고 나갔다. 그는 병거 바닥에 엎드러졌다. 25예후가 요람의 빗갈 시종무관에게 말하였다. "그 주검을 들고 가서, 이스르엘 사람 나봇의 밭에 던지시오. 당신은, 나와 당신이 그의 아버지 아합의 뒤에서 나란히 병거를 타고 다닐 때에, 주님께서 그를 두고 선포하신 말씀을 그대로 기억할 것이오. 26주님께서 아합에게 '내가 어제, 나봇과 그의 아들들이 함께 흘린 피를 분명히 보았다. 바로 이 밭에서 내가 너에게 그대로 갚겠다. 이것은 나 주의 말이다' 하고 말씀하셨소. 이제 당신은 그 주검을 들고 가서, 주님의 말씀대로 그 밭에 던지시오." 27유다의 아하시야 왕은 이것을 보고 벳하간으로 가는 길로 도망하였으나, 예후가 그의 뒤를 추적하며 "저 자도 죽여라" 하고 외치니, 이블르암 부근 구르 오르막길에서 예후의 부하들이, 병거에 타고 있는 아하시야를 찔러 상처를 입혔다. 그는 므깃도까지 도망하여, 그 곳에서 죽었다. 28그의 부하들이 그를 병거에 실어 예루살렘으로 운반하고, 그를 '다윗 성'에 있는 그의 조상들의 묘지에 함께 장사지냈다. 29아합의 아들 요람 왕 제 십일년에 아하시야가 유다를 다스리는 왕이 되었다. 30예후가 이스르엘에 이르렀을 때에, 이세벨이 이 소식을 듣고, 눈 화장을 하고 머리를 아름답게 꾸미고는, 창문으로 내려다보았다. 31예후가 문 안으로 들어오자, 이세벨이 소리쳤다. "제 주인을 살해한 시므리 같은 자야, 그게 평화냐?" 32예후가 얼굴을 들어 창문을 쳐다보며 소리쳤다. "내 편이 될 사람이 누구냐? 누가 내 편이냐?" 그러자 두세 명의 내관이 그를 내려다보았다. 33 예후가 그들에게 명령하였다. "그 여자를 아래로 내던져라." 그들이 그 여자를 아래로 내던지니, 피가 벽과 말에게까지 튀었다. 예후가 탄 말이 그 여자의 주검을 밟고 지나갔다. 34예후가 궁으로 들어가서, 먹고 마시다가 말하였다. "이제 저 저주받은 여자를 찾아다가 장사를 지내 주어라. 그래도 그 여자는 왕의 딸이었다." 35그들이 그 여자를 장사지내 주려고 찾아 나섰으나, 그 여자의 해골과 손발밖에는 아무 것도 발견할 수가 없었다. 36 그들이 돌아와서 그에게 그렇게 보고하니, 그가 말하였다. "주님께서, 주님의 종 디셉 사람 엘리야를 시켜서 말씀하신 대로, 이루어졌다. 주님께서 말씀하시기를 '이스르엘의 밭에서 개들이 이세벨의 주검을 뜯어 먹을 것이며, 37이세벨의 주검은 이스르엘에 있는 밭의 거름처럼 될 것이므로, 이것을 보고 이세벨이라고 부를 사람은 아무도 없을 것이다' 하셨는데, 그대로 되었다."

열왕기하 10장

1아합의 아들 일흔 명이 사마리아에 살고 있었다. 예후가 편지를 써서 사본을 만들어, 사마리아에 있는 이스르엘의 관리들과 원로들과 아합의 아들들을 보호하고 있는 사람들에게 보냈다. 2 "너희는 너희가 섬기는 상전의 아들들을 데리고 있다. 병거와 말과 요새화된 성읍과 무기도 가지고 있다. 이제 이 편지가 너희에게 가거든, 3너희는 너희 상전의 아들들 가운데서 가장 훌륭하고 적합한 인물을 찾아서 그의 아버지의 왕좌에 앉히고, 너희는 너희가 섬기는 상전의 가문을 편들어서 싸우도록 하여라." 4이에 사마리아의 지도급 인사들은 두려워하며 말하였다. "저 두 왕도 그를 당하지 못하였는데, 우리가 무슨 수로 그와 맞설 수 있겠소?" 5그리하여 왕가를 지키는 사람들과 성읍을 다스리는 사람들과 장로들과 왕자들을 보호하는 사람들이, 예후에게 다음과 같은 전갈을 보냈다. "우리는 장군의 신하입니다. 장군께서 우리에게 말하는 것은, 무엇이든지 모두 그대로 하겠습니다. 우리는 어떠한 왕도 세우지 않겠습니다. 장군께서 보시기에 좋은 대로 하십시오." 6 예후가 그들에게 다음과 같이 두 번째 편지를 써서 보냈다. "너희가 내 편이 되어 내 명령을 따르겠다면, 너희 군주의 아들들의 목을 베어서, 내일 이맘때까지, 이스르엘에 있는 나에게로 가져 오너라." 그 때에 왕자들 일흔 명은 그들을 키워 준 그 성읍의 지도자들과 함께 있었다. 7편지가 성읍의 지도자들에게 전달되자, 그들은 그 왕자들을 잡아서 일흔 명을 모두 죽인 다음에, 그들의 머리를 광주리에 담아서, 이스르엘에 있는 예후에게 보냈다. 8전령이 와서 예후에게, 그들이 왕자들의 머리를 가져 왔다고 알리니, 예후가 말하였다. "그 머리들을 두 무더기로 나누어, 아침까지 성읍 어귀에 두어라." 9아침이 되었을 때에, 예후는 나가서 모든 백성에게 말하였다. "나는 내 옛 주인에게 역모를 꾀하여, 그를 죽였습니다. 백성에게는 아무 잘못이 없습니다. 그러나 여기에 있는 이 모든 사람은 누가 죽였습니까? 10백성 여러분은 아합의 가문을 두고 말씀하신 주님의 말씀이, 그 어느 것 하나도 땅에 떨어지지 않았다는 사실만은 알아야 합니다. 주님께서는 그의 종 엘리야를 시켜 하신 말씀을 모두 이루셨습니다.” 11그런 다음에 예후는, 이스르엘에 남아 있는 아합 가문에 속한 사람을 모두 쳐죽였다. 또 아합 가문의 관리들과 친지들과 제사장들을 하나도 남기지 않고 모두 죽였다. 12그 다음에 예후가 이스르엘을 떠나 사마리아로 가는 길에 벳에켓하로임에 이르렀다. 13예후는 거기에서 이미 살해된 유다의 아하시야 왕의 친족들을 만나, 그들이 누구인지를 물었다. 그들이 대답하였다. “우리는 아하시야의 형제들로서, 이세벨 왕후와 왕자들과 왕의 친족들에게 문안을 드리러 내려왔습니다.” 14그러자 예후는 그들을 생포하라고 명령하였다. 부하들은 그들을 생포하여, 벳에켓의 한 구덩이에 넣어 죽였는데, 무려 마흔두 명이나 되는 사람을 한 사람도 살려 두지 않았다. 15예후가 그 곳을 떠나서 가다가, 그를 만나러 오는 레갑의 아들 여호나답을 만났다. 예후가 그에게 안부를 물으며 말하였다. “내가 그대를 진심으로 믿듯이, 그대도 그러하오?” 그러자 여호나답이, 그렇다고 대답하였다. 예후는, 그렇다면 손을 내밀라고 하였다. 그가 손을 내미니, 그를 수레에 올라오게 하였다. 16그런 다음에 예후가 말하였다. “나와 함께 가서, 주님을 향한 나의 열심이 어느 정도인지를 보도록 하시오.” 예후는 여호나답을 자기의 병거에 태워 나란히 앉았다. 17그리고 그는 사마리아에 이르러서, 거기에 남아 있는 아합의 지지자를 모두 죽였다. 이 모든 것은 주님께서 엘리야에게 말씀하신 대로 이루어진 것이다. 18예후는 백성을 다 모아 놓고 말하였다. “아합은 바알을 조금밖에 섬기지 않았지만, 이 예후는 그보다 더 열심으로 섬기겠습니다. 19그러니 이제 바알의 예언자들과 종들과 제사장들을 모두 나에게 불러다 주십시오. 바알에게 성대하게 제사를 드리려고 합니다. 그러므로 한 사람도 빠져서는 안 됩니다. 빠지는 사람은 어느 누구든지 살아 남지 못할 것입니다.” 예후는 바알의 종들을 진멸하려고 이러한 계책을 꾸민 것이다. 20예후가 계속하여 말하였다. "바알을 섬길 거룩한 집회를 열도록 하시오." 그러자 집회가 공포되었다. 21예후가 이스라엘 모든 곳에 사람을 보냈으므로, 바알의 종들이 하나도 빠지지 않고 모두 왔다. 그들이 바알의 신전으로 들어가자, 바알의 신전은 이 끝에서부터 저 끝까지 가득 찼다. 22예후가 예복을 관리하는 사람에게 거기모인 바알의 종들이 입을 예복을 모두 가져 오라고 명령하였다. 그들에게 입힐 예복을 가져 오니, 23예후와 레갑의 아들 여호나답은 바알의 신전으로 들어가서, 바알의 종들에게 말하였다. "여기 여러분 가운데 주 하나님을 섬기는 종들이 있지나 않은지 살펴보십시오. 여기에는 다만 바알의 종들만 있어야 합니다." 24이렇게 하여 그들이 제사와 번제를 드리려고 신전 안으로 들어갔을 때에, 예후는 밖에서 여든 명의 군인을 포진시켜 놓고, 말하였다. "내가 너희 손에 넘겨 준 사람을 하나라도 놓치는 사람은, 그가 대신 목숨을 잃을 것이다." 25번제를 드리는 일이 끝나자, 예후는 호위병들과 시종무관들에게 말하였다. "들어가서 그들을 쳐라. 하나도 살아 나가지 못하게 하여라." 그러자 호위병들과 시종무관들은 그들을 칼로 쳐서 바깥으로 내던졌다. 그리고는 바알 신전의 지성소에까지 들어가서, 26바알 신전의 우상들을 끌어내어 불태웠다. 27바알의 우상들을 깨뜨렸을 뿐만 아니라, 바알의 신전을 헐어서 변소로 만들기까지 하였는데, 이것이 오늘까지도 그대로 있다. 28이렇게 하여 예후는 바알 종교를 이스라엘로부터 쓸어 내었다. 29그러나 예후는, 베델과 단에 세운 금송아지를 섬겨 이스라엘로 하여금 죄를 짓게 한 느밧의 아들 여로보암의 죄로부터, 완전히 돌아서지는 못하였다. 30주님께서 예후에게 말씀하셨다. "너는, 내가 보기에 일을 바르게 잘하여, 내 마음에 들도록 아합의 가문을 잘 처리하였으니, 네 사 대 자손까지는 이스라엘의 왕위를 지키게 될 것이다." 31그러나 예후는, 주 이스라엘의 하나님의 율법을 지키는 일에 마음을 다 기울이지는 못하였고, 이스라엘로

죄를 짓게 한 여로보암의 죄로부터 돌아서지는 못하였다. 32이 때부터 주님
께서는 이스라엘을 조금씩 찢어 내기 시작하셨다. 그래서 하사엘이 이스라
엘의 국경 사방에서 공격해 왔다. 33그는 요단 강 동쪽 지역인, 갓 사람과 르
우벤 사람과 므낫세 사람이 있는 길르앗의 모든 땅 곧 아르논 강에 맞붙어
있는 아로엘에서부터 길르앗과 바산까지 공격하였다. 34예후의 나머지 행
적과 그가 한 모든 일과, 그가 권세를 누린 일들은 '이스라엘 왕 역대지략'
에 모두 기록되었다. 35예후가 죽으니, 사마리아에 안장하였고, 그의 아들
여호아하스가 그의 뒤를 이어 왕이 되었다. 36예후는 사마리아에서 스물여
덟 해 동안 이스라엘을 다스렸다.

이제 엘리사는 엘리야에게 주어진 하나님의 명령의 두 번째 부분
을 이행합니다. 그는 하사엘에게 기름을 부은 뒤에 예후에게
기름을 부을 것입니다. 여기서 그는 아주 구체적이고도 유혈참사를 야기
하는 정치적인 행동에 개입됩니다. 예언에 따라 하사엘을 피하는 자는 예
후의 칼을 맞는 일이 실제로 일어납니다. 그러나 하나님의 두 가지 징벌들
이 내려지는 대상은 각기 다릅니다. 하사엘이 이스라엘과 유다의 모든 백
성을 대상으로 유린하고 살육하였다면 예후가 몰살시킨 대상은 모두 다
아합에게 속한 정치 엘리트들이었습니다.

1

이 두 번째 부분의 사역에서 우리는 엘리사의 활동이 가지는 똑같은 특
성들을 보게 됩니다. 한마디로 말하자면, 그는 정치적인 행동을 야기시킬

뿐입니다. 출발점에서 몸짓 신호를 하고 말씀을 전하여서 냉혹한 일종의 격발 장치를 작동시킵니다. 정말로 그는 단추를 누르는 손가락과 같습니다. 모든 장치가 가동되기 시작합니다. 그러나 이후에 엘리사는 더는 행동을 취하지 않습니다. 그는 정치적인 행동에 무엇으로도 참여하지 않고 예후에게 조언을 하지 않으며 그의 행동에 찬성도 반대도 표하지 않습니다. 그는 단지 그가 전한 그 말씀을 통하여 비약적인 자극을 주어 새로운 시대의 문을 열고 나서는 뒤로 물러서서 일이 진행되는 대로 두는 것입니다. 그런데 그가 전한 말씀도 아주 모호합니다. 그러나 여기서 중요한 점을 하나 지적해야 합니다. 엘리사는 하사엘의 경우와는 달리 예후를 대면하지 않습니다. 나아만 장군의 경우와 같이 그는 중개하는 사람을 통해서 일합니다. 그는 '예언자의 아들'과 '젊은 청년'과 아마도 당시 그곳의 예언자 학교의 학생 중의 한 학생인 듯한 '예언자의 종'을 보냅니다. 그러니까 그는 멀리서 대변인을 통해서 일을 진행한 것입니다. 여기에는 아마도 나의 사견으로는 마술적인 일과 거리를 두려는 뜻이 담겨 있습니다. 엘리사가 마술사처럼 사역했다고 비난하는 경우가 아주 많지만, 반대로 나아만 장군의 일화는 지금처럼 그러한 해석을 배제하는 것으로 보입니다.

발현되는 권능은 엘리사 안에 있는 것이 아닙니다. 병을 고치고 왕을 세우는 것은 엘리사라는 인간이 아닙니다. 그가 말하고 행하는 것을 보장하는 것은 그의 내재적인 능력이 아닙니다. 하나님의 말씀을 전달하는 것은 아무나 할 수 있는 일입니다. 엘리사는 하나님의 뜻을 알고 그 뜻을 전달합니다. 그는 어떤 상징이나 어떤 개인적인 능력을 사용하지 않습니다. 중재자라는 것은 바로 그런 의미입니다. 엘리사는 하나님의 실제 결정을 알고 그것을 다른 사람을 통하여 실현하게 하는 중개자입니다. 우리는 여기서 유다의 성읍들에 제자들을 보내어 일하는 예수와, 교회에서의 예수 그리스도의 이미지가 보여 주듯이 자신의 교회를 통해서 일하는 그리스도를 연상하지 않을 수 없습니다. 중간의 중개자를 사용할 때에 메시지가 수정되는 것을 예상할 수 있습니다. 그와 같이 그리스도 안에서 하나님의 말씀도 교회에 의해서 수정되는 바, 대부분이 좋지 않은 쪽으로 수정됩니다.

엘리사는 젊은 예언자에게 말합니다. "너는 예후를 데리고 골방으로 들어가, 기름병을 가지고 그의 머리에 부으며 이르기를 여호와의 말씀이 내가 네게 기름을 부어 이스라엘 왕으로 삼노라 하고 곧 문을 열고 도망하되 지체하지 말지니라."왕하9:2-3 여기에는 어떤 부연이나 어떤 의견도 없습니다. 예후에게 전하는 메시지는 과격한 동시에 아주 간결합니다. 그러나 그 젊은 예언자는 그렇게 전하지 않습니다. 지체하지 않고 도망가는 대신에 그는 교회가 가끔 그러듯이 자신의 견해를 피력합니다. 그의 의견을 덧붙이는 것입니다. "너는 아합의 집을 치라 … 내가 예언자들의 피를 이세벨에게 갚아주리라 … 아합의 온 집이 멸망하리니 … 개들이 이세벨을 먹으리라 …"왕하9:7-10 한마디로 하자면 그가 예후에게 하나의 행동 프로그램을 그려준 것입니다. 그것은 엘리사가 말한 것이 아닙니다. 물론 그 젊은 예언자는 엘리야 예언자의 예언들왕상21:19-24을 재인용합니다. 그러나 그것은 엘리사가 그에게 하라고 시켰던 것이 아닙니다. 이렇게 거짓으로 전달한 내용 위에 예후의 모든 일정이 세워집니다. 예후의 잔인하고 살생을 즐기는 성격은 잘 알려져 있습니다. 그리고 그것은 분명한 사실입니다. 그러나 그에 못지않은 그의 또 다른 결정적인 성격도 지나치지 말아야 합니다. 예후의 모든 행위는 모호함과 착각 가운데 이루어집니다.

그는 하나님으로부터 기름 부음을 받지만, 종국에 그의 주변에 화만 불러일으킵니다. 그는 예언들을 성취하지만, 그것 때문에 심판을 받습니다. 그는 하나님의 사람이지만, 모든 악마적 수단 방법들을 다 사용합니다.

우리는 여기서 이미 살펴보았던 또 다른 문제를 만납니다. 즉, 그것은 하나님의 계획과 인간의 계획이 우연히 일치하는 것이며, 인간 안에 있는 악한 것을 하나님이 사용해서 하나님이 원하는 것을 실현하는 것입니다. 예를 들면 여기서 예후의 기름 부음과 요람 왕의 군대 장관들의 음모가 우연히 연결되는 것입니다. 실제로 그 음모가 이미 있었을 것으로 추정됩니다. 그래서 장군들이 그렇게 빨리 찬성하여 예후에게 돌아섰을 것입니다.

사실 당시 상황은 쿠데타에 유리하였습니다. 군대는 원정 중이었고 왕은 부상을 당하여 퇴각하는 중이었습니다. 장군들에게 자유로운 선택의 여지가 있었던 것입니다. 예후는 아마도 그때 이미 권력을 장악하고 싶었던 것 같습니다. 젊은 예언자가 전해준 하나님의 뜻은 그에게 행동을 개시하라는 신호로 다가왔습니다. 또한, 예후가 성취하게 될 일과 그의 기질이 우연히도 잘 맞아떨어지는 점도 있습니다. 그는 살생을 즐기는 사람으로 보입니다. 그의 직업이 그럴 뿐만 아니라 그가 학살을 쉽게 자행하기 때문입니다. 여기서 우리는 하나님이 자신의 심판의 대리인으로서 거기에 필요한 기질을 가진 사람을 택한 것을 봅니다. 아주 많은 경우에 하나님의 선택이 인간적으로 가장 동떨어진 사람, 가장 무능한 사람에게 주어졌다면 여기서는 그 반대입니다. 우리는 여기서 선택과 결정에서 하나님의 주권적인 선택의 자유에 대해 또 다른 증거를 보게 됩니다. 게다가 예후는 학살을 자행할 때에 그가 예언의 말씀들을 성취한다고 확실하게 말할 수도 있었습니다. 그러나 또한 그는 쿠데타 이후에는 여느 독재자와 같이 행동했습니다. 그는 아주 용의주도하게 이전의 권력에 연관된 모든 것을 파괴하고 무력화시켰습니다. 이 이야기는 하나님의 뜻이나 예언의 말씀을 하나도 관련시키지 않고도 얘기할 수 있습니다. 아무것도 바꿀 필요가 없을 것입니다. 예후는 왕위를 찬탈한 장군으로서 왕과 그 가족, 귀족들과 관리들을 살해합니다. 술라9)와 히틀러도 유사한 일을 했습니다. 그러니 왕위 찬탈

---

9) [역주] 루키우스 술라(Lucius Sulla, BC 138-BC 78), 고대 로마의 장군으로 공포와 독재 정치를 폄.

자의 기질과 하나님의 선택이 완전하게 맞아떨어지는 것입니다. 이 기질을 통해서 예언의 말씀이 성취됩니다. 그러나 합리적인 불신자에게는 예언의 말씀이 정치적 선전을 정당화하려는 것이고, 왕위 찬탈을 순리적인 행위로 옹호하는 이데올로기적인 장치라는 것이 맞는 말로 들릴 수 있을 것입니다.

아무튼 예후는 엘리야가 선포했던 모든 예언을 다 실현시켰습니다. 그는 아합 왕과, 그 아들인 이스라엘의 요람 왕, 아합 왕의 조카딸인 아달랴의 아들인 유다의 아하시야 왕, 그리고 이세벨과 아합 왕의 70명의 아들, 아하시야 왕의 42명의 형제를 다 죽입니다. 그런데 거기다가 그는 아합 왕을 섬긴 관리들과 신하들과 이스르엘에 거주하는 귀족들과 신뢰받는 자들을 다 죽이고 그들을 아합 왕의 70명의 아들을 살해한 자들이라고 정죄했습니다. 그러니 예후와 뜻을 같이하여 예후를 도운 사람들왕하10:11을 다 죽인 것입니다. 그리고 사마리아에 남아있는 모든 정치적인 인물들왕하10:17과 모든 바알 제사장들과 바알 숭배자들을 다 죽였습니다. 그 모든 학살을 자행하면서 그는 자신이 들었던 아합 왕에 대한 예언을 성취하는 것임을 선포합니다. 왕하9:25-26 그는 그 예언을 실현하려고 그 세부 사항들을 위해서 계획적이고 체계적인 노력을 기울입니다. 그는 자기 부하에게 요람 왕의 시체를 나봇의 밭에 던지도록 명령을 내렸습니다. 이는 엘리야가 선포한 것으로 그 내용이 나봇의 밭에서 원수를 갚으리라는 것이기 때문입니다. 이는 이제까지 보아왔던 예언한 말씀들의 성취와는 그 성격이 좀 다른 것을 보게 됩니다. 여기엔 축어적으로 그 말씀을 따르려는 율법주의적인 의도가 보입니다. 사실 예후는 예언의 말씀을 자신이 독점하여 실현시키려고 합니다. 그런데 그 예언이 선포되었을 때에 그 예언은 예후를 향한 것이 아니었습니다.

그 예언은 보편적으로 선포된 말씀으로 어느 면에서는 객관적이었습니다. 젊은 예언자는 그 예언을 예후에게 전합니다. 이제 예후가 그 예언을 실현하게 될 것입니다. 여기서 우리는 그 예언에 대해서 한 번 더 깊이 생각해 보아야 합니다. 물론 그 예언은 아합 왕과 그 가문에 대한 하나님의 심판입니다. 그러나 그것이 한 인간인 예후에게 의도적으로 전해진 명령은 아닌 것으로 보입니다. 늘 그런 것은 아니지만, 이 책에서 예언은 앞으로 일어날 일에 대한 선포인 것으로 보일 경우가 훨씬 더 많습니다. 하나님은 아합을 심판합니다. 그의 가문이 멸절되는 일이 일어날 것입니다. 그 예언은 역사적인 사건이 이어지는 것을 기술한 것에 지나지 않습니다. 그것은 그 사건을 통한 하나님의 뜻을 전하는 것도 아니고 그것을 성취시키는 일을 담당할 사람에 대한 하나님의 동의를 뜻하는 것도 아닙니다. 아합 왕의 심판에 대한 예언은 악과 폭력의 인과적인 작용을 기술하는 것입니다. 하나의 사건 속에서 어느 순간에 한 인간이나 한 집단에 의해 악이 저질러지면 그 악은 자체의 고유한 논리와 진행 방식과 엄정한 절차를 따릅니다. 그렇게 실현된 악은 매번 인간관계와 인간의 행위에 치명적인 영향을 미칩니다.

아합의 우상숭배, 즉 희생자의 피를 부르는 우상들의 숭배와, 이세벨에 의해 분출되는 주술의 힘들과, 여호와를 믿는 백성을 학살하는 아합 왕의 폭력, 그 모든 것이 사건의 일관적인 흐름을 유도했습니다. 다시 돌아온 그 불길은 아합 왕을 태워버립니다. 한마디로 그 예언은 "칼로 취하는 자는 칼로 망하느니라"라는 그리스도의 말씀에 대한 하나의 예증으로 보입니다. 이는 하나님의 심판인 동시에 일의 인과 작용을 밝혀줍니다. 그때부터 예후는 하나님이 말씀으로 선포했던 학살을 실현시키는 인물이 됩니다. 그는 어떤 의미에서는 하나님의 심판을 이행하는 고귀한 임무의 수행자가 됩니다. 그러나 결국에 가서 그는 그가 한 그 모든 일에 대한 책임을 져야 합니다. 그는 예언의 말씀을 집행합니다. 그러나 그것은 정치적인 필연성을 담고 있다고 말할 수 있습니다. 그 예언은 정치적인 필연성의 전개를 말합니다. 아합이 그것을 유도했고, 여호와의 용사인 예후는 아합이 가진 똑같은 무기인 정치적인 무기와 폭력을 사용합니다. 그리고 예후를 대적하는 일련의 사건이 이어지는 것을 우리는 보게 될 것입니다.

위에서 설명한 것이 예언의 중요성을 감소시켜서 단순한 예견으로 치부하는 것은 결코 아닙니다. 그러나 우리는 모든 하나님의 말씀이 여러 차원을 가지고 있다는 것을 상기해야 합니다. 그 예언이 뜻하는 것이 바로 이거다, 아니 저거다, 라고 말할 수는 없는 것입니다. 그와 반대로 그 예언이 뜻하는 것은 이도 저도 다 포함하는 것입니다. 이와같은 시각으로 하나님의 활동을 보는 것이 역사와 사건에 대한 하나님의 주권을 감소시키는 것은 결코 아닙니다. 그와 반대로 하나님의 주권이 여러 형태를 보이고 있고 유연하며 활발하여 기계적이거나 추상적이지 않은 것을 보여줍니다. 하나님은 아합을 심판했습니다. 하나님은 예후를 왕으로 선택했습니다. 그러나 하나님은 예후에게 그 방법과 수단을 선택하도록 맡겼습니다. 또한, 하나님은 예후가 책임감을 가지고 자신의 행동을 결정하도록 맡겼습니다. 이는 하나님이 문을 개방한 것입니다. 그러자 인간의 열정이 분출됩니다.

여기서 우리는 스가랴서의 본문을 기억하지 않을 수 없습니다. "여호와가 말하노라 내가 다시는 이 땅 주민을 불쌍히 여기지 아니하고 그 사람들을 각각 그 이웃의 손과 임금의 손에 넘기리니 그들이 이 땅을 칠지라도 내가 그들의 손에서 건져내지 아니하리라." 슥11:6 한마디로 하면 하나님이 돌아서서 얼굴을 감추리라는 것입니다. 하나님이 인간에게 자기 뜻대로 행동하도록 맡기자, 불의와 멸망과 증오가 판을 칩니다. 인간을 인간의 손에 맡긴다는 것은 최악의 상황입니다. 예후의 경우가 바로 그렇습니다. 하나님은 예후의 마음에 영감을 불어넣어 참화를 불러일으키게 할 필요가 없습니다. 예후를 왕으로 지명하여 자기 뜻대로 하도록 그냥 내버려 두면, 유혈을 부르는 일을 그가 담당하여 행하는 것입니다. 하나님이 인간의 손에서 인간을 구원하는 것을 그치고, 하나님이 그의 사랑으로 폭력이 넘치는 역사를 멈추도록 더는 싸우지 않을 때, 살생을 즐기는 인간이 승리합니다. 이와 같은 의미에서 사무엘하 24장에서 다윗은 그 유명한 선택을 합니다. 하나님이 그에게 벌을 내리려고 기근과 전쟁과 전염병의 세 가지 재앙거리 중에서 한 가지를 선택하게 합니다. 그러자 다윗은 대답합니다. "여호와께서는 긍휼이 크시니 우리가 여호와의 손에 들어가고 내가 사람의 손에 들어가지 아니하기를 원하노라." 삼하24:14 하나님은 심판하고 정죄하고 징벌할 때조차도 사랑의 하나님입니다. 그러나 비록 인간이 하나님의 뜻을 행하고자 할 때조차도 그가 제어되지 않은 채로 있다면 그 인간보다 더 무서운 것은 없습니다. 예후가 바로 제어되지 않은 채로 있는 그 인간에 해당합니다. 그가 이스라엘의 왕으로 기름부음을 받았을 때 그를 제어하고 있던 것이 풀렸던 것입니다.

예후가 학살을 집행한 자였다는 것은 분명합니다. 그러나 아합 왕의 70명의 형제를 향한 그의 또 다른 행위들과 정치적인 수단들에 주목해 봅시다.

그는 먼저 귀족들과 관리들에게 후계자인 왕자 중에서 새 왕을 선택하도록 권고합니다. 그는 스스로 왕위 찬탈자로 등장하지 않습니다. 그러나 정치적인 인사들은 예후의 힘을 알아보고, 나서는 것을 피하면서 예후의 명령에 따르기로 합니다. 그는 이제 그들에게 두 번째 서한을 전합니다. 그 서한은 아이러니와 모호함의 극치를 이루는 작품입니다. 히브리어 본문은 단순하게 "그 사람들의 머리를 하나씩 취하라"라고 합니다. 언뜻 첫눈에 보기에는 숫자를 세라는 말로 보입니다. 그들의 숫자를 세어서 자신에게 그 명단을 보내달라는 식입니다. 마치 예후가 자신이 새 왕을 선출하기라도 하려는 듯이 말입니다. 그러나 그 서한은 이중적인 뜻을 내포하고 있습니다. 귀족들은 예후에 대한 두려움에 떨면서 그의 선한 은총을 얻으려고, 그를 향한 그들의 충성심을 입증하려 합니다. 그들은 그 머리들을 가지고 갑니다. 즉 그들은 왕자들의 머리를 자른 것입니다. 그러나 그는 그들에게 그런 명령을 내리지 않았습니다. 그들은 모호한 내용을 자기들 스스로 해석한 것이었습니다. 그들은 하나님의 명령을 수행한 것이 아닙니다. 그들은 비통하게도 그들 자신을 위해서 자신들의 책무를 이행한 것입니다.

우리는 여기서 예후의 또 다른 모습이 드러나는 것을 봅니다. 그는 간교한 자로서 바알 숭배자들에게 함정을 파는 것처럼 사람에게 함정을 팝니다. 바알의 제사장들을 학살할 때는 한층 더 나아갑니다. 그는 공개적으로 거짓말을 합니다. "아합은 바알을 조금 섬겼으나 아합은 더 열심히 섬기리라."왕하10:18 이 약속과 믿음의 고백으로 예후는 모든 바알의 제사장들과 숭배자들을 모아서 죽입니다. 여기서 예후는 거짓말하는 사람으로 드러납니다. 이어서 우리는 이전 장면에서 아합 왕의 왕자들 70명의 머리를 예후에게 잘 봐달라며 환영의 선물로 보낸 귀족들과 관리들을 통해서 예후의 또 다른 모습을 봅니다. 예후는 그 머리들을 공개적으로 전시하고서 이스르엘 사람들을 불러 선포합니다. "너희 이스라엘 사람들이여, 평민들인 너희는 의롭도다. 지금까지 벌어진 일은 너희가 책임질 일이 아니며 너희는 죄가 없다." 그리고 나서 그는 자신이 죄인이라고 선언합니다. "내가 내 주인을 배반하여 죽였다." 이는 예후의 뛰어난 점으로서 그의 진정성과 엄격성을 보여줍니다. 그는 남들에게뿐만 아니라 자기 자신에게도 엄격했습니다. 그가 다윗과 달리 추호의 회개도 하지 않았다 할지라도 그는 교만함일지도 모르지만, 머리를 들고서 자신을 스스로 고발하고 자신을 반역자요 살인자라고 인정합니다. 그러나 그는 이어서 70명의 머리를 가리키면서 "이 여러 사람들을 죽인 자는 누구냐?" 라고 말합니다. "그 명령을 내린 사람은 내가 아니다. 살인을 저지른 자들은 아합 왕의 신하들이요 귀족들이며 친지들이다. 이들이 바로 아합 왕의 왕자들을 죽인 자들이다.” 예후는 어떤 의미에서 이스르엘의 죄 없는 백성을 이용해서 인민재판을 한 것입니다. 그는 아합 왕의 가문에 속한 그 모든 범죄자를 다 처형합니다. 우리는 이제 고소자의 역할을 하는 예후를 봅니다. 물론 이번에도 하나님의 이름으로 그렇게 하는 것이지요. 그러나 함정을 파는 자, 거짓말장이, 고소자, 살인자 등 그 모두는 사탄의 속성들을 이루는 것들입니다. 더 깊이 들어가지는 않겠지만, 이것은 “과연 하나님의 뜻을 실현하기 위해서는 혹은 복음을 전하려고! 모든 수단 방법을 가리지 않아도 좋은가?”라는 문제를 제기합니다. 이는 우리로 하여금 이 끔찍한 사건에 대한 궁극적인 심판이 무엇인지 돌아보게 합니다.

2

그러나 어쨌든 잠정적으로는 사람들 앞에서 예후는 땅 위의 유일한 참된 신인 하나님의 대리인입니다. 그는 하나님에게 선택되어 하나님으로부터 왕으로 기름부음을 받았습니다. 그는 여호와를 향한 자신의 충성심[물론 사랑하는 마음은 없는 채로!]을 공개적으로 선포합니다. 그는 하나님의 말씀과 예언들에 관해 세심하게 주의를 기울여서 순종하고 성취하려고 합니다. 그는 백성에게는 하나님의 주권을 땅 위에 다시 회복시키는 사람으로 등장합니다. 그는 거짓 신들과 우상들과 우상 숭배 관습들을 철폐합니다. 그는 유일한 하나님을 향한 예배를 회복시키고 신앙의 순수성을 복원합니다. 그 누구도 어떤 값을 치르고라도 충성을 다하고자 하는 그의 의도에 대해 의심할 수가 없습니다. 사람들 앞에 나설 때 그의 유일한 타이틀은 주님의 기름부음을 받은 자라는 것입니다. 바로 그런 맥락에서 그가 한 선택들이 심각한 의미를 가지게 되는 것입니다. 그는 또한 바알이냐 여호와냐 사이에서 선택한 사람입니다. 요람 왕이 보낸 두 사신들이 그에게 와서 묻습니다. "이제 평화입니까?" "모든 것이 잘 풀려가겠습니까?"라는 현대의 번역보다 내가 더 선호하는 번역입니다 그는 그들에게 두 번이나 같은 대답을 합니다. "평화가 네게 무슨 상관이냐 내 뒤로 물러서라." 그리고서 그는 궁정에 모습을 드러냅니다. 왕후가 그를 맞이합니다. 왕후 이세벨은 자신의 최후의 시간이 다가온 것을 알고서 왕후로서의 위엄을 갖추며 여성답게 화장을 하고 왕후로서의 고귀함과 존엄을 지키며 죽기로 작정합니다. 또한, 예후를 고소합니다. "주인을 죽인 시므리여." 이세벨은 두려움에 떨지 않았고 늘 하던 대로 하였습니다. 그녀는 경멸조의 질문을 던져서 그를 조롱합니다. "이제 평화인가?" 그러자 예후는 다시 왕후의 시종들에게 다음과 같은 질문을 던져서 선택하게 합니다. "내 편이 될 자가 누구냐?"

그런 식의 선택을 제안한 것이 세 번이었습니다. 그러나 "내 편"이라는 말은 사실 "여호와의 편"이라는 뜻입니다. 중요한 것은 평화가 아니고 주인의 선택입니다. 그 질문을 더더욱 비장하게 하는 것은 하나님 편을 선택하면 인간이 선을 위해 지킬 수 있는 모든 것에 반하게 된다는 것입니다. 그것이 그 시종들에게는 그들의 주인을 배반해야 하며, 또 부상당한 사람을 내어주어야 하고, 여자를 죽이는 것이고, 살인하는 것이고 이스라엘의 합법적인 왕을 버리는 것이고 평화를 조롱하는 것입니다. 그것이 예후가 제시한 선택입니다. 실제로 그 시간 하나님의 뜻을 구현하는 예후는 하나님 편의 선택은 모든 윤리적 도덕적 동기들에 우선한다는 것을 분명히 밝힙니다. 그는 키에르케고르가 아브라함이 이삭을 희생하는 경우에 대해 "도덕의 정지"라고 표현한 상황을 앞에 두고 있습니다. 사실 아브라함의 선택은 예후가 내린 명백한 선택과 똑같은 것이었습니다. 그러나 예후는 아브라함이 아닙니다!

예후는 진정한 하나님의 종이 되기를 원했습니다. 그뿐만 아니라 그는 여호와를 섬기는 데 있어서 그보다 더 열심인 레갑의 아들인 여호나답을 자기편으로 끌어들입니다. 레갑은 순수하게 이스라엘의 하나님을 향한 이스라엘의 신앙을 회복시키기 원했던 인물이었습니다. 그는 이 신앙은 광야 시절인 과거에 연유한다고 판단했습니다. 엄격한 신학적 정책에 이어서 그는 금욕적인 삶(포도주 음용 금지, 소유 금지, 천막에서 생활하기)을 수립하여 유일한 하나님 신앙에 유익하며 하나님에 대한 신뢰의 증거인 광야에서의 이스라엘의 생활환경들을 회복하려고 했습니다. 전적으로 영적인 이 분파는 또한 바알을 추종하는 보수적인 농업 생활과, 부도덕이 횡행하는 사치스러운 도시 생활도 반대했습니다. 이는 아합 왕과 그 집안의 바알 숭배는 단순한 우상 숭배가 아니었다는 것을 부각시켜야 했기 때문입니다. 그것은 전반적으로 광적이고 통음난무하는 생활 방식을 계속하는 것이었습니다. 바알 숭배는 영속적이고 지속적인 광란이었습니다. 여호나답의 대응은 바로 이런 상황 속에서 취해진 것이었습니다. 포도주의 금지는 광란과 폭음을 거부하는 것과 같았습니다. 그는 무엇보다 이스라엘의 하나님[10]을 향한 순수성의 승리를 목표로 했습니다.

금욕적인 태도를 비판하기는 쉽습니다. 그러나 그것은 스스로 그 이상으로 더 잘 할 수 있는 경우에만 허용됩니다. 그러므로 여호나답은 여호와의 가장 순수한 신자들을 대표합니다. 그는 예후의 잔인한 행위 이면에서 하나님의 주권에 대한 결연한 수호자, 그 자신과 같이 단호하고 금욕적인 사람을 봅니다. 또한, 그는 자신과 같이 하나님을 예배하는 데 있어서 순수성과 유일성을 지키고자 하는 마음을 봅니다. 그는 그 사건 속에서 야심 많은 한 장군의 혁명을 볼 뿐만 아니라 예언들의 성취와 하나님을 경배하

---

10) 네헤르(Neher), 『아모스』*Amos*, p. 176 이하.

고자 하는 의지를 봅니다. 그리하여 그는 예후와 연합합니다. 이제 둘이서 그들은 종교적인 혁명이라 불리는 역사를 이루어나갈 것입니다. 그것은 모든 수단 방법을 다 동원해서 이스라엘 백성으로 하여금 하나님의 바른길로 돌이키도록 하는 것입니다. 예후 옆에 여호나답이 동반하는 것은 또한 예후가 그 당시에 사람들 앞에서 하나님을 대리하는 것을 보증하는 것이기도 합니다.

마지막으로 같은 맥락에서 하나님이 예후의 행위를 인정하는 것을 잊지 말아야 합니다. 학살이 모두 다 끝나고 하나님은 예후에게 말합니다. "네가 나보기에 정직한 일을 행하되 잘 행하여 내 마음에 있는 대로 아합 집에 다 행하였은즉 네 자손이 이스라엘의 왕위를 이어 사대를 지내리라."왕하10:30 그와 같이 아합의 집은 멸족되어야 했고 그 일을 예후가 맡았습니다. 이는 하나님의 뜻에 맞는 것입니다. 이는 엘리야가 그렇게 될 것이라고 예전에 이미 예언했던 것입니다. 예언의 말씀은 누군가에 의해 이행되어야 합니다. 하나님은 그의 심판을 철회하지 않았고 그 예언이 선포되었던 사실을 부인하지 않습니다.

그러므로 예후에게만 책임이 있는 것이 아닙니다. 그는 해야 할 일을 했습니다. 그럼에도, 하나님이 그렇게 예후의 행위를 승인한 것이 마지못해한 것이었음을 주목해야 합니다. 우리는 거기서 하나님과 엘리야, 아브라함, 모세 사이에 있었던 아름다운 교감을 볼 수 없습니다. 우리는 거기서 하나님의 역사가 인간에 의해 이루어졌을 때에 드러나는 하나님의 인내와 기쁨, 그리고 신뢰하고 후원하는 관계를 찾아볼 수 없습니다. 예후를 향한 하나님의 말씀은 냉정한 느낌과 거리감을 줍니다. 우리는 거기서 어떤 필요성에 대한 하나님의 인지와 객관적인 선언과 제한적인 동의를 봅니다. "네 자손이 이스라엘의 왕위를 이어 사대를 지내리라"라고 하는 말씀과 "네 후손이 영원히 통치하리라"라고 다윗에게 언약한 것과는 얼마나 큰 차이가 있는지 모릅니다. 여기서 우리는 모세의 율법을 떠올리지 않을 수 없습니다. "나를 미워하는 자의 죄를 갚되 아버지로부터 아들에게로 삼사 대까지 이르게 하거니와 나를 사랑하고 내 계명을 지키는 자에게는 천대까지 은혜를 베푸느니라." 출20:5-6 실제로 예후를 계승한 여호아하스와 요아스와 여로보암에 대한 말씀은 다음과 같습니다. "그들은 하나님이 보시기에 악을 행하였고, 예후의 집은 여로보암의 죄의 길로 계속해서 갔으며 거룩한 집이 되지 못하였다. 하나님을 향한 예후의 열정은 금방 소멸되었다."

이것과는 달리 예후의 후손 중에는 훌륭한 인물들이 나와서 정치적인 성과를 올렸습니다. 그러나 그것은 또 다른 이야기입니다. 하나님은 예후의 행위를 승인했지만, 그것은 마지못해 한 것이었습니다. 예후에게 준 하나님의 언약도 제한적이었습니다. 그럼에도, 이를 통해서 예후가 행한 멸족과 대학살이 예언을 실현시켰다는 사실을 하나님이 인정한 것을 기억해야 합니다. 그런 점을 보고 하나님은 나쁜 하나님이라고 하거나 하나님에 관한 원시적 개념 운운하면 너무 안이한 것입니다.

사실 하나님이 수용한 이 무자비하고 냉혹한 사건은 우리로 하여금 하나님이 스스로 화를 내는 것은 늦지만 때가 이르면 진노가 맹렬하게 폭발하는 무서운 하나님이라고 말씀한 것을 기억하게 합니다. 그 권능과 준엄함에 어떤 제한도 있을 수 없는 분이 하나님입니다. 오늘날도 하나님의 장중에 들어가는 것은 무서운 일입니다. 또한, 오늘날도 하나님은 만홀히 여김을 받지 않는 존재입니다. 오늘날도 하나님은 질투하는 하나님, 즉 당신의 피조물이 구원받지 못하는 것과 인간이 하나님 이외의 것을 의지하는 것을 참을 수 없어할 정도로 사랑이 많은 존재입니다. 이는 인간은 오직 하나님 안에서만 생명과 진리와 기쁨을 얻을 수 있기 때문입니다. 질투하는 하나님은 우상 숭배가 번져가는 것을 언제까지나 지켜보고 있을 수가 없습니다. 또한, 언제까지나 범죄자를 벌하지 않고 지나갈 수가 없습니다. 또한, 언제까지나 인간이 허망한 것들을 위해 위험을 무릅쓰는 것을 지켜볼 수가 없습니다. 하나님은 어떤 값을 치르고라도 인간이 전적으로 하나님께 돌아오도록 명합니다. 가장 깊은 사랑이 들어 있는 이러한 하나님의 뜻이 하나님을 사랑하지 않는 사람에게는 끔찍하게 다가올 수 있을 것입니다. 아주 무섭고도 과도한 것일 수 있습니다. 그러나 아브라함은 그것을 무섭거나 과도한 것으로 보지 않았습니다. 예후의 이야기는 하나님이 한 사람이나 한 민족을 붙잡을 때에 거룩함을 이루도록 견고하게 붙잡는 분임을 우리에게 보여줍니다. 하나님이 붙드는 사람이나 민족은 정화되어 거룩하게 되어야 합니다.

성서의 모든 말씀을 통해서 우리는 이러한 정화가 시험과 고난 가운데 이루어지는 것을 알게 됩니다. 그러나 하나님의 그러한 엄격한 요구는 가장 높은 지식과 지혜에서 나온 것입니다. 하나님만이 인간에게 참으로 유익한 것이 무엇인지 압니다. 비록 인간은 적은 경험과 짧은 식견으로 진리의 깊은 뜻을 알지 못하고 그것을 두렵고 참담한 것으로 생각할 수 있을지라도 말입니다. 예후의 이야기는 우리에게 하나님이 하나의 존재 속에서 모든 존재를 보는 그 깊이를 보여줍니다.

모든 아이와 모든 자손이 아합 한 사람을 통해서 심판을 받습니다. 각자의 개인적인 삶은 종국에 가서는 중요하지 않습니다. 그들 중의 한 사람이 덕이 있고 선하다 할지라도 그 특별한 개성은 아합과 통합되어 있으므로 해서 아무런 영향도 미치지 못합니다. 모든 사람은 서로서로 연합되어 있습니다. 하나님 앞에서 모든 사람은 하나입니다. 그러나 그리스도인에게는 그 모든 일이 예수 그리스도 안에서 이해되고 해석됩니다. 예후의 일도 그리스도 안에서 하나님이 역사하는 것의 일부분입니다. 여기서 우리가 얻는 교훈은 하나님은 모든 사람을 예수에게로 모은다는 것입니다. 마치 아합의 집의 모든 사람을 아합 한 사람에게 모으듯이 말입니다. 이는 최악의 상황모든 사람이 아담 안에서 죄를 지었습니다에 있어서도 맞는 말이고 최선의 상황모든 사람이 그리스도 안에서 화목하게 되었습니다에 있어서도 맞는 말입니다. 아합의 집 이야기는 하나님이 사람들 전체를 엄격하게 하나로서 보는 수많은 예 중의 하나에 불과합니다. 그렇게 하나가 되는 것은 무섭고도 부당하다는 느낌이 들기도 합니다. 그러나 궁극적으로는 그 하나됨으로 인해서 우리는 구원을 받습니다. 하나님은 개별적으로는 하나됨의 비극을 보여주고, 보편적으로는 하나됨으로 인해서 구원을 얻게 되는 것을 보여주는 것 같습니다.

그러나 하나는 받아들이면서 다른 하나는 부인할 수는 없습니다. 질투하는 하나님, 무서운 하나님, 예후를 축복한 하나님은 예수가 우리로 하여금 아버지라 부르도록 가르쳐준 그 하나님과 똑같은 하나님입니다. 그 신비는 예수 그리스도 안에서 하나님이 계시한 것으로부터 시작해서 하나님이 아버지로서 그의 아들이 겪는 모든 고통을 함께 겪는다는 점을 깨달을 때에만 이해될 수 있습니다. 물론 하나님이 인간에게 유익한 것이 무엇인지 아는 까닭에 인간이 하나님을 떠나서 스스로 미혹되어 죽음을 향하여 가는 것을 거부한다고 우리는 말하곤 합니다. 그러나 인간에게 부과하는 징벌의 고통을 하나님이 손수 겪는다는 것을 알아야 합니다. 왜냐하면, 하나님은 가장 사악한 인간도 절대 떠나지 않기 때문입니다. 하나님은 인간을 떠나서 군림하는 판사로서 판사석에서 질책과 징계를 내리고 피고인을 감옥에 보내고서 자신은 평화롭게 귀가해서 안락을 누리는 그런 존재가 아닙니다. 하나님은 당신이 심판한 죄인을 따라 감옥과 지옥까지 함께 가는 존재입니다. 하나님은 평화로운 하늘을 떠나서 인간이 겪는 모든 고통을 스스로 짊어집니다. 아합은 하나님의 진노를 불러일으켰을 뿐만 아니라 하나님에게 고통을 안겨 주었습니다. 아합이 하나님을 고통스럽게 한 것은 아합이 하나님의 종들을 심판했기 때문만이 아니라 아합이 하나님으로부터 심판을 받고 버림받았기 때문이기도 합니다. 하나님은 아합에게 부과한 모든 고통을 당신 자신도 받습니다. 하나님은 하나님의 심판에 따라서 아합의 집이 학살당한 것을 스스로 짊어지고 그 고통을 겪는 것입니다. 예후가 예언을 성취했을 때에 그가 저지른 폭력을 하나님이 짊어지고, 바알의 제사장들이 학살당할 때는 하나님도 그들 속에서 학살당한 것입니다. 하나님은 그들 중의 어느 한 사람도 소홀히 여기거나 멀리하지 않습니다. 그들 한 사람 한 사람의 머리카락 하나도 하나님 아버지는 세고 있기 때문입니다.

예후가 저지른 모든 폭력은 예수 그리스도가 그 짐을 담당하였습니다. 예수 안에서 하나님을 십자가에 못 박은 것은 사형집행자들과 하나님의 대적자들, 우상숭배자들일 뿐만 아니라 여호와의 수호자들, 수도회 기사들, 십자군들이며, 바알 예언자들을 학살한 엘리야이며 아합의 집을 멸족시킨 예후입니다. 그런 맥락과 상황 속에서 예후가 하나님의 뜻을 실현한 것이라고 할 수 있습니다. 하나님을 향한 그의 열정 때문에 예후가 친 것은 하나님이었던 것입니다. 그러나 그렇게 되어야만 했습니다. 그렇게 하는 것 이외에는 달리할 방도가 없었습니다. 바로 그런 맥락과 상황 속에서만 하나님의 뜻이 아합의 집을 멸족시키는 것이었다고 할 수 있는 것입니다. 그런 의미에서만 하나님은 하나님이 내린 모든 벌을 짊어지고, 인간의 벌과 고통과 죽음까지도 다 담당하는 것입니다.11)

---

11) 비셔(Visscher), 『그리스도 증언』 *Christus Zeugnis*, 1권. 이 모든 내용은 비셔(Visscher)의 책에서 이미 언급되어 있으며 아주 훌륭하게 소개되어 있습니다.

3

그러나 예후의 이야기는 거기서 멈추지 않습니다. 일단 권력을 장악하고 자신의 말살하는 사명을 완수하고 나서 예후는 영광스럽게 군림하지 못했습니다. 하사엘과 앗시리아에게 위협을 받고서 그는 앗시리아를 의지하여 보호를 받고자 합니다. 그는 살멘에셀 3세의 봉신이 되어서 그에게 공물을 제공합니다. 한 번의 원조를 받고 그는 앗시리아 왕에게 무릎을 꿇습니다. 그러나 하사엘은 앗시리아를 물리치고서 예후에게 동맹을 맺게 합니다. 이스라엘 왕 예후는 계속해서 이스라엘의 모든 전선에서 패했다고 성서 본문은 말합니다. 하나님의 충성스러운 수호자가 되는 것이 영광과 능력을 불러오지 않았던 것이 확실합니다. 그것이 어떤 승리도 가져다주지 않았습니다.

거기다가 예후의 28년 통치 기간에 엘리사가 단 한 번도 예후를 도와 이스라엘을 구하려고 개입하지 않았다는 사실은 주목할 만한 것입니다. 사실상 예후는 예언자들과 함께하지 않았습니다. 그는 예언자들을 못마땅하게 생각했습니다. 그들의 정치적인 능력도 그렇고 엘리사를 예후보다 더 높은 자리에 두는 엘리야의 예언도 그에게는 못마땅했습니다. 유다 왕을 죽인 그가 유다의 왕좌를 노렸다는 것은 명백합니다. 그런데 유다에서는 다윗의 자손만이 왕의 자격이 있다고 하는 레위인들과 제사장들의 반대를 받을 것을 그는 알고 있었습니다. 제사장들이 그를 돕지 않을 거라는 걸 그는 알았던 것입니다. 그래서 그는 그들을 멀리합니다. 그리고 그 누구하고도 협의를 거치지 않고 모든 결정을 혼자서 다 내립니다. 엘리사는 침묵합니다.[12] 그의 손자인 요아스의 통치 기간에 우리가 보았듯이 엘리사는 죽을 때에 가서야 이스라엘의 승리를 선포합니다.

---

12) 네헤르(Neher), 『아모스』 Amos, p. 182 이하.

그러나 문제는 거기에 있지 않습니다. 한 세기가 지나고 예후의 삼대 손이 왕좌에 있을 때 예언자 호세아가 예후와 그 집안의 심판을 선포합니다. 호세아가 창녀와의 사이에 나온 아들에 관해서 하나님이 말씀합니다. "그의 이름을 이스르엘이라 하라. 조금 후에 내가 이스르엘의 피를 예후의 집에 갚으며 이스라엘 족속의 나라를 폐할 것임이니라. 그 날에 내가 이스르엘 골짜기에서 이스라엘의 활을 꺾으리라." 호1:4-5

폭력이 폭력을 부르는 무자비한 악순환이 계속됩니다. 예후가 칼을 사용했습니다. 그는 아합이 이스라엘에서 한 것처럼 이스라엘에 살육을 자행합니다. 이제 예후의 후손들이 이스르엘에서 벌을 받아 몰살당합니다. 아니 뭐라고요? 예후가 아합처럼 벌을 받아야만 한다고요? 하지만, 예언을 성취했고 하나님에게 충성을 다했으며 참된 하나님에 대한 예배를 회복시켰다는 것이 그 이유입니까? 하나님이 예후를 칭찬했는데 그 칭찬받은 일 때문에 그가 벌을 받아야 한다는 것입니까? 그렇지만, 학살했다는 이유만으로 그렇게 한다는 것은 말이 되지 않습니다. 왜냐하면, 다윗도 살육했기 때문입니다. 엘리야도 그랬습니다. 그렇다면, 하나님의 그런 이상야릇한 결정은 무슨 이유 때문일까요? 성서 본문은 예후가 여로보암과 같은 잘못을 저질렀고 여로보암의 죄에서 돌이키지 아니하였고 하나님의 율법을 전심을 다해 지키지 않았다고 말합니다. 모든 정치사에서 그렇게도 큰 비중을 차지하는 여로보암의 죄는 다음 장에서 살펴볼 것입니다. 그것이 우리가 시도하고자 하는 해석을 확증해줄 것입니다.

예후의 일은 내적 태도의 문제입니다. 그는 아브라함과 같이 하나님이 세운 도덕 기준들을 벗어나 있었습니다. 그러나 예후는 아브라함이 아닙니다. 예후는 실제로 하나님의 뜻을 알고 하나님에게 충성하여서 그 뜻을 품어 자기 것으로 하여 하나님의 일을 자신의 일로 삼았습니다. 그리고 하나님의 이름으로 역사를 이끌어가기 시작합니다. 그러나 그는 하나님을 대신해서 그렇게 했습니다. 의심할 나위 없이 그는 선포된 대로 행하고 주님의 뜻을 실현합니다. 그러나 그것이 이제 그의 것이 되었고 그의 뜻이 하나님의 뜻을 대체합니다. 행하는 것은 그 자신으로 그는 주님이 그를 통하여 행동하게 하지 않습니다. 그는 역사와 역사의 주인인 하나님의 관계를 차단합니다. 인간은 언제나 그렇게 그 관계를 차단하고 자신의 계획을 실현할 수 있기 때문입니다. 이제 하나님의 계획이었던 것이 예후 자신만의 고유한 뜻이 됩니다. 그는 예언의 말씀을 스스로 품고 하나님의 계획에 속하는 것을 확신하며 그것을 자신의 일로 삼습니다. 그는 자신이 그 예언의 말씀을 실현하기로 선택했습니다. 우리는 여기서 종교적인 의지주의를 봅니다. 그가 요람을 죽였을 때에 그는 부하에게 그의 시체를 이스르엘의 밭에 던지라고 명합니다. 왜냐하면, 의도적으로 글자 하나하나대로 예언의 말씀을 성취해야 하기 때문입니다. 그가 관리들과 귀족들을 죽이기로 한 때에 그는 선포합니다. "여호와께서 아합의 집에 대하여 하신 말씀은 하나도 땅에 떨어지지 아니하리라." 왕하10:10 충성심과 성실성을 잘 담은 말입니다. 그러나 실상 그 말은 "내가 하나님의 말씀이었던 것을 엄격하게 실현하겠다"라는 뜻입니다.

그는 하나님의 뜻을 성취하기를 원합니다. 그는 "그것은 원하는 자나 달려가는 자에게 달렸있지 않다"라는 말씀을 듣지 않습니다. 그는 하나님의 말씀을 자기 힘으로 스스로 성취하고 실현하고 싶어 하는 성서 속의 인물들 축에 속합니다. 아브라함이 자신이 정한 시간에 자신이 결정하여서 자신의 후손에 관한 약속을 하갈을 통하여 성취하기를 원했을 때도 그와 같았습니다. 모든 문제가 거기에 있습니다. 하나님의 말씀이 우리를 사로잡아 우리의 의지를 하나님에게 맡겨야 합니다. 예수에게도 똑같은 유혹이 주어졌습니다. "네가 하나님의 아들이라면 …." 예수는 거기에 굴복하여서 자신의 방법으로 자신이 실제로 하나님의 아들임을 증명할까요? 하나님 아버지를 떠나 독립적으로 자신이 하나님의 아들임을 결정할까요? 공생애 초기에는 사단이 요구하고 십자가에서는 군중이 그에게 요구한 그 기적을 행할까요? 하나님의 아들이라는 신분을 탈취해야 할 노획품으로 받아들일까요? 만약에 그가 성전 꼭대기에서 뛰어내렸거나 십자가에서 내려왔더라면 그는 하나님의 말씀의 주인이 되었을 것입니다. 그는 자신만의 길을 선택했을 것입니다. 사탄은 다시 유혹합니다. "내가 너에게 모든 왕국을 다 줄 것이다." 그는 자신이 하나님 아버지로부터 받아서 모든 나라와 세계의 주인이라는 사실을 알고 있었습니다. 그는 하나님의 뜻을 성취할 것입니다. 그러나 그것을 자신의 방법으로 자신이 택한 시간에 자신이 결정하여서 성취한다는 것이 바로 유혹입니다. 그는 하나님이 택한 시간을 기다려야 합니다. 그는 하나님의 방법을 받아들여야 합니다. 아브라함이 사라가 아이를 가지게 되는 것을 기다려야 하듯이 말입니다.

아브라함이 스스로 시도하는 것은 이스마엘을 얻은 것처럼 성공한다 할지라도 결국 실패요 헛된 것으로 드러납니다. 참담한 고통이 우리에게 임합니다. 하나님은 우리에게 당신의 뜻을 알게 합니다. 우리는 그 뜻을 성취해야 합니다. 우리는 그것을 원해야 합니다. 그리고 우리 스스로 그것을 하기로 해야 한다는 것에는 의심의 여지가 없습니다. 그러나 그 말씀을 우리가 지배하려고 하거나 우리의 의지와 뜻과 시간과 방법으로 하나님의 것을 대체하려 하지 말아야 합니다. 하나님의 뜻과 시간과 방법만이 선하고 의로운 것입니다. 예후가 행한 모든 일은 하나님의 말씀에 붙잡히도록 자신을 맡기지 아니하고 스스로 말씀을 붙잡았던 사람의 일입니다. 어쩌면 그 이름의 원래 뜻에 이미 그 내용이 담겨 있는지도 모르겠습니다. 예후는 라못에 속합니다. 라못은 "값비싸고 고귀한 것, 얻기 어려운 것"이라는 뜻입니다. 그러나 그 어원은 "스스로 높이다, 교만해지다"라는 뜻입니다. 여기서 우리는 여호나답과의 동맹에 대해서 새로운 측면을 발견합니다. 레갑 역시 영적으로 의지주의적인 인물입니다. 그것은 금욕주의로서 고대 이스라엘의 전통과 신앙의 순수성을 회복하려는 것이었습니다. 그러한 신앙적인 영감은 가슴 깊은 곳으로부터 나온 것이 아니고 그 신앙을 입증하기 위한 목적으로 지키는 관습들과 생활 조건들로부터 나온 것입니다. 예후가 예언과 정치의 영역에서 행한 것과 같이 여호나답은 율법과 종교의 영역에서 그같이 행한 것입니다. 그러나 예후는 자신이 하나님의 말씀을 들었기 때문에 그가 하나님의 뜻을 행하려는 마음이 확실하고 그것을 온전하게 성취하기를 원하며, 기록된 것을 역사적인 사건으로 실현하는 사명을 하나님이 자신에게 맡겼다고 스스로 판단한 이상, 그에게는 어떤 수단 방법들이라도 다 좋은 것이었습니다. 하나님의 일이라는 목적을 실현하려고 할 때는 어떤 수단 방법도 가리지 않게 된 것입니다.

달리 말하자면 그는 다른 사람들과 같은 정치적인 인간이 된 것입니다. 그는 모든 정치적인 수단 방법을 다 동원합니다. 그의 과도한 바알우상숭배 탄압은 아마도 정치적인 계산과 연관되어 있을 것입니다. 예후의 통치가 단명으로 끝나지 않고 사마리아의 왕좌에 새로운 왕조를 수립하는 것이라면 새로운 것을 끌어들여야 했습니다. 예후는 왕을 시해한 시므리의 쿠데타를 알고 있었습니다. 시므리의 통치는 12일을 넘지 못했습니다. 오래가려면 왕조를 원칙과 이상 위에 세워야 했습니다. 아합의 후손들의 극단적인 바알숭배를 극단적인 바알숭배 금지로 대체해야 했습니다. 그것이 하나의 정책적인 원칙이 되었습니다. 공식적으로 바알을 연상하게 하는 모든 것은 제거되게 하였습니다. 그런데 금방 바알 숭배가 되살아났습니다. 그렇다면, 그 정책의 시행은 순전히 외적인데 그쳤다는 얘기입니다. 그의 억압적인 바알숭배 금지 정책은 영적인 힘과 주 하나님에게 전심으로 순종하는 마음에서 나온 것이 아니었습니다. 그러므로 그것은 하나의 위선적인 행위에 지나지 않았습니다. 그것은 "국가 이익이 만들어낸 하나의 픽션"13)인 것입니다. 그는 예언의 말씀을 이용하여 자신의 정치를 해나가면서도 자신의 정치가 하나님을 섬기려는 것이라고 주장합니다. 그는 하나님이 계시한 것을 실현하기 원했습니다. 그러면서 그는 하나님이 장래 일을 보여주는 것과 하나님이 사랑하는 것을 혼동하게 된 것입니다. 그것은 밭에서 잡초들을 뽑아버리려는 사람들이 겪은 혼동과 똑같은 것이었습니다. 또한, 그것은 회개하지 않는 마을들 위에 하늘에서 벼락이 치기를 원하는 제자들이 겪은 것입니다. 또한, 하나님이 전한 장래의 일을 실현한 가룟 유다가 겪은 것이기도 합니다. 게다가 예후는 하나님의 선을 자신이 독점하며 하나님에게 주권을 넘겨주지 않았습니다. 그는 성서에 나오는 정책을 집행한다고 주장합니다. 하나님이 말씀한 이상 이제 예후는 하나님이 인간에게 집행의 권한을 맡긴 것으로 판단합니다. 하나님은 더는 지금 결정하고 행하는 현재의 하나님이 아니고, 아합의 심판을 선포한 과거의 하나님입니다. 이제 아합의 심판은 예후의 손에 달린 것입니다. 이제 하나님의 뜻을 구할 필요가 없습니다. 단지 과거에 한 말씀을 따르면 됩니다. 예후에게는 하나님의 오늘이 존재하지 않습니다. 단지 이미 정해진 영원이 있을 뿐입니다. 달리 말하자면 하나님은 현존하는 하나님이 아닙니다. 그것이 성서에서 끌어내어 어떤 정책이나 윤리 규범을 실행하는 사람들이 받는 유혹에 그치는 것이 아니라는 사실에 우리는 주목해야 합니다. 그들에 대해서는 우리가 쉽게 주의를 기울일 수가 있습니다. 그러나 창조의 미완성을 주장하면서 인간이 인간의 수단 방법으로 완성하고 개발하고 성취해야 한다고 말하는 사람들이 그런 유혹을 받고 있습니다. 또한, 인간의 조물주적인 역할을 주장하는 사람들도 그런 유혹에 빠진 것입니다. 예후는 정치적인 조물주와 같은 인물 유형입니다. 모든 문제는 두 가지 점들로 압축됩니다. 하나는 내적인 태도요 또 다른 하나는 수단 방법들의 선택입

---

13) 네헤르(Neher), 『아모스』 *Amos*, p. 184 이하.

니다.

우리는 하나님의 뜻을 따르거나내적으로 하나님이 바라는 목적을 지향한다면 어떤 수단 방법이라도 괜찮다고 판단하고픈 유혹과 늘 마주합니다. 이는 목적이 수단을 정당화한다는 논리라는 것을 우리가 인식하지 못하는 것입니다. 우리는 순수한 사람들에게는 모든 것이 순수하다, 라는 식의 위선으로 스스로 정당화하곤 합니다. 사실 이 모든 이야기가 우리에게 점차 보여주고 있듯이 수단 방법의 선택은 우리가 져야 할 큰 책임입니다. 하나님의 일을 성취하기 위해서 어떤 수단 방법이라도 다 좋은 것이 분명히 아닙니다. 포교와 복음 전도가 서로 상반되는 것임을 오늘날 우리는 분명히 인정합니다. 종교 재판이나 개신교 박해를 지지하는 사람은 아무도 없을 것입니다. 그러나 우리는 복음을 전파하기 위해서 대량 홍보 수단들과 텔레비전을 쉽게 용인하고 합니다. 우리는 세상의 기술적인 수단들을 결국은 정당한 것으로 판단합니다. 정치적인 수단들을 선택할 때에, 예를 들자면, 민주주의, 선거와 같은 것들 우리는 도덕적, 문화적, 휴머니즘적인 기준에 맞추어서 합니다. 우리는 여기서 수단 방법의 문제를 충분하게 살펴볼 수는 없습니다.14) 그러나 그 커다란 중요성은 간과하지 말아야 합니다. 한편, 우리가 유행하는 신학적 용어인 투명성을 사용한다면 예후는 정확히 불투명한 인물입니다. 예수는 사람들과 하나님 사이에 완전히 투명한 존재였습니다. 예수 안에서 우리는 하나님의 충만함을 볼 수 있었습니다. 그는 어디에서도 양다리를 걸치지 않았습니다. 아들이자 하나님이 자신이기 때문에 예수가 실현할 수 있었던 그 완전한 비움에 이르지는 않았지만, 세례 요한은 그와 같은 태도를 보여줍니다. "그는 흥하고 나는 쇠하여야 하리라." 그와 반대로 예후는 양다리를 걸친 사람이었습니다. 그는 자신이

---

14) 그 문제는 『세상 속의 그리스도인』(대장간 역간)에서 이미 다루었습니다. 추후에 『자유의 윤리』L'Ethique de la libert? 2권에서 또 다른 측면에서 그 문제를 살펴볼 것입니다.

스스로 하나님의 계획을 이루겠다고 주장했습니다. 그는 인간이 그 모든 무섭고 참담한 일을 통해서 하나님의 역사와 주님의 사랑을 볼 수 있는 여지를 남기지 않았습니다. 그래서 엘리사는 예후의 통치 기간에 침묵한 것입니다. 하나님의 말씀은 다시는 선포되지 않은 것입니다. 그가 일으킨 혁명이 종교적일지라도 별 의미가 없습니다. 그 혁명은 인간이 주 하나님의 임재를 더더욱 인지할 수 없게 한 것입니다. 왜냐하면, 그는 궁극적으로 자신이 자신의 삶의 주인으로서 스스로 그 삶을 영위하고 자신을 비우지 않고 아무것도 포기하지 않는 사람이기 때문입니다. 그는 정의에 속함으로 참회할 것이 없습니다. 그는 회개할 수 있는 것을 찾을 수 없습니다. 왜냐하면, 그가 한 모든 것이 하나님의 가장 커다란 영광과 하나님의 권능의 역사를 위한 것이었기 때문입니다.

예후의 불투명성은 그의 내적인 태도나 "내가 성취하고 말 것이다"라는 식의 자기 확신 때문만은 아닙니다. 그것은 또한 예후가 선택한 수단들이 보통의 정치적인 인물이 택하는 것들이요 마키아벨리도 서슴없이 추천할 만한 것들이라는 사실 때문입니다. 그는 자기 백성을 하나님에게 충성하는 신실한 백성으로 만들기로 작정하였습니다. 그는 정치적인 수단을 사용해서 백성을 강요하여 충성과 경배와 신앙을 가지게 하도록 행동을 취합니다. 우리는 항상 이 중요한 점을 잊지 말아야 합니다. 하나님과 인간관계를 불투명하게 하는 것은 우리 자신보다도 우리가 택한 수단들이라는 것입니다. 행동과 중재와 참여와 영향력을 위해 우리가 택하는 수단이 바로 차양막을 치게 하고 오해를 부른다는 것입니다.

바로 그것으로 궁극적으로는 다른 사람이 우리를 심판하고 평가하고 이해하고 용인할 것입니다. 그 이외에 다른 어떤 것도 우리가 품은 의도조차도 아닙니다. 예후는 그가 택한 수단들 때문에 하나님이 천대까지 은혜를 베푸는 사람이 되지 못했습니다. 반대로 그는 하나님이 냉혹하게 벌하고 멸하는 사람이 되었습니다. 그가 택한 수단들 때문에 그는 인간의, 그리고 인간을 위한 시각에서 보기에 하나님의 두 얼굴과 두 손을 갈라 놓았습니다. 이것 때문에 그는 삼대까지만 은혜를 주시는 하나님과 마주해야 합니다. 그는 불신실하게 신실한 인물이었기에 그는 찬성과 동시에 거부를 한 것이었습니다. 물론 그의 거짓말과 살인과 배반에도 불구하고 그는 늘 하나님의 사랑을 받습니다. 그러나 동시에 그는 말씀의 유용과 냉혹한 신앙적 행위 때문에 하나님으로부터 버림을 받습니다. 그러나 궁극적으로 이 비극은 백성 전체가 버림을 받는 원인이 됩니다. 호세아가 이스라엘에게 전한 놀라운 말씀은 그를 위한 것이기도 합니다. "내가 분노하므로 네게 왕을 주고 진노하므로 폐하였노라" 호13:11 하나님의 분노의 대리자로 쓰임 받았던 제일 유능한 왕이 이제 하나님의 진노를 불러일으킬 수밖에 없습니다.

이 사건이 있은 후로는 한마디로 북왕국 유다는 아무런 소망을 찾아볼 수 없는 것 같이 되었습니다.

왕이 신실하여 백성을 하나님에게로 돌이켰지만 모든 것이 거짓이고 모호했습니다. 하나님은 중대한 결정을 했습니다. 물론 예후의 사대손까지 왕좌에서 군림합니다. 그 후에는 불의와 죄악의 미약한 왕권 통치가 이어집니다. 그리고 쿠데타와 패전으로 점철되어 마침내 이스라엘이 멸망하고 사마리아가 점령되고 파괴되어서 이스라엘 백성은 포로가 되어 앗시리아로 끌려갑니다.

이것이 예후의 역사와 이야기입니다. 어쩌면 그 이름이 "그는 정말 존재하는가?"[15]라는 의미가 아닐까 싶습니다.

---

15) [역주] '예후'라는 이름의 어원적 뜻은 "그는 여호와이시다"이고, '여호와'는 어원적으로 "존재하다"라는 뜻입니다. 엘륄은 여기서 '예후'의 어원을 역설적으로 표현합니다.

제5장

아하스

열왕기하 16장 1-18절

1 르말리야의 아들 베가 제 십칠년에 유다의 요담 왕의 아들 아하스가 왕이 되었다. 2 아하스가 왕이 되었을 때에, 그의 나이는 스무 살이었다. 그는 예루살렘에서 열여섯 해 동안 다스렸다. 그러나 그는 주 하나님께서 보시기에 올바른 일을 하지 않았다. 그는 그의 조상 다윗이 한 대로 하지 않았다. 3 오히려 그는 이스라엘의 왕들이 걸어간 길을 걸어갔고, 자기의 아들을 불에 태워 제물로 바쳤다. 이것은, 주님께서 이스라엘 자손이 보는 앞에서 쫓아내신 이방 민족의 역겨운 풍속을 본받은 행위였다. 4 그는 직접 산당과 언덕과 모든 푸른 나무 아래에서 제사를 지내고 분향하였다. 5 그 때에 시리아의 르신 왕과 이스라엘의 르말리야의 아들 베가 왕이 예루살렘을 치려고 올라와서, 아하스를 포위하기는 하였으나, 정복하지는 못하였다. 6 그 때에 시리아의 르신 왕이, 시리아에게 엘랏을 되찾아 주었고, 엘랏에서 유다 사람들을 몰아내었으므로, 시리아 사람들이 이 날까지 엘랏에 와서 살고 있다. 7 아하스는 앗시리아의 디글랏빌레셀 왕에게 전령을 보내어, 이렇게 말하였다. "나는 임금님의 신하이며 아들입니다. 올라오셔서, 나를 공격하고 있는 시리아 왕과 이스라엘 왕의 손에서, 나를 구원하여 주십시오." 8 그런 다음에 아하스는 주님의 성전과 왕궁의 보물 창고에 있는 금과 은을 모두 꺼내

어, 앗시리아의 왕에게 선물로 보냈다. 9앗시리아의 왕이 그의 요청을 듣고, 다마스쿠스로 진군하여 올라와서는 그 성을 함락시켰다. 그리고 그 주민을 길로 사로잡아 가고, 르신은 살해하였다. 10아하스 왕은 앗시리아의 디글랏 빌레셀 왕을 만나려고 다마스쿠스로 갔다. 그는 그 곳 다마스쿠스에 있는 제단을 보고, 그 제단의 모형과 도본을 세밀하게 그려서, 우리야 제사장에게 보냈다. 11그래서 우리야 제사장은, 아하스 왕이 다마스쿠스로부터 보내 온 것을 따라서, 제단을 만들었다. 우리야 제사장은 아하스 왕이 다마스쿠스로부터 돌아오기 전에 제단 건축을 모두 완성하였다. 12왕은 다마스쿠스로부터 돌아와서, 그 제단을 보고 제단으로 나아가 그 위로 올라갔다. 13그리고 거기에서 그가 직접 번제물과 곡식제물을 드렸고, '부어 드리는 제물'을 따르기도 하였다. 또 제단 위에 화목제물의 피도 뿌렸다. 14그리고 그는 주님 앞에 놓여 있는 놋제단을 성전 앞에서 옮겼는데, 새 제단과 주님의 성전 사이에 있는 놋제단을 새 제단 북쪽에 갖다 놓았다. 15아하스 왕은 우리야 제사장에게 명령하였다. "아침 번제물과 저녁 곡식예물, 왕의 번제물과 곡식예물, 또 이 땅의 모든 백성의 번제물과 곡식예물과 부어 드리는 예물을, 모두 이 큰 제단 위에서 드리도록 하고, 번제물과 희생제물의 모든 피를, 그 위에 뿌리시오. 그러나 그 놋제단은, 내가 주님께 여쭈어 볼 때에만 쓰겠소." 16우리야 제사장은 아하스 왕이 명령한 대로 이행하였다. 17아하스 왕은 대야의 놋쇠 테두리를 떼어 버리고, 놋대야를 그 자리에서 옮기고, 또 놋쇠 소가 받치고 있는 놋쇠 바다를 뜯어 내어 돌받침 위에 놓았다. 18또 그는 앗시리아 왕에게 경의를 표하려고, 주님의 성전 안에 만들어 둔 왕의 안식일 전용 통로와 주님의 성전 바깥에 만든 전용 출입구를 모두 없애 버렸다

엘리사가 죽었습니다. 우리는 이제 유다 왕국으로 넘어가서 아하스 왕을 보게 됩니다. 아하스는 예후와는 정반대의 인물이라고 말할 수 있습니다. 예후의 모든 행위는 모호함 가운데 이루어졌다는 얘기를 나누었습니다. 불신실하게 신실한 사람인 예후는 하나님의 뜻을 실현했습니다. 그러나 그는 하나님의 자리를 대신 차지합니다. 그는 예언의 말씀을 인증한 사람이자 또한 이중적인 의미가 있는 말을 하는 사람이었습니다. 아하스는 반대로 유일하고 단순한 선택을 하는 사람으로서 어떤 모호함도 어떤 난해함도 그에게는 없습니다. 하나님은 그의 관심 대상이 아니었습니다. 그에게는 긴장도 갈등도 혼돈도 없었습니다. 그는 오직 한마음을 가졌으나 그것이 악한 마음이었습니다. 그는 온갖 형태의 우상 숭배를 수용했고 오직 정치적인 일에만 관심을 두었습니다. 예루살렘에서 그가 16년간 통치하는 동안에 예언자 이사야의 예언적인 말씀은 왕의 침묵으로 거부당하여서 공허한 소리가 되었고 아무런 소용도 없었습니다.

이는 이제까지 우리가 보아온 것과는 다른 놀랍고도 새로운 상황입니다. 아하스와 이사야, 이 두 사람은 실질적으로 한 번도 만나지 않았습니다. 우리는 뒤에 가서 하나님이 아하스에게 도움을 주려고 할 때에 아하스가 그 언약의 말씀을 저버리고 자기 방식대로 행하는 것을 보게 됩니다. "너는 네 하나님 여호와께 한 징조를 구하라"라고 이사야를 통하여 하나님이 그에게 말씀하셨을 때에 아하스 왕이 그 말씀을 믿지 않았던 것이 명백합니다. 아하스는 그 말씀에 대답합니다. "나는 구하지 아니하겠나이다." 그는 하나님에게 그 어떤 것도 요구하기를 원하지 않았고 하나님으로부터 그 어떤 것도 받기를 바라지 않았고 하나님에게 빚을 지고 싶어하지 않았습니다. 게다가 그는 다음과 같이 냉소적으로 부언하기까지 합니다. "나는 여호와를 시험하지 아니하겠나이다." 실제로 그는 하나님이 아무것도 아닌 존재로 아무것도 할 수 없다고 믿었습니다. 사7:1-12 이렇게 아하스가 하나님을 거부하는 것이 그의 모든 통치의 특징이었습니다.

1

아하스의 가장 중요한 첫 번째 모습은 이 말씀을 통해서 나타납니다. "이스라엘의 여러 왕의 길로 행하며 … 자기 아들을 불 가운데로 지나가게 하며". 아마도 그는 자기의 첫 번째 아들을 제물로 바쳤던 것 같습니다. 그런데 이 말씀이 앞에서 "여로보암의 죄"라고 언급된 것과 연관된 것은 분명합니다. 바로 그것이 이스라엘의 왕의 간 길의 특징이기 때문입니다. 오므리, 아합, 요람, 예후와 그 아들들은 모두가 여로보암의 죄를 범했습니다. 그것이 무엇인지 여기서 잘 이해할 필요가 있습니다. 왜냐하면, 그 문제는 유다 왕 아하스에게 특별히 중요하기 때문입니다. 열왕기상 12장의 여로보암의 이야기 속에서 우리는 백성의 수장인 그가 합법적인 왕인 솔로몬의 아들 르호보암에게 반기를 드는 것을 봅니다. 그는 일종의 쿠데타를 일으킨 것입니다. 그러나 그는 명백히 예언자 아히야가 전했던 것을 따른 것입니다. 그 유명한 장면에서 예언자 아히야는 그의 옷을 찢어 열 개의 조각을 여로보암에게 줍니다. 그 조각들은 하나님으로부터 선물로 주어진 것으로 이스라엘의 열 지파를 상징합니다. 그러므로 여로보암은 하나님의 뜻을 실현하기 위해서 하나님에게 택함을 받은 사람이었습니다. 그러나 거기에는 항상 "만약에"라는 조건이 붙습니다. "만약에 네가 순종한다면, 만약에 나의 뜻을 따른다면, 만약에 네가 내 눈에 보기에 올바른 일을 한다면 …" 여호와 하나님은 그렇게 그에게 말씀한 것입니다. 여로보암은 합법적인 왕인 르호보암과 결별하고 이스라엘 왕국을 창건합니다. 그러나 이어서 그는 두 개의 금으로 만든 황소들을 만들고 백성에게 말합니다. "이는 너희를 애굽 땅에서 인도하여 올린 너희의 신들이라." 왕하12:28 그런데 이에 대해 적잖게 오해가 있었습니다. 많은 주석가들이 여로보암이 벧엘과 단에 거짓 신들인 우상들을 섬기는 제단을 세웠다고 판단했습니다. 그것이 하나님에 대한 여로보암의 죄로서 그가 이스라엘로 하여금 황소의 우상을 숭배하게 했다는 것입니다. 그러나 그것은 정확히 맞는 말이 아닙니다.

사람들은 이 황소 우상들 이야기를 너무나 과대평가했습니다. 오늘날 전문가들은 그 황소의 상들이 여호와 하나님과 다른 신들이나 신성을 나타내는 이미지들이 아니었다고 인정합니다. 그것들은 보이지 않는 신성의 발판이었을 뿐입니다. 그것들이 우상은 아니었으나 여호와 하나님의 상징이었습니다. 예루살렘을 제단이 있는 유일한 장소로 택했다는 것도 문제가 아닙니다. 이 신명기적 관념은 더욱 더 깊은 실상을 감추기만 할 뿐입니다. 벧엘과 단에서 드려진 제사는 분명한 여호와 하나님께 드리는 제사였습니다.

그것은 분명한 하나님께 드려지는 제사였지만, 뚜렷한 상징물을 동반했습니다. 여로보암은 유일한 하나님을 믿습니다. 그러나 그는 하나님에게 얼굴 하나를 부여한 것입니다. 신학이나 경배의 대상이 바뀐 것은 전혀 아닙니다. 이스라엘은 바른길로 가고 있습니다. 이는 거짓 신들과 여로보암의 죄가 종종 상반되는 경우가 생기는 것 때문에 입증이 된 것입니다. (이어서 여로보암도 또한 다른 제사들을 드리게 되었습니다) 예를 들자면 요람은 바알과 이슈타르의 제단들과 아합이 세운 우상들의 제단들을 무너뜨렸지만, 여로보암의 길을 계속 갔습니다. 예후는 우리가 앞에서 본 바와 같이 어디에나 참된 하나님의 제단을 세웁니다. 그러나 그럼에도 불구하고 여로보암의 죄를 반복합니다. 이는 뒤에 가서 보게 될 아하스에 의해서 확인됩니다. 아하스는 황소의 상들을 세우지는 않았지만, 예루살렘에서 여로보암이 사마리아에서 한 것과 같은 일을 합니다. 그렇다면, 여로보암의 죄란 과연 무엇일까요?

물론 이스라엘로 하여금 번식력이 강한 우상신들을 향하게 하는 우상 숭배가 계속되는 것은 익히 알려졌습니다. 황소는 재생산의 힘을 나타내는 것으로 이미 광야에서 유혹의 대상이었습니다. 그러나 여로보암의 죄는 더욱 더 구체적입니다. 사람들은 여기서 두 가지를 보충해서 흔히 지적하곤 합니다. 그는 피조물을 다듬어 상들을 만들고 하나님의 상징으로 사용했습니다. 이는 십계명 중에 두 번째 계명을 범한 것입니다. 그리고 그는 백성으로 하여금 예루살렘 성전 이외의 장소에서 하나님을 경배하게 하고, 솔로몬의 성전 제단 이외의 곳에서 희생 제사들을 올리게 했습니다. 이는 그렇게 설득력 있게 들리지 않습니다. 먼저 문제가 되는 두 가지 규정들이 여로보암 시대에도 이미 존재했는지 확실하지 않기 때문입니다. 여하간 경배를 성전 한 곳에서만 드린다는 규칙과 우리가 아는 율법은 이후의 시대에 규정된 것으로 추정되고 있습니다.

더욱 중요하고 결정적인 것은 여로보암이 레위 지파가 아닌 사람을 제사장들로 세웠다는 사실입니다. 그에게 레위 지파 사람들은 혁명을 일으킬 수 있는 인물들로 비쳤기 때문입니다. 그것은 이스라엘 백성에게 순전한 은총으로 구별되어 택함을 받은 것을 상기시키기 위해서 하나님이 선택한 상징을 여로보암이 저버린 것을 의미합니다. 이것은 아주 정확한 사실이지만,16) 그러나 그것으로 말미암아 여로보암의 죄의 의미가 다 밝혀진 것은 아닙니다.

이는 여로보암의 개혁이 종교의식을 법령화하기에 이르렀다 할지라도

---

16) 여로보암의 죄에 대해서는 우선 다음과 같은 책들을 참조하시오. 비셔(Visscher), 『최초의 예 언자들』 Les Premiers Prophétes, p. 391 ; 네헤르(Neher), 『아모스』 Amos, p. 190 ; 폰 라드(von Rad), 『구약 신학』 Théologie de l'ncien Testament, 1권, p. 51.

그것은 또한 네헤르Neher가 아주 잘 보여준 것과 같이 블레셋의 문화적인 영향을 막기 위한 방비책이기도 했기 때문입니다. 베델과 단의 산당들을 택함으로써 이스라엘 왕인 여로보암은 이스라엘에 퍼지는 블레셋의 관습들을 차단하고 이스라엘 족장들의 관습을 회복시키기 원했던 것입니다. 또한, 바로 그러한 동기가 예후로 하여금 그 두 개의 성소들을 계속 존속시키게 한 것입니다. 이렇게 여로보암의 죄의 실상은 아주 복잡하게 보입니다. 왜냐하면, 거기에 진정한 신앙적인 동기도 섞여 있기 때문입니다. 이는 우리에게 아하스를 논할 때에 여로보암의 죄에 대해서 역설적인 것이 나오는 것을 정당화할 수 있는 계기를 제공합니다. 아하스는 예루살렘에서 제사를 올렸기에 베델과 단의 성소들과는 아무런 관계도 없습니다. 그는 황소의 상도 세우게 하지 않았습니다. 그러나 그에 대한 얘기에는 그가 이스라엘의 여러 왕의 죄악들을 따랐다고 나옵니다. 그 죄악들은 여로보암의 죄로 요약됩니다. 그러므로 그 죄의 실상은 상징이나 장소하고는 관계가 없는 듯합니다.

성서 본문은 우리에게 그와 상반된 의미를 말해주는 것 같습니다. "그의 마음에 스스로 이르기를 나라가 이제 다윗의 집으로 돌아가리로다. 만일 이 백성이 예루살렘에 있는 여호와의 성전에 제사를 드리려고 올라가면 이 백성의 마음이 유다 왕된 그들의 주 르호보암에게로 돌아가 …"왕상 7:26-27 여로보암이 금으로 황소상들을 만들고 자기 백성에게 예루살렘에 올라가서 여호와 하나님께 경배를 드리지 말고 베델과 단에서 드리라고 한 근본 동기가 바로 이것입니다. 두 개의 황소상들이 각각 북쪽과 서쪽의 국경 마을에 세워짐으로 인해서 여호와 하나님이 이스라엘을 국경을 지키는 정치적인 수호자로 보인다는 점을 수긍할 때에 그 동기는 훨씬 더 뚜렷해집니다. 그러므로 그 동기는 실제로는 정치적인 것입니다. 여로보암은 자기 백성을 영토 내에 머물게 하여 국경을 넘어서 적과 접촉하는 것을 피하게 해야 했습니다. 그는 이스라엘 백성이 일 년에 몇 차례씩 예루살렘으로 올라간다면 그 백성이 예루살렘의 수도로서의 위세를 받아들이면서 나라가 갈라진 것을 후회하여 르호보암에게 돌아가기를 원하게 될 것을 깊이 염려한 것입니다. 그러므로 문제의 초점은 하나님의 백성이 분열되어 있는 현상을 유지하려는 데 있다기보다는 새로 세운 나라의 독립성을 확보해야 한다는 데 있었습니다. 이스라엘 사람들이 더는 예루살렘으로 올라가게 하지 말아야 합니다. 수도로서의 모든 특성을 다 갖춘 이스라엘의 수도를 세워야 합니다. 이스라엘에서 사람들이 경배할 수 있는 이스라엘의 하나님이 존재해야 합니다. 왜냐하면, 그 당시에는 아직 하나님의 국가요 땅이라는 느낌이 강하게 남아 있었기 때문입니다. 이스라엘 백성이 독립적인 국가로서의 실체를 유지하려면 이스라엘의 여호와 하나님이 두 개의 지파들만 있는 지역인 유다에만 머물지 않고 이스라엘에도 거해야 합니다. 달리 말하자면 여로보암의 죄는 정치적인 동기로서 참된 하나님에 관해서 신학적이고 종교적인 결정들을 내렸다는 데 있습니다. 또한, 자기 백성의 영적인 삶을 정치적인 필요에 종속시키고, 예배를 다른 신에게 드리게 한다기보다는 정치적인 필요를 따라서 드리게 하거나, 예언자를 대신하여 하나님의 계시를 장악함으로써 참된 하나님을 특별히 취급합니다. "이는 너희를 애굽 땅에서 인도하여 올린 너희의 신들이라." 이제 국가가 계시의 진정성과, 백성이 말씀을 듣고 예배를 드릴 형식들을 승인하게 된 것입니다. 국가는 정치적인 동기를 가지고 그렇게 행합니다. 그러므로 이는 우상 숭배하는 국가가 아니라 국가의 종교를 만드는 정치권력을 보여줍니다. 그 정치권력은 나아가 정치적인 목적을 위해 하나님의 진리, 하나님의 계시와 하나님의 역사를 이용하는 것입니다. 그는 하나님의 뜻을 자신의 개인적인 뜻이 아니라 민족과 국가의 가장 큰 이익에 종속시킵니다. 그는 하나님의 역사를 현실의 정치적 요건에 부합시킵니다.

여로보암은 무엇보다 이스라엘 왕국을 확고히 세우기를 원했습니다. 그 목적을 이루려고 그는 필요한 물질적인 조치들을 취합니다. 그는 성읍들과 요새들인 세겜과 브누엘을 건설합니다. (그러한 일의 의미를 이해하려면 성서에 나오는 도시에 대한 나의 연구를 참조하기 바랍니다) 그러나 그는 또한 영적이고 심리적인 조치들을 취합니다. 민족적인 감정을 이끌어 내기 위해서 국가를 위한 민족 종교를 의도적으로 창설한 것입니다. 그러므로 그것은 결코 원시 시대의 일일 수가 없습니다. 그것은 우리 시대의 일입니다. 모든 현대 국가는 같은 방식으로 국민을 통합하고 정치권력에 충성하도록 종교를 창설하거나 교회를 민족적으로 통합시키려고 합니다. 그리고 국가가 그런 역할을 담당하기도 합니다.

여로보암의 죄는 이스라엘의 모든 왕과 아하스가 답습하게 되는 바로 신성에 대한 원시적인 환상에 따른 것이 아니라, 항구적인 정치적 필요성 때문입니다. 한 국가는 자신의 종교를 가지고 있을 때 견고해집니다. 그래서 정치는 종교와의 연합을 요구하는 것입니다. 그러나 여로보암에게 문제가 생깁니다. 여호와 하나님의 참된 계시는 정치에 부합될 수가 없습니다. 그것은 있는 그대로 이용될 수밖에 없습니다. 그것이 현존하는 하나님의 것이기 때문입니다. 그래서 그 계시를 이용 가능한 종교로 탈바꿈시켜야 했습니다. 아무도 죽지 않고는 볼 수 없는 천지의 하나님을 금으로 만든 황소의 상으로 바꾼 것입니다. 분명코 이는 사람들이 숭배하는 하나님이지만 황소의 모습을 한 것입니다. 충격적인 것은 주위의 민족들도 황소의 상들을 숭배한다는 것입니다. 물론 그 상들의 기의記意, le signifié다릅니다. 그러나 그 기표記票, le signifiant는 같습니다. 황소는 번식력과 능력과 부와 행복을 가져오는 상징물입니다. 그러나 여호와 하나님도 그렇지 않습니까? 그 둘을 하나로 통합할 수는 없겠습니까? 상징 기호는 어차피 똑같은 것이니까 민족들의 상징물들을 이용해서 이스라엘의 하나님을 표현하면

되지 않겠습니까? 그러면 일거양득이 됩니다. 이스라엘의 하나님에게도 충성하고 다른 민족들의 아주 효험이 있는 신들에게 한눈을 파는 백성도 무마시킬 수 있습니다. 이는 오늘날의 우리와 직결됩니다. 우리의 황소들은 돈이요 경제요 공산주의요 자본주의요 과학이요 역사요 국가입니다. 그 모든 것들은 우리에게 창조적이고 생산력이 강한 능력으로 행복을 보장해 줍니다. 그 모든 황소는 또한 국가에 의해 장악되어 있습니다. 국가는 그것들을 종교적인 힘으로 이용하여 궁극적으로 국가 자체의 웅대함과 정치적인 효과를 확보하려는 것입니다. 그것이 여로보암의 죄로서 아하스에 의해서 유다 왕국에 유입되는 것입니다.

2

언뜻 보기에 아하스는 같은 동기가 없는 듯합니다. 그는 이스라엘과 유다의 교류를 막으려고 하지 않았기 때문입니다. 그러나 그것은 일시적인 동기에 지나지 않은 것을 우리는 살펴보았습니다. 궁극적인 목적이 있는 것입니다. 그것은 국가 권력입니다. 따라서 국가 권력을 위해서 종교를 이용하는 것입니다. 아하스는 커다란 어려움에 봉착합니다. 아람 왕국과 이스라엘 왕국이 예루살렘에 가나안의 왕조를 세우기 원하여서 서로 동맹을 형성하여 공격합니다. 아하스는 자신의 왕국과 나라를 지켜야만 합니다. 두 왕조의 동맹이 알려지자마자 늘 미리 경고하는 하나님이 예언자 이사야를 통하여 아하스에게 말씀을 전합니다. "두려워하지 말며 낙심하지 말라. 너는 무너지지 않을 것이다. 오직 믿기만 하라." 사7:1-9 하나님은 참으로 이스라엘의 구원자입니다. 그 예언은 이렇게 끝을 맺습니다. "너희가 굳게 믿지 아니하면 너희는 굳게 서지 못하리라." 그것은 자기 백성과 왕에 대한 하나님의 명령으로서, 독촉이자 엄포입니다. 그러나 물론 "그 일이 이루어지지 못하리라"는 언약과 보증이 먼저 주어집니다.

이미 말씀을 거역했던 아하스 왕은 하나님의 커다란 인내로 한 번 더 믿음으로 돌이키도록 부름을 받은 것입니다. 그러나 아하스는 공포에 사로잡혀서 "그의 마음이 숲이 바람에 흔들림 같이 흔들렸습니다." 그때부터 그는 아무것도 듣고 싶어하지 않았습니다. 그의 입장은 이미 정해졌습니다. 그에게는 이스라엘의 보호자인 하나님을 의지한다는 것은 말이 되지 않았습니다. 하나님은 그의 눈에는 더는 만군의 왕으로 자기 백성과 모든 민족의 운명을 좌우할 수 있는 존재가 아니었습니다. 하나님은 국가적인 종교의 대상으로서 잘 계획된 정치적 역할을 담당할 수 있을 뿐입니다.

그때 아하스가 취할 합리적인 행동은 동쪽의 가장 강력한 국가인 앗시리아를 의지하는 것이었습니다. 그러나 앗시리아와 타협을 할 수 있어야만 했습니다. 물론 돈과 선물을 보내는 방법이 있습니다. 왕하16:8 그러나 그것으로 충분하지 않았습니다. 당시의 오리엔트에서는 자신들이 하나님의 선택받은 백성이라는 이스라엘의 주장을 모든 사람이 다 알고 있었습니다. 그리고 여호와 하나님이 어떤 다른 신과도 같지 않으며 종교적으로 배타적인 하나님임을 다 알고 있었습니다. 바로 그런 영역에서 타협해야 했습니다. 아하스는 앗시리아 왕 있는 곳으로 가서, 디글랏 빌레셀이 다메섹을 함락한 후에 거기에 세웠던 제단의 정확한 구조, 그 형상이 단어는 창세기에서 하나님이 인간을 지을 때 그 형상을 따라 지었다고 했을 때 사용한 똑같은 단어라는 것이 흥미롭습니다을 조사하게 했습니다. 그는 예루살렘 성전에 그 제단과 똑같은 복제본을 세우도록 명령했습니다. 그런데 이 제단은 실제로 하닷 신의 제단이었습니다.

제사장 우리야는 시키는 대로 했습니다. 이어서 아하스 왕은 황소 상으로 장식된 우상의 제단에서 하나님에게 제사를 올렸습니다. 그는 번제와 관제와 속죄의 희생 제사를 드렸습니다. 그리고서 그는 제사장에게 이제부터 모든 제사를 그 제단에서 올릴 것을 명령했습니다. 곧이어 그는 "앗시리아 왕을 위하여" 왕하16:18 안식일에 쓰는 낭실과 성전으로 들어가는 낭실을 수정했습니다. 또한, 앗시리아 왕을 만족하게 해 그의 호의를 얻고 유다 왕의 충성을 확신할 수 있게 하려고 앗시리아의 모든 우상을 성전에 옮겨 세웠습니다. 강력한 동맹국의 종교를 채택하는 것보다 더 좋은 보장이 어디 있겠습니까? 히틀러의 지지를 얻으려는 사람들이 나치 독트린과 반유대주의를 채택한 것도 같은 이유입니다. 소련을 의지하는 사람들이 공산주의를 채택한 것도 같은 이유입니다.

아하스의 목적은 여로보암의 목적과 똑같지만 대외 정책을 향한 것이었던 반면에 이스라엘 왕에게는 국내 정책이 우선이었습니다. 그러나 그것은 늘 국가에 유익하게 신을 이용하는 것으로 신을 정치적 도구로 사용하는 것입니다. 그리고 그러한 신은 그 기표記票가 다른 민족들의 것과 유사해집니다. 아하스에게 있어서는 여로보암이 받았던 양심의 가책조차도 없었습니다. 여로보암은 여호와 하나님에게 충성하기를 원하였습니다. 그런 그의 태도가 이렇게 표현됩니다. "저 깊은 중심에서 우리는 경배하는 마음과 진실한 믿음으로 하나님을 향합니다. 설사 황소 상 앞이라 할지라도 말입니다. 왜냐하면, 우리가 보이는 대상에 마음을 두지 않는 것이 확실하기 때문입니다." 아하스는 그런 가책이 전혀 없었습니다. 그는 단지 앗시리아 왕을 만족하게 할 수 있는 종교를 창설한 것뿐입니다. 그는 대상의 의미는 고려하지 않은 채로 기표를 선택했고 다른 민족들의 신들과 유사한 신을 세워서 여호와 하나님을 앗시리아의 신과 동일시킨 것입니다. 중요한 것은 앗시리아 제단과 유사한 것을 세워서 그렇게 보이도록 하는 것입니다. 급격한 변화를 분명히 표하려고 하나님을 버리는 행위들이 줄을 이었습니다. 그는 앗시리아 왕에게 하나님에게 드려진 모든 보물과 성전의 귀한 기물들과 제사 기구들을 바쳤습니다. 그리고서 그는 솔로몬이 세웠던 중앙 제단을 파괴해 버렸습니다. 그는 바닥 판자들을 산산조각내고 장식물들을 다 없애버리고 그 제단을 멀리 옮겨놓았습니다. 왕하16:14-17 그는 놋바다와 물두멍을 옮겨서 멀리 돌밭에 가져다 놓았습니다. 우리는 이 한마디에 주목하게 됩니다. "그는 하나님 앞에 있었던 놋제단을 성전에서 멀리 떨어지게 했다." 이는 명백하게 문제의 제단이 성소 앞에 있었던 것임을 의미합니다. 그러나 우리는 그것을 영적인 의미로도 이해해야 할 것입니다. 그 제단은 하나님이 선택한 것으로서 하나님의 임재를 뜻합니다. 아하스 왕이 그 제단을 치워버렸을 때에 그는 하나님의 임재를 저버린 것입니다. 그가 세운 제단엔 하나님의 임재가 임하지 않을 것입니다. 그럼에도 불구하고 그 백성에게는 유사한 모습이 유지되어야 합니다. 유다의 백성은 자신들에게 나타나서 자신들을 하나님의 백성으로 선택한 하나님을 의지하기 때문입니다. 여로보암이 "이는 너희를 애굽 땅에서 인도하여 올린 너희의 신이라"라고 한 것과 같이 말입니다. 백성이 참된 하나님을 경배해야 하기에, 아하스도 여호와 하나님이 명했던 모든 의식 규정들과 모든 외형적인 모습들을 지켜야만 했습니다. 그는 제사장들과 사제들을 그대로 유지하고 새로운 사제단을 창설하지 않았습니다. 그는 의식과 봉헌과 번제와 아침과 저녁의 제사를 계속 존속시켰습니다. 그러므로 유다 백성에게는 외형적으로는 아무런 변화도 없었습니다. 제단의 형태만 바뀌었을 뿐이었습니다.

한편, 우리는 늘 편하게 말하곤 합니다. "중요한 것은 믿음이다. 봉헌과 예식에서 중요한 것은 진실한 믿음뿐이다. 나머지는 형식에 불과할 뿐이다." 그러나 실제로는 그것은 그냥 쉽게 말하기 좋은 것으로 합리화에 불과합니다. 아하스가 무너뜨린 제단은 하나님의 계시로서 주어졌고, 성전은 하나님이 전한 명령과 모형에 따라 지어졌던 것입니다. 그것이 참으로 하나님의 계시나 명령이었는지 혹은 그렇게 전해진 것뿐인지 여기서 논의하자는 것이 아닙니다. 왜냐하면, 우리는 여기서 두 가지 사항에 주목하기 때문입니다. 먼저 한 가지는 그 내용이 성서에 기록되어 있다는 점입니다. 성서의 글자 하나하나를 그대로 믿는 것은 아닐지라도 우리는 어쨌든 그 기록들을 진지하게 받아들여야 합니다. 그러나 아하스의 시대에는 모든 사람이 그것을 하나님의 직접적인 계시로 믿었습니다. 그래서 중요한 것은 그 믿음에 대한 아하스의 의도입니다. 그의 의도는 여로보암의 의도와 같은 것이었습니다. 아브라함과 이삭과 야곱의 하나님은 간직하지만, 그 명령들과 규범들을 무시하거나 변경시켰습니다. 그러면서 다른 방법으로 하나님을 경배하며 인간의 방식으로 하나님을 섬긴다고 주장했습니다. 그러나 실제로는 하나님으로 하여금 인간의 방식에 따르게 한 것입니다. 거기에는 정말 계시된 것 자체의 변형이 있었습니다. 왜냐하면, 계시된 것은 늘 어떤 형식으로 새겨지기 때문입니다. 하나님이 그 형식을 선택하였기에 우리에게는 하나님 앞에서 그 형식을 자유롭게 변경하는 것이 허용되어 있지 않습니다.

유용성과 편리성을 이유로 하나님이 계시로 취한 형식은 중요하지 않다고 판단하려는 유혹이 우리에게 늘 있습니다. 그러나 우리가 그 형식에 대해 자유를 택하는 것은 하나님에 대해 우리 스스로 자유로워지려는 것입니다. 아하스는 계시된 것의 상징물들을 변경시킴으로 계시된 것을 변경시켰습니다. 그는 하나님의 명령을 변경시킴으로써 하나님을 부인한 것입니다. 그는 현존하는 하나님을 우상으로 바꾸어버립니다. 그는 하나님의 영솔로몬의 성전을 택하여 거기에 거하는을 유용한 종교로 변경시킵니다. 그가 결정하는 모든 것이 실제로 유다 백성의 독립을 유지하고 북쪽의 강적들로 말미암은 파멸의 위기에 구하는 데 있어서 아주 유익하므로, 몇 가지 정도는 양보하는 것이 당연할까요? 여기서 우리는 늘 접하게 되는 문제에 다시 봉착합니다. 일단 나라를 구해야 합니다. 그러려면 나라의 몇 가지 귀중한 것을 포기할 수도 있는 것입니다. 포기하지 않으면 나라 자체를 잃을 수 있기 때문입니다. 그러면 모든 것을 잃게 됩니다. 사는 것이 우선입니다. 손이 더러워지더라도 말입니다. 이 문제는 오늘만의 문제가 아닙니다. 그러나 사실 하나님을 부인하게 되면 유다는 어떤 존재 이유도 없게 됩니다. 앗시리아를 본받게 되면 유다가 아예 사라질 수 있습니다. 그래도 별 상관이 없습니다. 유다의 진리가 유다가 존재하기 전에 사라져 없어져 버리니 말입니다.

아하스의 결정은 자기 백성을 구하는데 유용한 것이었습니다. 그는 정치적인 동기를 가지고 자신의 동맹국들의 종교와 유사한 종교를 새로 세웠습니다. 그의 정치적인 계산은 결국 정당화될 것입니다. 앗시리아 왕은 자신의 충성스러운 동맹국을 구하기 위한 원정을 받아들였습니다. 그는 다메섹을 점령했고 그 거주민들을 포로로 잡아갔고 그 왕을 죽게 했습니다. 그러나 앗시리아 왕의 승리와 아하스의 성공적인 정책보다 더 놀라운 것은 바로 그때에 앗시리아 왕을 심판하는 이사야의 예언이 선포된 것입니다. 사 10:5-19 자신의 영광의 정점에서 앗시리아 왕은 자신의 종말을 보게 됩니다. 놀라운 것은 근본적으로 아하스가 앗시리아 왕의 심판을 가져오는 계기가 된다는 점입니다. 앗시리아 왕은 아하스의 요청으로 이스라엘을 습격합니다. 하나님은 이스라엘 편이 됩니다.

앗시리아 왕은 일정 시간 내에 사라지고 말 존재입니다. 여기서 상기해야 할 것은 이사야가 조국의 배신자처럼 보인다는 것입니다. 그는 적을 위해 말하고 자기 백성의 동맹국들을 공격합니다. 그는 자기 백성이 승리를 얻고 구원을 받아 분명한 정치적인 성공을 누릴 때에 그 말을 전합니다.[17]

---

17) 예언을 한 시점에 대해서 논의의 여지가 있는 것은 분명합니다. 성서 본문이 언급한 모든 승리들은 기원전 738년에서 722년 사이에 일어났습니다. 아하스의 통치 기간도 거기에 포함됩니다. 아하스 이후에 있었던 717년의 갈그마스 승리는 예외입니다. 이 점을 지적하는 사람들은

이스라엘에 대한 전쟁은 북 왕국 이스라엘의 종말이 다가오는 것과 포로로 잡혀가는 것을 예고합니다. 아하스는 정치적으로 성공했지만 이제 북 왕국의 열 지파와 남 왕국의 두 지파 사이에는 아무런 유대 관계도 없게 되었습니다. 그들은 이제 더는 택함 받은 민족의 열두 지파가 아니었습니다. 돌이킬 수 없는 전쟁을 하기에 이르러, 아하스는 앗시리아 왕을 자극하여 자신의 조상을 유배시키기까지 합니다. 이를 위해 과연 무슨 일이 벌어졌던 것입니까? 여로보암의 죄는 정치를 우선시하여서 국가의 독립성을 지킨 것입니다. 아하스의 죄는 정치를 우선시하여 정치적인 수단 방법을 동원하여 하나님의 뜻을 돌아보지 않고 남 왕국과 예루살렘과 성전과 하나님의 상징을 구한 것입니다. 이 두 왕은 하나님의 뜻을 돌아보지 않고 자신들의 정치를 펼친 것입니다. 그들의 정치라는 것은 다른 이방 민족들로 이루어진 세계에 부합하는 것이었습니다. 그렇게 부합하기 위해서 여호와 하나님까지도 그 정치적인 놀음에 포함해 버리기에 이릅니다. 그 돌이킬 수 없는 전쟁에 이르게 한 것은 정치를 우선시한 것이요, 정치적인 열정이요, 정치를 모든 것에 앞서서 고려한 행위였습니다.

아합과 같이 아하스는 성공했기에 정치적으로는 훌륭한 왕이었습니다. 여기서 우리는 이 이야기들의 저자들이 자신들의 편견 없이 하나님의 가장 큰 원수들로서, 승리와 강력한 권력을 누린 왕들을 묘사한 사실을 다시 한 번 발견합니다. 영적인 면이나 진리의 면이나 사랑이라는 측면에서 그 어떤 희생을 치르더라도 아하스는 하나님의 계시를 세상에 부합시키려 했고, 그 점에서 그는 성공했습니다. 그는 무엇보다 인간적인 차원에서 능력을 중시했고 그 점에서 성공했습니다.

이는 우리로 하여금 예후에 대해서 다시 생각하게 합니다. 예후 역시 능

그 예언이 사후에 있었던 것으로 주장합니다. 그렇다면 내가 위에 언급한 내용은 그 사실적인 근거를 여기서는 얻을 수 없을 것입니다. 그러나 그 의미는 여전히 유효합니다.

력을 중시했습니다. 그러나 그는 하나님의 뜻을 실현하고 성취하기 위한 목적으로 그렇게 했습니다. 사실 우리는 예후의 권력을 위한 노력이 그로 하여금 완전히 하나님을 배반하게 했던 것을 보았습니다. 그도 역시 여로보암의 죄를 범했습니다. 그도 역시 정치적인 행위를 가장 우선시했습니다. 우리는 이제 두 개의 예를 보고 있습니다. 한 왕은 하나님의 뜻을 돌아보면서 하나님과 동행하기 원합니다. 또 다른 한 왕은 하나님은 관심 밖입니다. 그러나 그 두 왕은 모두 그 커다란 차이점에도 불구하고 똑같은 수준과 차원에 있습니다. 그들이 서로 만났다면 그들은 서로 증오하였을 것입니다. 그러나 그들은 능력을 찾고 정치를 우선시하는 면에서 서로 닮았습니다. 한 사람은 하나님을 믿고 또 다른 한 사람은 하나님을 믿지 않았습니다. 그러나 서로 일치했던 점이 그들을 아주 행복하게 해주지는 않았습니다.

그때에 이사야의 놀라운 예언의 말씀이 선포됩니다. 사7-8장 예언자 이사야는 하나님의 언약을 왕에게 전달합니다. 그리고 왕은 부인했던 기적의 역사를 확인했습니다. 이사야는 아하스를 비난하고 부정합니다. 아하스 왕은 하나님의 인내에 끝이 나게 했고, 그 때문에 모든 다윗의 집이 벌을 받게 될 것입니다. 아하스는 왕으로서는 버림받았습니다. 그러나 인간이 신실하지 않다고 해서 하나님의 신실함을 무너뜨릴 수는 없습니다. 그러므로 예언자 이사야는 선포합니다. "주께서 친히 징조를 너희에게 주실 것이라. 보라 처녀가 잉태하여 아들을 낳을 것이요 그의 이름을 임마누엘이라 하리라." 임마누엘은 하나님이 함께한다는 뜻입니다. 하나님은 그것으로 모든 언약을 다 이룰 것입니다. 그러나 이사야가 여호와 하나님의 모략을 언급하는 이상한 구절이 있습니다. 사8:11-15 실제로 아하스 왕이 살아있을 때에 하나님은 다윗의 왕좌에 다른 왕이 오를 것을 선포했습니다. 그는 임마누엘로서 다윗의 혈통에 따른 후손들을 다 물리치고 다윗의 참된 자손이자 기묘자요 모사요 장차 오게 될 왕입니다. 그는 이미 이사야 시대에 이사야와 여호와 하나님이 그에게 준 자녀들에 의해 알려졌고 존재했습니다.[18] 그와 같이 아하스 왕의 너무도 훌륭한 정치적 수완은 하나님의 은총의 뜻을 실현하는 역사에 박차를 가하여서, "우리와 함께 하는 하나님"의 보편적인 구원의 왕국을 세우게 됩니다.

3

이는 우리로 하여금 그와 같은 맥락에서 권능이라는 문제를 고려하게 합니다. 성령만이 권능이 있다고 말하는 것은 너무도 정확한 말인 동시에 너무나 쉬운 말이기도 합니다. 성령은 창조의 영역에서 권능이 있습니다. 마지막 때에 있어서 재창조를 위해서나 원래의 창조를 위해서나 말입니다. 또한, 역사 속에서나 개인의 삶에도 마찬가지입니다. 역사 속에서 성령은 사실들과 상황들을 만들고 일련의 사건들을 도출합니다. 성령은 구원의 영역에서 권능이 있습니다. 개개인에게 활발하고 생기있게 예수 그리스도의 역사를 이루어가게 하는 존재는 성령입니다. 성령은 계시를 전하려 하면서 하나님을 향하는 인간의 행동이 열매를 맺게 하는 데 있어서 권능이 있습니다. 성령은 우리의 기도와 설교와 사역에 열매를 맺게 합니다. 이 모든 것에는 어떤 내적인 논리도 어떤 폐쇄적인 체제도 어떤 자동적인 메커니즘도 없습니다. 이러한 영역에서의 우리의 행위들이 열매를 맺는 것은 하나님의 자유롭고 주권적인 선택 때문입니다. 그러나 그 열매는 또한 우리의 행위나 우리의 뜻과 완전히 독립적인 것도 아닙니다. 인간의 역사에

---

18) 이 모든 것에 대해서는 비셔(Visscher)의 뛰어난 분석을 참조하기 바랍니다. 비셔(Visscher), "임마누엘의 예언과 시온의 왕의 축제" *La prophétie d'Emmanuel et la fête royale de Sion*, in 『신학과 종교의 연구』 *Etudes théologiques et religieuses*, 1954.

서 활동하고 무로부터 개입하는 하나님은 자신의 임의대로 행동하지 않습니다. 하나님은 우리로 하여금 하나님의 뜻을 알게 하십니다. 하나님의 뜻을 성취하는 데 있어서 우리의 사역이 우리로 하여금 하나님의 뜻을 소유한 자처럼 행하지 않게 하려고, 성령이 현존하는 하나님의 임재를 드러내는 경우가 있습니다. 하나님은 우리로 하여금 어떤 조건 속에서 하나님의 개입이 가능한지 알게 합니다. 그러나 우리는 결코 하나님이 실제로 개입한다는 보장은 얻을 수 없습니다. 또한, 하나님이 자동으로 행동을 취하는 일도 없고 마술적으로 개입하는 일도 없습니다. 우리의 삶과 행위에 열매를 맺게 하는 유일한 존재인 성령은 전적으로 자유롭습니다. 그래서 우리는 결과에 대해서는 절대적으로 확신할 수 없습니다. 그것은 우리의 행위와 역사의 미래에 대한 어떤 예측도 계산도 금하는 것입니다.

성령에 대한 이러한 깨달음은 성령이 마치 존재하지 않기라도 한 것처럼, 수단 방법만으로 충분한 것처럼 가장 효과적인 수단 방법만을 찾게 하고 우리가 가진 수단 방법은 그 자체에 효과적인 능력을 내포하기 있기 때문에 그것은 항상 가능한 일이기도 합니다 실제 효과적인 능력을 구하려는 걸 멈추게 합니다. 바로의 마술사들도 모세와 같은 기적을 일으킬 수 있었습니다. 그러므로 그 자체로 상당한 효과를 얻을 수 있는 모든 것은 그 사실 때문에 우리 눈에 합당한 것으로 평가되어서는 안 됩니다. 하나의 방법이 효과가 있다는 사실만으로는 우리가 그것을 채택하기에 충분한 이유가 되지 못하는 것입니다. 우리는 수단 방법의 선택을 그 자체에 내포된 효과에 종속시키지 말아야 합니다.

성령의 효과는 두 가지 면이 있습니다. 먼저 영적이고 신비한 효과가 있는 데 우리는 하늘과 땅에서 동시에 일어나는 그것을 측정할 수 없습니다. 그것은 믿음이 생겨나는 것과 기도의 효과와 같은 아주 비밀스러운 것으로, 마지막 때에 가서야 눈에 띄게 드러날 것입니다. 그러나 성령의 이러한 활동만이 전부가 아닙니다. 그런 효과만을 평가하려 하는 것은 일종의 회피에 해당합니다. 그와 마찬가지로 세상의 압력에 의해서 우리가 영적이고 신비하고 감추어진 삶의 제약을 받아들이는 것은 일종의 패배에 해당합니다. 성령은 구약이나 신약 성서에 많이 언급된 바와 같이 이 땅 위에 눈에 보이는 구체적인 열매들을 가져옵니다. 그 열매들은 물질적인 것(기적과 육체적 도덕적인 삶)(종의 효과)과 인간 심리와 사회 속에서 맺어집니다. 그 열매들은 그 모든 것을 순전히 인간적인 차원에서 설명하려는 끈질긴 주장이 언제나 있음(예를 들자면 교회사와 기독교의 기원에 관해서에도)불구하고, 성령의 활동이 아니고는 설명할 수 없습니다.

그러나 여기서 성령의 활동과 열매는 사회심리적인 인과 관계 속으로 들어가서 그 매체와 계기와 표현이 됩니다. 그 사실 때문에 성령의 활동은 어떤 측면에서 보면 세계와 역사의 흐름을 바꿉니다. 그러나 성령의 활동은 역사를 자신만의 것으로 만들지 않고 역사를 하나님을 향하고 선을 향해 진보하는 것으로 만들지도 않으면서, 또한 역사에 종속된다거나 제한된다거나 지시받지 않습니다. 인간은 하나님의 역사 전체나 혹은 성령의 활동에 이쪽저쪽으로 참여하고, 그 효과적인 매체가 되도록 부름을 받게 됩니다. 그런 면에서 그리스도인의 활동이 실제 효과를 불러올 수 있는 조건들은 과연 어떤 것들일까요?

먼저 그 활동은 목표들이 정확하게 설정되어 목적에 들어맞는 활동이어야 합니다. 그것은 아주 간단하고 분명해 보입니다. 그러나 실제로 인간은 목적보다는 수단으로 결정하는 일이 아주 많습니다. 인간은 훨씬 더 인과 관계적인 과정에 얽매어 있습니다. 인간의 다음 행동을 더더욱 확실하게 결정하게 하는 것은 계획이나 이상이 아니라 그가 이전에 취한 행동입니다. 인간을 좌우하는 것은 실현해야 할 가치라기보다 어린 시절부터 받아들인 문화인 것입니다. 게다가 수단이 더욱 중요해지고 확실하고 효과적이 되면 될수록 그 수단은 인간의 선택에서 더욱 결정적인 것이 됩니다. 인간은 수단이 실제로 자신에게 할 수 있게 하는 것을 선택합니다.

그런데 믿음의 관점에서는 인간은 그렇게 할 수 없습니다. 성취해야 할 목표는 오늘 모두에게 복음이 주는 지식이요 기쁨입니다. 목적은 하나님 나라의 도래입니다. 행복과 과학과 예술이라는 목표가 정해져 있고, 정의와 자유와 평화라는 목적이 정해져 있으면 나머지는 다 거기에 종속되어야 합니다. 수단의 선택은 이런 관점에서 엄격하게 조정되어야 합니다. 수단은 목표와 목적에 맞아야 하고 본질적으로는 똑같은 것으로 일치해야 합니다. 따라서 복음은 폭력이나 프로파간다선전로 전파되어서는 안 됩니다. 그런 수단을 선택하여 어느 정도 성공을 거둘 수도 있습니다. 그러나 그것은 복음이 아닙니다. 왜냐하면, 성령은 복음의 내용에 정확히 들어맞는 수단만을 사용하여 진정한 능력과 효과를 불러오기 때문입니다. 수단과 목적 사이의 교통이 있어야 성령이 그 수단을 써서 그 능력을 부여하게 됩니다.

그러나 또한 목적은 이미 세상에 나타나 있으며 우리 활동의 결과로서 얻어지는 것이 아니고 이미 감추어진 힘을 가지고 있으며 그 수단을 찾고 유인한다는 점에 주목해야 합니다. 우리가 목적에 따르되 우리가 소유하고 달성해야 할 목표로서 복종하지 말아야 합니다. 우리는 목적이 이미 주어진 것이고 스스로 적극적으로 존재하며 이미 현존하는 것으로 받아들여야 합니다. 그와 같이 희망은 눈앞의 현실로 존재하는 것으로서 바로 앞의 미래를 출현시키고 활동하게 합니다. 희망은 마지막 때인 종말을 살아 있게 합니다. 마치 믿음이 예수가 지상의 그리스도요, 우리와 함께 하는 하나님이었던 시간을 살아있게 하는 것처럼 말입니다.

희망은 하나의 힘으로서 심리적인 것도 아니고 투기投企적인 것도 아닙니다. 희망은 우리로 하여금 어떤 일을 무릅쓰고 하게 하는 어떤 감정이 아닙니다. 희망은 어떤 수단을 쓰게 하는 이유가 되지 않습니다. 희망은 만유의 주인이고, 이미 그렇게 주관하는 그리스도의 능력의 현존입니다. 그것은 그 수단이 효과적이라고 해서 수단의 범주에 들어가지 않습니다. 그러나 희망을 제외하고 우리에게는 감추어진 하늘나라의 능력이 있습니다. 그것은 세상에 현존하며 하나님 이외의 다른 모든 존재에게는 비밀스러운 것으로 알아볼 수 없습니다. 이 하늘나라는 스스로 활동하며, 그리스도의 재림을 지향하며, 세상을 하나님 나라로 나아가게 합니다. 이 하늘나라는 우리가 가진 수단에 의존하지 않습니다. 이 하늘나라는 마태복음의 비유들이 우리에게 그려주는 하나님 나라의 본성과 그 법을 내포하고 있습니다. 하늘나라는 하나님에 의해 이 세상의 현실에 심어져 있습니다. 하늘나라는 스스로 결정하여 활동을 개시합니다. 여기서 또 우리는 우리를 넘어서는 어떤 효과를 마주하게 됩니다. 왜냐하면, 참으로 하나님이 비밀스럽게 눈에 보이는 이적이 없는 가운데 세계에서 하늘나라가 이루어지도록 돕기 때문입니다. 그 효과는 성령이 힘을 더하여 준 인간적 수단들로부터 오는 것이고, 다가올 그리스도의 통치가 힘을 불어넣어 준 희망에 기인한 것이며, 세상 속에 감추어져 있는 하늘나라로부터 오는 것입니다.

인간으로서는 인간이 가진 수단과 방법의 한계 내에서 행동할 수밖에 없습니다. 그러나 인간이 전적으로 거기에 대해 책임을 지게 된다고 해도, 그 책임이 과도한 신뢰나 절망을 내포하는 것은 아닙니다. 또한, 다른 모든 것을 절약하면서 가장 효과적인 것을 택해야 하는 선택의 필요성을 내포하는 것도 아닙니다. 인간적인 수단들이 복음에 들어맞는 정도에 따라서 힘을 얻게 된다면, 우리는 언제나 '누구를 위해서?' 와 '무엇을 위해서?' 라는 질문을 자신에게 던져야 할 것입니다. 그 누군가를 위한 것이 아닌 것은 모두 버리게 하는 그 질문이 주는 진실을 철저하게 검증하고 나서, 우리가 수단들을 선택한 것이 그 목적에 맞는 것이라면, 그 선택은 하나님의 뜻

안에 있는 것입니다. 그에 따른 열매가 맺어질 것이라고 말할 수 있을 뿐만 아니라 더더욱 그 열매가 미리 준비된 것이고, 하나님은 이미 거기에 가치를 부여했으며, 그것이 세상의 가장 깊은 진리에 따른 것이기 때문에, 그 효과를 얻게 되리라고 말할 수 있을 것입니다. 그러나 그 선택은 아하스가 보여준 것과 같이 수단을 써서 진리와 자비의 영역에 미치는 결과를 제외한 목표를 달성하는 것은 아닙니다. 이는 목표가 예수 그리스도라는 인격과 멀어지면 안 된다는 것을 말해줍니다. 평화나 정의 아하스에게는 이스라엘의 독립는 그 자체로는 어떤 중요성이나 가치가 없습니다. 그것은 그 자체를 위해 실현해야 할 목표가 아닙니다. 그것은 예수가 평화의 왕이요 정의의 태양이기 때문이고, 이스라엘이 하나님의 백성이기 때문입니다. 복음의 모든 실제적인 말씀은 평화를 위한 노력을 포함하고 있습니다. 그러나 독트린과 윤리로서의 평화주의는 그 자체로는 어떤 의미도 없고 예수 그리스도를 섬기는 일도 아닙니다.

그러나 유효성이라는 문제에는 또 다른 측면이 있습니다. 성서에서의 유효성은 항상 하나의 관계, 인간이 하나님과 맺는 관계, 즉, 인간이 하나님과의 관계를 인정하는 것 하나님과 교제나 연합을 이루는 인간의 관계에 자리 잡고 있습니다. 인간의 의지가 하나님의 뜻과 일치를 이루는 것입니다. 그러나 이는 유효성을 일궈내는 첫 걸음은 인격적인 연합에 있다는 것을 말합니다. 인간이 자신의 참모습을 알게 될 때에 그의 행위는 자신에게 맞는 효과를 얻게 됩니다. 그러나 이러한 인격적인 연합으로부터 시작해서, 모든 효과는 또한 역사적인 회로에 참여하는 것을 내포합니다. 그것은 또한 세상과의 관계입니다. 만약에 그것이 세상 바깥에 있는 추상적인 것이라면 효과있는 행위란 있을 수가 없습니다. 이는 지속적이고 영속적인 참된 역사성을 가지는 것을 전제로 합니다. 유효성에 대해 고찰하는데 있어서, 열왕기는 다양한 중개인들과 행위자들 속에서 인내를 가지고 추구하는 혁신과 갱신과 지속성과 시간의 중요성을 보여주는 것 같습니다. 어떤 행위도 시작부터 끝까지 단 한 사람이나 단 한 수단으로 완수되는 것은 없습니다. 어떤 사람도 심지어 엘리사조차도 행위의 유일한 책임자나 담당자가 될 수 없고 어떤 효과를 일궈내는 장본인이 될 수 없습니다. 바울은 교만해지지 않으려고 그렇게 말합니다. 결국, 사람들은 각자가 맡게 되는 부분적인 사명을 가지게 되고 각자의 수준에 따라 사람들이 만드는 상황 속에서 어떤 효과를 내는 일을 담당하게 됩니다. 그러나 전체 그림은 늘 우리를 넘어섭니다. 사람들은 각각 결과나 열매에 대해서는 하나님의 언약으로 만족해야 합니다. 우리가 우리 수준을 유지하고 정확하게 평가된 수단들을 쓴다면 분명한 열매들이 약속되어 있습니다. 그러나 우리는 약속된 것 이상을 요구할 수는 없습니다. 엘리야에게 약속된 것은 그의 사후에 실현되었습니다 우리는 성취를 앞당길 수도 없고, 예후의 경우 열매를 도용하고 점유하여 우리 것으로 삼아 주님의 손에서 빼앗아 버릴 수 없습니다. 아하스의 경우

그러나 모든 것이 약속된 것이라면 모든 것은 계속되어야 한다고 말할 수도 있습니다. 우리는 어떤 분명하고 손에 붙잡히는 결과를 확신할 수 없으므로 멈춰 서 휴식을 취할 수 없습니다. 하나님의 사람의 유효성이 멈추게 된다면 이전의 모든 일은 상실되고 말 것입니다. 여로보암은 다윗의 왕국을 망치고 말았습니다. 아볼로가 물을 주지 않았더라면 바울이 심었던 것은 결코 자라나지 못했을 것입니다. 이는 바로 그리스도인들 각자에게 엄밀하게 주어진 책임입니다. 그와 같이 기도도 계속해야 합니다. 그와 같이 행동을 계속하는 것은 유효성을 확보하여 줍니다. 한 그리스도인이 멈춘다면 그걸 통해서 그 사람 이전에 있었던 그리스도인들이 할 수 있었던 모든 것을 소멸시켜 버리고 맙니다. 그는 어떤 의미에서는 지나간 교회의 모든 역사를 소멸시켜 버리는 것입니다. 유효성은 세상뿐만 아니라 교회의 역사 속에서 부여됩니다. 유효성은 각자가 교회 역사의 한 부분을 담당하

여 결과에 대한 확실한 증거가 없는 채로 계속해서 나아가는 것을 전제로 합니다.

그러나 거꾸로, 각자의 책임에 관해서 말하자면, 그렇게 계속하도록 기획하거나 제도화하는 것을 결단코 하지 말아야 한다는 점을 인식해야 합니다. 우리는 거기 계속 존속하는 것일 뿐입니다. 그렇게 존속하는 것이 유효성과 계속성을 동시에 확보하고 보장해 줍니다. 성령의 활동 효과와 열매에 대한 포기나 독점에 관해서 다시 되짚어 보면, 한센병 환자들의 경우 우리는 결코 그것들을 소유하지 못한다는 것입니다. 그리스도인의 활동에 유효성이 있다면 그 효과와 열매는 하나님이 수확하여 하나님 홀로 거두어 들입니다. 인간은 그 누구도 영광을 받을 수 없을 뿐만 아니라 개인적인 영예도 누리지 못합니다. 그 누구도 실제 효과를 미치는 특별한 주체가 아닙니다. 엘리사는 한마디 말로서 하사엘과 예후를 자극하고 나서는 뒤로 물러납니다. 그는 상황을 통제하지 않습니다. 그러나 결국 그 유효성은 세상의 기준에 따르면 절대 명백하지 않을 것이라는 점을 잘 이해해야 합니다. 우리가 시도할 수 있는 행동은 언제나 세상에 의해 실패로 규정될 것입니다. 그것이 아주 신실한 행동이라면 더더욱 그렇게 될 것입니다. 우리는 세상의 유효성이라는 기준과 그 수단들을 채택하는 경우에만 세상에서 성공을 얻을 수 있고, 교회의 유효성을 보여줄 수 있습니다.

하나님에게 충성스러운 행동은 세상의 기준에 따르면 실패할 수밖에 없습니다. 이는 마치 예수 그리스도가 필연적으로 십자가에 오른 것과 같은 것입니다. 레오 페레는 "고작 맨몸과 가시관을 위해서 그 고난을 겪으셨던 당신의 아들"이라고 노래했습니다. 그 모든 것은 실패로 끝이 납니다. 세상 권력의 기준에 맞추어 판단하면 그것은 언제나 실패입니다. 그러나 거기에 우리가 사로잡히지 말아야 합니다. 그것이 우리의 행동이 참으로 실효를 거두지 못했다는 것을 의미하는 것은 아닙니다. 그것은 또 다른 유효성에 관한 문제일 뿐입니다. 신앙이라는 면에서 나타나는 효과는 성공이라는 면에서 나타나는 효과와는 전혀 상관이 없습니다.

이는 또한 열왕기에서 선하고 신실한 왕들이 전쟁에서 보통 패전을 겪고 아합이나 아하스 같은 왕들이 승리의 영예를 누리는 것을 볼 때 우리가 얻게 되는 교훈이기도 합니다. 그러한 성공의 영예들과, 특히 우리가 속한 사회에서 사람들이 지칭하는 유효성은 세상과 사회가 어떤 행위와 수단들을 용인하는 것에 지나지 않습니다. 그것은 한 무리의 사람들이나 사회적 집단이 찬동하는 것입니다. 그 사회가 선하고 정의롭다는 확신이 없는 경우에는 그 사회가 용인한 것은 그 행동이 세상의 기준에 따른 것임을 입증하는 것에 지나지 않습니다. 그것은 세상이 변화했다는 것을 의미하는 것이 아니라 오히려 그 반대입니다.

하나님의 백성이 세상의 기준에 따라 성공을 거두게 되는 경우, 그것은 그 사회가 우리 행동을 흡수하여 그 사회 자체를 위해서 이용한다는 것을 뜻합니다. 그것이 아하스와 앗시리아 왕과의 관계입니다. 우리가 가진다고 믿는 유효성은 세상이 스스로의 개선과 더 좋은 구성을 이루려고 이용하는 능력일 뿐입니다. 유다 왕국은 앗수르의 전반적인 전략을 위한 하나의 지원대요, 애굽 정복을 위한 전초 기지일 뿐입니다. 그것이 아하스가 얻은 실효적인 성공의 가치입니다. 반대로 우리가 말하는 효과는 세상과 사회의 철저한 변혁입니다. 그것은 제도에 대한 사건의 유효성이요, 일반적 노선에 대한 갈등의 유효성이요, 반체제의 유효성입니다. 요컨대 그것은 세상의 유효성에 대한 대척적인 유효성으로서 세상만큼이나 현실성을 가집니다. 그것은 획일성을 깨뜨리는 유효성이요, 이단과 분파의 유효성입니다. 그것은 부정적인 것이 아닙니다. 왜냐하면, 긍정적인 것은 부정적인 것이 없이는 존재할 수 없기 때문입니다.

성령이 우리에게 부여하는 유효성은 세상의 인정을 받는다거나 세상을 우리에게 맞도록 변화시키는 것과는 상관이 없습니다. 이스라엘은 모든 열방이 이스라엘이 되는 것을 구하지 않았습니다. 예후는 다윗과 같이 이 점을 아주 잘 알고 있었습니다. 우리는 단지 세상과 그 가운데에 던져진 문제여야 하고 또 문제일 수밖에 없습니다. 그 문제는 거역할 수 없는 방법으로 제시되는바, 바로 거기에 우리의 유효성이 있습니다. 그것이 그 문제의 유효성입니다. 그것은 사회와 사회적 흐름에 맞지 않는 문제입니다. 이스라엘과 교회는 동화되지 않았던 정도에 따라서 그만큼 더 유효성을 가졌었습니다. 그것이 봉사나 사역보다 비할 데 없는 하나님 백성의 진정한 소명입니다.

그 유효성은 사역이나 그 결과에 있는 것이 아니라 동화되지 않는 정도에 있습니다. 교회가 성공을 열망하고 위대해지면 교회는 그만큼 믿음을 떠난 것입니다. 예를 들어 중세에 교회가 권력과 야합하고 사회에 동화된 것은 아하스가 행한 것으로, 기록된 행동과 정확히 들어맞습니다. 우리가 유효성을 확보할 수 있는 유일한 길은 세상과 타협하지 말라는 말씀대로 하는 길뿐입니다. 그것은 개인적으로만 감당할 수 있는 소명입니다. 그러나 그것은 또한 위에서 말하려고 한 바와 같이 상호 관련되어서 관계 속에서만 감당할 수 있습니다. 그것은 실제로 전적인 타자의 육화된 현존으로 실재합니다. 동시에 그것은 전적인 타자가 우리의 고집과 세속적인 성과와 의도와 열망으로 말미암아 감추어지지 않게 하려고 실재하지 않습니다. 세상의 중심에 있는 전적인 타자의 육화된 현존이 우리가 갖는 유효성입니다. 왜냐하면, 그것만이 세상이 결코 병합하거나 흡수하거나 동화할 수 없는 유일한 것이기 때문입니다. 우리의 선택이야 어찌 됐든 간에 우리가 세상의 수단을 취하는 것은, 많든 적든 우리는 그 수단으로 세상에 참여하는 것입니다. 그럼으로써 그 수단은 우리를 지배합니다. 사회는 아주 강력한 흡수력을 가집니다. 솔로몬은 동방의 군주 역할을 거부할 수가 없었습니다. 왜냐하면, 솔로몬이 동방 군주가 사용하는 수단들을 썼기 때문입니다. 우리 행동의 중심에 있는 전적인 타자의 현존만이 사회적인 세력들에게 동화될 수 없는 유일한 것입니다. 그것이 우리의 독립성을 확보해 줍니다. 그것은 항상 우리와 사회의 지배를 벗어납니다. 전적인 타자는 우리와 세상에 이용을 당할 수 없습니다. 그러나 전적인 타자는 우리가 그의 유효성(신실성으로 압축되는)을 받아들일 때에는 그의 주권적인 결정으로 우리와 동행하는 것을 받아들입니다. 우리가 뒤에 가서 곧 보게 되는 것처럼 하나님은 히스기야와 동행하는 것을 허락합니다. 여기에 우리가 유일하게 얻을 수 있는 유효성이 있습니다. 이는 그것을 구현해야 하는 우리로 하여금 세상과의 관계 속에서 이와같은 단 하나의 질문을 하게 합니다. "하나님이 세상에 묻는 질문은 무엇인가?" 엘리사는 그런 존재였습니다. 그러나 요람과 예후와 아하스는 그런 존재가 되지 못했습니다.

제6장

랍사게

열왕기하 18장 17-37절

17그런데도 앗시리아 왕은 다르단과 랍사리스와 랍사게에게 많은 병력을 주어서, 라기스에서부터 예루살렘으로 올려보내어 히스기야 왕을 치게 하였다. 그들은 예루살렘으로 올라가서, 윗 저수지의 수로 곁에 있는 빨래터로 가는 큰 길 가에 포진하였다. 18그들이 왕을 부르자, 힐기야의 아들 엘리야김 궁내대신과 셉나 서기관과 아삽의 아들 요아 역사기록관이 그들을 맞으러 나갔다. 19랍사게가 그들에게 말하였다. "히스기야에게 전하여라. 위대한 왕이신 앗시리아의 임금님께서 이렇게 말씀하신다. '네가 무엇을 믿고 이렇게 자신만만하냐? 20전쟁을 할 전술도 없고, 군사력도 없으면서 입으로만 전쟁을 할 수 있다고 생각하느냐? 네가 지금 누구를 믿고 나에게 반역하느냐? 21그러니 너는 부러진 갈대 지팡이 같은 이집트를 의지한다고 하지만, 그것을 믿고 붙드는 자는 손만 찔리게 될 것이다. 이집트의 바로 왕을 신뢰하는 자는 누구나 이와 같이 될 것이다. 22너희는 또 나에게, 주 너희의 하나님을 의지한다고 말하겠지마는, 유다와 예루살렘에 사는 백성에게, 예루살렘에 있는 이 제단 앞에서만 경배하여야 한다고 하면서, 산당과 제단들을 모두 헐어 버린 것이, 바로 너 히스기야가 아니냐!' 23이제 나의 상전이신 앗시리아의 임금님과 겨루어 보아라. 내가 너에게 말 이천 필을 준다고 한들, 네가 그 위에 탈 사람을 내놓을 수 있겠느냐? 24그러니 네가 어찌 내 상전의 부하들 가운데서 하찮은 병사 하나라도 물리칠 수 있겠느냐? 그러면서도 병거와 기병의 지원을 받으려고 이집트를 의존하느냐? 25이제 생각하여 보아라. 내가 이 곳을 쳐서 멸망시키려고 오면서, 어찌 너희가 섬기는 주님의 허락도 받지 않고 왔겠느냐? 너희의 주님께서 내게 말씀하시기를, 그 땅을 치러 올라가서, 그 곳을 멸망시키라고, 나에게 친히 이르셨다." 26힐기야의 아들 엘리야김과 셉나와 요아가 랍사게에게 말하였다. "성벽 위에서 백성들이 듣고 있으니, 우리에게 유다 말로 말씀하지 말아 주십시오. 이 종들에게 시리아 말로 말씀하여 주십시오. 우리가 시리아 말을 알아듣습니다." 27그러나 랍사게가 그들에게 대답하였다. "나의 상전께서, 나를 보내셔서, 이 말을 하게 하신 것은, 다만 너희의 상전과 너희만 들으라고 하신 것이 아니다. 너희와 함께, 자기가 눈 대변을 먹고 자기가 본 소변을 마실, 성벽 위에 앉아 있는 저 백성에게도 이 말을 전하라고 나를 보내셨다." 28랍사게가 일어나서 유다 말로 크게 외쳤다. "너희는 위대한 왕이신 앗시리아의 임금님께서 하시는 말씀을 들어라! 29임금님께서 이렇게 말씀하신다. '히스기야에게 속지 말아라. 그는 너희를 내 손에서 구원해 낼 수 없다. 30히스기야가 너희를 속여서, 너희의 주가 너희를 구원할 것이며, 이 도성을 앗시리아 왕의 손에 절대로 넘겨 주지 않으실 것이라고 말하면서, 너희로 주님을 의지하게 하려 하여도, 너희는 그 말을 믿지 말아라. 31히스기야의 말을 듣지 말아라.' 앗시리아의 임금님께서 이렇게 말씀하신다. '나와 평화조약을 맺고, 나에게로 나아오너라. 그리하면 너희는 각각 자기의 포도나무와 자기의 무화과나무에서 난 열매를 따 먹게 될 것이며, 각기 자기가 판 샘에서 물을 마시게 될 것이다. 32내가 다시 와서 너희의 땅과 같은 땅, 곧 곡식과 새 포도주가 나는 땅, 빵과 포도원이 있는 땅, 올리브 기름과 꿀이 흐르는 땅으로 너희를 데려가서, 거기에서 살게 하고, 죽이지 않겠다. 그러므로 히스기야의 말을 듣지 말아라. 너희의 주가 너희를 구원할 것이라고 너희를 설득하여도, 히스기야의 말을 듣지 말아라. 33뭇 민족의 신들 가운데서 어느 신이 앗시리아 왕의 손에서 자기 땅을 구원한 일이 있느냐? 34하맛과 아르밧의 신들은 어디에 있으며, 스발와임과 헤나와 아와의 신들은 또 어디에 있느냐? 그들이 사마리아를 내 손에서 건져 내었느냐? 35여러 민족의 신들 가운데서, 그 어느 신이 내 손에서 자기 땅을 구원한 일이 있기에, 주 너희의 하나님이 내 손에서 예루살렘을 구원해 낸다는 말이냐?'" 36백성은 한 마디도 대답하지 않고 조용히 있었다. 그에게 아무런 대답도 하지 말라는 왕의 명령이 있었기 때문이다. 37힐기야의 아들 엘리야김 궁내대신과 셉나 서기관과 아삽의 아들 요아 역사기록관이, 울분을 참지 못하여 옷을 찢으며 히스기야에게 돌아와서, 랍사게의 말을 그대로 전하였다.

정치인

아하스는 가장 미약한 아람과 이스라엘에 대항해서 가장 강력한 앗시리아의 왕을 의지합니다. 아하스는 앗시리아 왕을 도와서 아람과 이스라엘을 물리칩니다. 그는 정치적인 현실주의자로 성과를 거두었으며 그 당시에는 승리했습니다. 그러나 그는 정치의 영원한 법칙 하나를 경시했습니다. 아주 급격하게 성장한 국가는 필연적으로 자신의 동맹국들을 억압하며 점차 강제로 구속합니다. 아하스는 자신의 아주 기민한 정치로서 유다와 예루살렘을 보호했다고 믿었습니다. 단기적으로는 맞는 말이었습니다. 그러나 장기적으로 예루살렘을 앗시리아 왕의 손에 양도한 꼴이었습니다. 이는 틀린 말이 아니었습니다. 앗시리아 왕은 그 지역에서 더는 필적할 만한 경쟁국이 없었습니다. 그의 동맹국은 이제 그의 눈에는 명령에 복종하는 종복이 되었고 어떤 독립성도 갖지 못합니다. 어떤 가벼운 독립적인 의지를 표하더라도 엄하게 징벌을 당하였습니다. 이십 년 후에 그의 아들 히스기야의 통치 중에 예루살렘이 포위되고 말 것입니다. 포위 기간에 좀 진부한 일화가 발생합니다. 앗시리아를 대표하는 랍사게가 사절단으로 와서 포위된 예루살렘의 항복을 얻어내고자 합니다. 그는 두 편의 연설을 합니다. 하나는 외교적이고 또 다른 하나는 선전용이었습니다. 이 두 편의 연설은 커다란 인상을 남겼음이 틀림없습니다. 왜냐하면, 그 연설이 아주 세세하게 보존되어 우리에게 전해지고 있기 때문입니다. 그것이 실제로 아주 탁월했고, 거의 완벽하게 연속적으로 세상을 대변해 주고 있습니다.[19)]

랍사게는 정치적으로 말합니다. 그는 정치적인 세계가 교회와 마주하면서 흔히 주장할 수 있고 또 주장해야 하는 연설을 합니다. 그는 우리가 인정할 수 있는 모든 것을 전형적으로 대변합니다. 그의 연설은 놀라운 현실 감각을 지니고 있습니다. 현대의 정치가라도 거기서 한 단어도 변경시킬 수 없을 정도입니다. 그것은 바로 정확히 세상이 하는 말입니다. 그것은 하나님과 정치 사이의 관계를 새롭게 조명해 줍니다.

히스기야 왕은 앗시리아 군대 사령관들에게 왕궁의 책임자와 서기관과 사관으로 구성된 사절단을 보냅니다. 그것은 강요에 의한 것이기도 합니다. 예루살렘에서 아주 가까운 곳에서 회담이 열리게 되었습니다. 그곳은 윗못 수도 곁 곧 세탁자의 밭에 있는 큰 길가로서 실제로는 예루살렘 성벽에서 하는 소리를 다 들을 수 있는 거리에 있습니다. 분명코 사절들은 협상을 원했습니다. 그러나 랍사게는 그들에게 조건 없는 항복을 강요하는 것으로 답했습니다. 그의 연설은 이론상 사절들을 향해서 한 외교적인 것이었지만, 실제는 히브리 말로 좀 크게 말하여 예루살렘 사람들이 성벽에

---

19) 랍사게가 세상을 대변하는 것으로 평가하여 이렇게 일반화하는 것이 용납되지 않을 수 있습니다. 고유 명사로 보이는 그 이름의 뜻도 문자적으로 술 따르는 장관이라는 뜻입니다. 그러나 나는 더 깊은 뜻이 있다고 생각합니다. 그 어원은 데이빗슨에 따르면 셀 수 없이 많다는 뜻입니다. 그것은 권력의 광대함과 풍요를 뜻합니다. 그 풍요는 아주 필수적이면서 모호한 것으로 음료수인 물이나 포도주에 있는 것입니다.

서 다 들을 수 있었습니다.

1

랍사게는 실제로 다섯 개의 주장을 펼치고 있습니다. 그는 제일 먼저 정치에 필요한 것을 말합니다. 거기엔 지혜와 능력과 지략과 권력이 있어야 합니다. 유다 왕은 독립을 얻으려고 노력했으나 앗시리아에 대항할 수 있는 물질적인 능력이 없습니다. 동맹을 얻기 위한 그의 정치적인 계략은 헛된 것으로 드러났습니다. 그는 한심한 정치가입니다. 그가 하는 것은 말밖에 없습니다. 말이란 왕이 하나님이나 정의나 인정에 호소한다는 것을 의미합니다. 그는 또 앗시리아 왕에게 정의와 진실에 대해 말하려고도 애를 씁니다. 그러나 그 모든 것은 말에 지나지 않을 뿐이며 어떤 중요성도 없습니다. 여기서 랍사게는 아마도 하나님에게 하는 기도의 말들을 지적하는 듯합니다. 그것은 그에게 전혀 중요하지 않습니다. 말로 정치를 하는 것이 아닙니다. 그의 정치적인 조건에 대한 분석은 아주 정확합니다. 오늘날도 거기에 아무것도 덧붙일 필요가 없을 정도입니다. 정치는 정확한 계산과 개입할 능력이 있어야만 합니다. 랍사게의 말은 다 맞습니다. 정치가는 가치나 감성에 의지할 수 없고 정치를 다른 것을 위해서 할 수도 없기 때문입니다. 정치는 성공하는 기업과 같습니다. 정치는 그 자체에 목적이 있습니다. 정치를 더 높은 목적을 실현하기 위한 수단으로 삼는 사람은 이용당할 뿐이거나 실패하게 될 뿐입니다.

가치와 감성과 여론, 그 모든 것은 정치가의 현명한 계산에서 다루는 자료들입니다. 그러나 정치를 통해서 정의나 진리를 실현한다는 것은 말도 되지 않는 것입니다. 그것은 탁상공론의 환상입니다. 말하는 것으로 만족하는 유다 왕에게나 해당되는 일입니다. 세상에서는 그 모든 것은 단지 말에 그치는 것으로 받아들여집니다. 그러므로 히스기야 왕은 형편없는 정치가입니다. 그는 계산하지 못하고, 동맹을 구하여 산헤립에게 대항하기를 꾀하는 잘못을 저질렀습니다. 그는 힘이 없습니다. "너는 내 주의 신하 중 지극히 작은 지휘관 한 사람인들 물리칠 수 없다." 두 번째 주장은 랍사게의 생각을 명확하게 하고 있습니다. 그것은 히스기야의 정치적인 잘못에 관한 것입니다. 막대한 금과 은과 노예를 공물로 바쳐야 하는 산헤립과의 억압적인 동맹 관계를 청산하기 위해서 히스기야는 서쪽의 강대국인 애굽을 의지하여 원조를 얻어서 동쪽의 강대국인 앗시리아와 균형을 이루려고 했습니다. 그러나 원조를 약속했던 애굽왕 바로는 알타쿠에서 패했습니다. 산헤립은 그것을 공개적인 반란이라고 판단했습니다. 히스기야는 애굽의 원조가 성과를 얻을 것이라고 평가하는 잘못을 저질렀습니다. 정치적인 잘못은 용서받지 못합니다. 바로는 상한 갈대 지팡이입니다. 그를 의지하는 사람은 손을 다칩니다. 그것은 엄청난 말입니다. 그것은 다른 왕의 경우보다 히스기야에게 더더욱 심한 것이었습니다. 보통의 왕의 경우라면, 랍사게의 연설의 의미는 위에서 본 바와 같이 군사적 외교적 계산의 잘못에 한정시킬 수도 있습니다. 그러나 그것은 선택받은 백성의 왕에게 한 것이란 말입니다.

얼마나 많이 하나님은 그의 예언자들을 통해서 자신의 백성에게 인간적인 수단에 의지하지 말라고 계속해서 말했는지 모릅니다. 만나를 양식으로 얻으면 인간적인 조심성을 발휘하여 그것을 축적하여 저장하지 말아야 합니다. 공격을 받으면 무기와 병사의 숫자와 병력에 의존하지 말아야 합니다. 여호수아는 병사들을 추려서 겨우 삼백 명만 취합니다. 다윗은 사울이 제공한 갑옷과 투구와 검을 던져버립니다. 기근을 당하면 하나님의 손길로부터 오는 것을 받을 수 있도록 그때까지 자신이 가진 것을 다 내려놓아야 합니다. 과부는 남아있는 마지막 밀가루와 기름을 예언자에게 음식을 주려고 다 사용합니다. 그리고 난 후에는 죽음을 기다립니다. 그러나 하나님의 은총은 결코 다함이 없습니다. 인간이 세상에서 돈과 국가와 과학과 기술을 사용할 수 있는 권리가 있다는 것을 입증하기 위한 목적으로 그것들을 정당화하기 위해 펼치는 그 모든 궤변이나 주장들이 있습니다. 그럼에도 불구하고, 곤경에서 벗어나려고 그러한 수단들을 사용하는 것은 성서적으로 하나님을 향한 도전에 해당한다는 사실은 변함이 없습니다. 그것은 하나님을 저버리는 것입니다. 모든 신학적인 이론들은 하나님이 요구하는 엄격한 선택 요건을 벗어나지 못합니다. 그것은 영적이거나 내면적인 것에만 그치지 않습니다. "너희는 배낭이나 돈이나 두 벌 옷을 가지지 말라."

　히스기야가 결국에 가서 패배하게 된 것은 경건하고 의로운 왕으로 아주 신실했던 그가 바로 신실하지 못한 일을 저질렀기 때문입니다. 이번에도 정치가 그로 하여금 하나님에게서 멀어지는 길을 가게 했습니다. 하나님만이 가지는 권능을 의지하고 주님만을 신뢰하고 주님의 결정에 맡기는 대신에, 그는 대수롭지 않은 동맹 관계를 결성하고 대수롭지 않은 외교를 펼치면서 하나님 이외의 또 다른 동맹을 모색하여 애굽 왕을 찾습니다. 애굽 왕은 잡으면 부러지는 갈대로서, 그 인간적인 자원에 만족하는 사람의 손을 찌릅니다. 그것은 언제나 마찬가지입니다. 하나님의 선택받은 자가 하나님을 떠나 다른 곳에서 생존과 승리와 보호를 위한 수단을 찾으려 할 때마다 오히려 그가 신뢰하는 그것에 의해서 공격을 당하고 위기에 처하는 것을 성서는 우리에게 보여줍니다. 요나가 그러했고 놋뱀 사건이 그러했습니다. 예수는 우리에게 그 실상에 대한 영원한 법을 전합니다. "네 보물이 있는 곳에 네 마음도 있느니라. 세상은 너를 유혹하고 너의 신뢰를 얻어서 하나님으로부터 멀어지고 떠나게 하기 위한 목적으로 덧없이 사라지고 말 것들을 너에게 주어 너를 파멸시킬 것이다." 히스기야는 정치적 계산으로 스스로 속은 것만이 아니라 인간적인 수단을 신뢰함으로써 그의 주를 속인 것입니다. 그 수단이 합법적이라 할지라도 문제는 거기에 있는 것이 아니라, 그것이 도덕적인 것이 아니라는 데 있습니다. 이사야는 그에게 이 점을 강력하게 말씀으로 전합니다. 사31:1-3 히스기야 왕은 이미 하나님의 경고를 받았던 것입니다.

랍사게는 부지중에 가장 고통스러운 곳을 정확히 지적한 것입니다. 그는 부지중에 히스기야에게 하나님의 심판을 전합니다. 그와 같이 아주 많은 경우에 세상이 교회를 향해 한 말과 정죄와 비난은 이중적인 특성이 있습니다. 외적인 내용으로 보면 세상의 명백한 의도를 담은 이 말은 가치 없고 세상의 하찮은 것을 드러내고 있습니다. 즉, 랍사게는 히스기야에게 제일 강력한 국가인 앗시리아를 택했더라면 좋았을 것이라고 말하는 것입니다.

그러나 그 말 뒤에는 세상이 알지 못하는 깊은 진리가 감추어져 있습니다. 그것은 믿음으로 파악할 수 있습니다. 왜냐하면, 믿음은 하나님의 뜻을 식별하기 때문입니다. 히스기야는 애굽을 신뢰하였기에 잘못을 범했다고 느낄 수도 있습니다. 그러나 그의 잘못은 그가 앗시리아를 신뢰하였다 할지라도 같습니다. 랍사게의 비난은 잘못된 동기에서 나온 것이지만 정확합니다. 선택받은 백성의 왕은 애굽을 의지하지 말아야 했습니다. 히스기야는 거기서 정치에 관한 현실적인 교훈을 얻을 뿐 아니라 그의 유일한 힘은 하나님인 것을 깨달아야 했습니다. 뒤에 가서 보는 바와 같이 사실 그는 그것을 알아들었습니다.

바로 이런 차원과 한계 내에서 교회는 불신자들이나 원수들에게서 오는 모든 비난과 공격에 아주 주의를 기울여야 합니다. 교회는 그들의 권고와 동기를 받아들이지 말아야 합니다. 하지만, 그것을 넘어서서 하나님이 교회에 전하는 심판의 말씀을 찾아야 합니다. 그것은 교회로 하여금 세상이 의도하는 것과는 정반대의 길을 가게 할 것입니다. 교회는 세상이 정치적인 교훈으로 얻는 논리를 따르지 말아야 하고 하나님의 논리를 따라야 하기 때문입니다. 랍사게는 상식적인 결론을 내립니다. "애굽의 원조는 헛될 뿐이니 앗시리아에게로 오라." 그러나 히스기야의 결론은 "애굽도 아니고 앗시리아도 아니고 오직 하나님뿐이다" 라는 것입니다. 랍사게는 곧이어서 선택할 대안의 또 다른 것을 제시합니다. 그것은 위협과 그리고 제안과 언약에 이어지는 세 번째 주장입니다. "애굽을 버리라. 그러면 앗시리아왕이 너희에게 많은 선물들을 주리라." 랍사게는 예루살렘이 항복한다면 앗시리아 왕의 이름으로 이천 마리의 말을 이스라엘에게 줄 것을 제안합니다. 그러면서 그는 이스라엘이 그 말에 오를 수 있는 기마병들을 충분히 확보하고 있다면 그렇게 하리라고 냉소적으로 부언합니다.[20]

말은 그 당시 이스라엘에서는 희귀한 것이었습니다. 기마군대를 창설한다는 제안은 기대할 수 없었습니다. 그러나 그것은 히스기야 왕이 산헤립 앞에서 무릎을 꿇고 산헤립을 그의 군주로 인정하고 예루살렘을 양도하는 것을 전제로 합니다. 선택할 대안이 결정되어서 다른 출구는 없다는 면에서 랍사게는 논리 정연하며 어떤 정치인이라도 설득할만 합니다. 그러나 앗시리아인의 입술을 통하여 하나님이 지적하는 것을 알아들을 수 있는 히스기야로서는 거기서 제시되고 제안된 것은 도저히 받아들일 수 없는 것입니다. 그는 하나님을 향하여 돌이킬 수밖에 없게 된 것입니다.

그런데 그러한 가능성을 랍사게가 모르고 있던 것은 아니었습니다. 우리는 여기서 아주 중요한 두 가지 다른 주장들을 보고자 합니다. 왜냐하면, 그것들은 언제나 세상에서 하는 말에 등장하기 때문입니다. "너희는

---

20) 성서 본문은 불확실합니다. 여러 가지로 다양한 번역이 있습니다. 우리는 여기서 우리가 이해하기에 가장 명료한 것을 택했습니다.

아마도 우리가 의지할 것은 여호와 우리 하나님뿐이다, 라고 할 것이다."
합리적인 정치인이라면 하나님을 의지할 수가 없습니다. 정치는 종교가 아닙니다. 그러나 랍사게는 히스기야의 종교 개혁들을 알고 있었습니다.[21] 히스기야는 산당들과 가나안의 신들과 경배의 대상으로 삼았던 놋뱀과 어느 정도 이방 풍속에 물든 성소들을 제거했습니다. 그리고 그는 유일한 성소를 지정함과 함께 여호와 하나님을 향한 아주 엄격한 경배 의식을 회복시켰습니다.

앗시리아 사람 랍사게는 그러한 개혁들에 대해서 알고 있었을지라도 근본적으로는 아무것도 이해할 수 없었을 것입니다. "너무도 명백하게 너희가 모든 신이 싫어하는 일을 막 하고 나서 어떻게 너희는 너희의 신을 의지할 수 있겠는가! 너희는 제단들을 헐고 조각상들을 무너뜨리고 신성한 것들을 제거해 버렸다. 어떤 신이라도 신성한 것들을 소중히 여긴다." 앗시리아 사람인 랍사게는 분명히 그 당시의 이방 민족들에게 익숙한 관념인, 신적인 존재들 사이에 존재하는 일종의 연대 의식을 머리에 떠올렸을 것입니다. 그의 눈에는 그 무너진 제단들과 조각상들이 유다 땅에 있었으므로 그 땅의 신이 그것들에 대해서 소중한 관심과 흥미가 있었을 것입니다. 그러니 그 행위는 그 신에게는 반란과 같습니다. 랍사게는 여호와 하나님은 다른 신들과 같은 신이 아니고 참으로 전적인 타자라는 점을 이해할 수가 없었을 것입니다.

여호와 하나님과 이방인들이 신이라고 부르는 존재들 사이에는 다른 신들을 다 소멸시키는 것 이외에는 다른 해결책이 없습니다. 우리는 여기서 본능적인 인간이 살아가는 세상에 늘 존재하는 착각을 발견합니다. 인

---

21) 여기서 언급되는 개혁들을 히스기야가 다 실현했는지는 불확실합니다. 어떤 역사가들은 그 개혁들은 한 세기 뒤에 가서 실현된 것도 있는바, 요시야에 의해서 다 실현되었다고 평가하기도 합니다. 그러나 여기서 우리에게 중요한 것은 랍사게의 연설의 의미입니다. 여기서 언급되는 것이 어쩌면 후에 첨가된 내용이라 할지라도 말입니다.

간은 진리의 중요성을 이해할 수 없습니다. 그는 비잔틴 사람들의 신학적인 토론들을 조롱하고 있을 수밖에 없습니다. 그는 교회의 내면적인 삶에 대해서는 어떤 중요성도 두지 않습니다. 해야 할 좋은 일들이 너무도 많은데 교회가 신학만을 하고 있다고 그가 비난하는 것은 아주 당연한 일입니다. 세상은 랍사게가 한 것과 같은 현실적인 연설을 택할 것입니다. "그러니 신을 의지하지 말라. 차라리 세상 현실을 돌아보라. 너희가 신을 불쾌하게 했기 때문에 신은 반드시 너희에게 반감을 품고 있을 것이므로 너희에게 도움을 주러 오지 않을 것이다." 우리는 이 말에서 진리와 거짓이 섞여 있는 것을 보아야 합니다. 랍사게의 논거는 터무니없는 것으로서 본능적인 인간은 아무것도 이해할 수 없다는 사실을 입증시켜줄 뿐입니다. 이는 마치 적어도 개신교도들은 더는 기적들과 동정녀 탄생과 부활과 같은 어리석은 것들을 믿지 않기 때문에 20세기 사람들이 개신교도들을 더 잘 용납할 수 있다는 것과 같습니다.

그러나 히스기야도 거기서 또 하나의 사실을 깨닫게 됩니다. 그것은 여호와 하나님이 훨씬 더 엄격한 요구를 한다는 것입니다. 지금까지 한 것은 하나님이 전혀 다른 존재임을 보여주기에는 아직 부족하다는 것입니다. 만약에 종교 개혁이 훨씬 더 철저했더라면 이방인들이 하나님이 참으로 전적인 타자라는 사실을 이해하기 시작했을지도 모릅니다. 세상의 비난을 받고서는 교회가 세상이 옳다며 사람들이 충고하는 대로 사회적 정치적 활동을 더 해야 한다고 수긍하지 말아야 합니다. 오히려 교회는 충분히 완강하고 엄격하고 비타협적이고 거룩하게 하나님이 전혀 다른 존재임을 보여주지 못했다는 점을 인정해야 합니다. 랍사게가 하나님과 다른 신들을 그렇게 혼동하고 있다는 것은 히스기야가 세상과의 단절에서 그만큼 철저하지 못했기 때문입니다. 이것이 교회가 세상의 비난을 들을 때 스스로 명심해야 할 점입니다. 세상은 교회가 실용적이고 공리적이고 진보적인 선한 신을 섬기는 것을 마음에 들어 하는 것입니다.

불쌍한 랍사게는 아주 큰 착각에 빠지고 맙니다. 하나님이 당신을 언짢게 한 백성을 돕지 않으리라고 결론을 내린 것입니다. 그는 거짓 신들과 자신의 개인적인 지식을 가지고 하나님을 판단합니다. 세상의 모든 존재는 서로 복수하고 모든 모욕에는 대가를 치러야 하고 신들에 대한 모든 모독은 죽음으로 갚아야 한다는 것은 맞는 말입니다. 그 신이 왕일 경우에는 그 말이 더더욱 맞는 말이 됩니다. 그러나 랍사게는 하나님이 다른 신들과 같지 않다는 사실을 모릅니다. 하나님은 아주 선하고 화를 오래 참고 긍휼과 자비가 충만한 존재요 죄인이 죽기를 바라지 않는 존재입니다. 앗시리아 사람인 랍사게가 어찌 하나님이 모욕을 받았다 할지라도 자기 백성을 버리지 않고 보호하고 구하고 치료하는 존재임을 알 수 있었겠습니까. 랍사게의 신학적인 추론은 아무런 가치가 없습니다. 교회는 진정한 신인 하나님에 관해서 세상으로부터 배울 것이 아무것도 없습니다. 세상은 교회에 자신만의 경험과 지혜와 한계와 신에 대한 해석을 전할 뿐입니다. 그것은 소홀히 여겨질 것은 아니지만, 하나님과는 아무런 상관이 없습니다. 하나님에 대한 세상의 엄숙하고 지식적인 선언들은 이스라엘과 교회와 그리스도인을 혼란하게 해서 잘못된 길로 가게 하고 예수 그리스도 안에 있는 아브라함과 이삭과 야곱의 하나님과 세상이 말하는 것 사이에 혼동을 일으키게 합니다. 그 혼동은 우리가 이미 살펴본 바와 같이 여로보암이 겪은 혼동이기도 합니다. 바로 이런 애매함 위에 랍사게는 마지막 주장을 강하게 펼쳐나갑니다. "내가 예루살렘으로 올라와서 예루살렘을 멸망시키는 것이 하나님의 뜻을 따르지 않은 것이겠느냐? 하나님은 내게 이 나라로 올라가 멸망시키라고 내게 명령하였다." 이것은 논리적인 귀결입니다. "너희는 너희의 신을 언짢게 했다. 이제 너희의 하나님이 너희를 멸망시키려고 나를 보내셨다."

랍사게는 이스라엘의 신의 존재를 애매하게가 아니라 확고히 인정합니다. 그의 만신전판테온은 어느 신이라도 배제하지 않습니다. 그는 이스라엘의 신을 신뢰합니다. 여호와가 그 지역과 그 땅의 신임을 인정함으로써 그 신의 허락과 명령을 받아서 이런 일들을 일으켰다고 그는 인정합니다. 앗시리아인의 관점에서 보면 이 연설에는 어떤 조롱이나 위선도 발견할 수 없습니다. 그러나 그것은 불신자가 그리스도인에게 제기할 수 있는 가장 무서운 질문입니다. 전쟁이 일어나고 히틀러가 권좌에 오르고 공산당이 중국의 기독교를 소멸시킨 것은 하나님의 뜻이 아닙니까? 그것은 아주 고전적인 주장입니다. 하나님은 전능하지만, 창조를 잘하지 못했다거나 하나님은 전능하지 않다거나 하는 식입니다.

어쨌든 그것은 이스라엘의 신앙을 송두리째 무너뜨리는 주장이었습니다. 왜냐하면, 하나님의 뜻이 없이는 그런 일들이 일어나지 않았을 거라는 말이 사실이기 때문입니다. 하나님이 앗시리아인에게 유다를 공격하라고 명령을 내렸다는 말이 어쩌면 진실일지도 모릅니다. 하지만, 하나님의 뜻을 비웃는 하나님의 징벌이라는 말은 그가 스스로 하나님의 징벌이라 자처할 때에 맞는 말이 되었습니다. 그러나 그가 틀린 것은 자신의 연설에서 하나님을 이용하고 선전 도구로 사용하고 이용 대상으로 삼은 것입니다. 이스라엘이 사실로 받아들여야 할 것, 즉 랍사게 자신은 믿지 않는 아주 깊은 진리를 표명함으로써 하나님에 관한 세상의 말은 철저한 오류를 범하고 있습니다. 그러나 이렇게 수용하고 인정하여 예언자 이사야가 후에 추인하는 그 깊은 진리가 자괴감과 굴복과 무기력에 이르게 해야 할까요? 달리 말하자면 앗시리아인 랍사게가 하나님의 징벌인바, 랍사게를 상대로 싸우는 것은 실제로 하나님에게 대항하는 것이 될까요? 이런 논리는 언제나 있었습니다. 그것은 재앙은 하나님이 내린 시험이니 가난한 사람들은 그것에 저항하지 말라는 식이요 히틀러는 하나님의 징벌이라는 식입니다. 오늘날 우리는 공산주의에 관해서 같은 말을 듣고 있습니다. 사람들은 그런 일들 속에서 하나님의 목적이 정치적인 것이 아니라는 사실을 망각하고 있습니다. 그 목적이 앗시리아나 독일이 강력한 국가가 되는 것이 아니고 경제 체제가 사회주의 체제가 되는 것이 아닙니다. 하나님이 앗시리아를 사용하는 뜻은 하나님의 백성이 진리와 겸손과 거룩과 진실을 갖추어 다시 하나님의 백성이 되게 하는 데 있습니다. 이스라엘과 교회를 위해서 사건이 일어나는 것이지, 국가나 자본이나 사회주의를 위해서 일어나는 것이 아닙니다. 회개하고 징계를 달게 받는 것은 무기력한 것이 아닙니다. 하나님의 뜻을 수용하고 인정한 때부터 정치적인 면에서는 하나님의 원수라고 자칭하는 상대를 대항해서 믿음으로 싸워야 하기 때문입니다.

불쌍한 랍사게는 이스라엘의 하나님이 자신의 신들과 같지 않다는 점을 이해할 수가 없습니다. 하나님은 영원히 징벌을 내리지 않습니다. 하나님은 징벌을 내리고 나서는 그 징벌을 그칩니다. 하나님은 앗시리아의 폭정과 교회가 당하는 고통을 보며 결코 만족할 수 없습니다. 하나님은 죄인의 죽음을 원하지 않으므로 앗시리아 왕의 최후 승리를 바라지 않습니다. 하나님의 뜻으로 정복자 앗시리아가 여기까지 올라온 것은 사실입니다. 랍사게는 그렇게 말할 수 있습니다. 그러나 그가 모르는 것은 그가 더는 앞으로 나아갈 수 없을뿐더러 이미 한계에 다다랐다는 사실입니다. 그는 자신이 이스라엘과 교회와의 관계에서 하나님의 손에 붙잡힌 하나님의 도구일 뿐이라는 사실을 모르고 있습니다. 다른 지역 어디에서나 그는 많은 자유와 독립을 누릴 수 있습니다. 그러나 여기서 그는 하나의 도끼에 지나지 않습니다. 나무꾼의 손에 붙잡혀 있는 도끼가 스스로 거드름을 피울 수 있겠습니까? 국가가 이 특별한 영역, 즉 교회와 긍정적이거나 부정적으로 마주할 때에 상황은 완전히 달라집니다. 이때 권력의 자유는 자기 백성을 위한 하나님의 뜻에 따라 엄격하게 제한됩니다. 그럼에도 불구하고 이를 알고 또 더 나아가 믿으려면 하나님에게 온전히 내맡겨야 합니다. 참된 회개를 하고 진정으로 하나님의 뜻을 수용해야 하며 끝까지 그 뜻을 따를 자세가 되어 있어야 합니다. "할 수만 있다면 이 잔을 내게서 지나가게 하옵소서… 그러나 내 뜻대로 마시옵고…" 바로 여기서 구체적인 의문이 제기됩니다. 그 의문은 시편과 계시록에서 얼마나 많이 반복되는지 모릅니다. "주님, 어느 때까지입니까?" 우리는 미리 앞서서 하나님이 정한 한계를 알 수 없습니다. 우리는 언제 그 재앙이 그칠지 모릅니다. 믿음과 회개만이 버틸 수 있는 인내력과 적을 대항해서 싸울 용기를 줄 수 있을 뿐입니다. 그러나 다른 모든 사람에게는 랍사게의 연설이 아주 설득력이 있었고 결정적이었습니다. 이스라엘에게는 포기하고 항복할 명분이 되었습니다. 바로 그런 이유 때문에 이스라엘의 사절들은 랍사게에게 아람어로 말하도록 요청한 것입니다. 당시에 아람어는 중동 지역의 공통적인 방언이었지만 아직 이스라엘 백성은 일반적으로 알아듣지 못하는 말이었습니다. 책임을 맡은 담당자들인 사절들은 랍사게의 연설을 듣고도 물리칠 수 있었지만, 성벽에 둘러싸여 있는 군중이 듣고 받게 될 심리적인 충격을 두려워했던 것입니다. 그들은 그 군중의 믿음과 결단을 신뢰하지 못했던 것입니다. 그들은 랍사게가 펼친 주장들이 아주 강력하여 압도하리라 판단합니다.

2

랍사게는 반대로 더욱 공세를 취하여서 그들이 두려워하는 것을 보고 또 다른 연설을 시도합니다. 그것은 훨씬 더 거친 것이지만 전형적인 선전 전략에 따른 것이었습니다. 그는 직접적으로 이스라엘 백성에게 말하여 항복으로 치닫게 하는 군중의 동요를 얻어내고자 했습니다. 그는 사람들에게 그들의 비참한 상태, 기근에 대해서 언급하는 것으로 시작해서 그들의 상황이 절망적이라는 점을 주장했습니다. 이어서 최근 현대전의 선전 전략에 필적하는 세 가지 심리전 방식이 등장합니다. 첫 번째는 군중과 그 지도자들을 분리시키는 것입니다. "히스기야가 너희를 속이고 있다. 히스기야의 말을 듣지 말라." 아주 고전적인 방식으로 정치 지도자들에 대한 군중의 신뢰를 무너뜨리고 지도자를 정죄하고, 자신들을 해방자로 소개하는 것입니다. "히스기야는 너희를 속이고 있다. 우리는 선한 뜻이 있다. 히스기야는 너희를 설득하기 위해서 거짓 선전을 하고 있다. 너희에게 말하는 나는 아주 정직하다. 그리고 우리가 싸우는 것은 이스라엘의 백성이 아니라, 너희를 인도하는 인도자들과 지도자들과 너희의 왕이다. 너희가 그들에게서 벗어난다면 그러나 너희 스스로 그렇게 하라 평화가 임할 것이다."

이는 참으로 정치적인 선전 전략에 따른 연설입니다. 그러나 이는 또한 교회에 대한 세상의 전통적인 입장이라는 점을 기억해야 합니다. "무서운 사제들과 수도승들에게 착취당하는 불쌍한 사람들이여." "너는 굶주림에 시달리는데 주교들은 부를 축적하고 참사원들은 살쪄 있다." "사람들은 지어낸 이야기과 거짓말로 너희를 꼬드긴다. 신학과 세례문답과 더 나아가 신앙으로 너희를 소외시킨다. 그러나 우리는 너희를 해방하기 위하여 왔다." 근대에 들어와서 해방자라는 칭호를 사용한 것은 누구보다도 나폴레옹과 히틀러였다는 점을 잊지 말아야 합니다. "우리는 정직하다. 우리가 이렇게 말하는 것을 통해 얻는 이익은 하나도 없다. 그런데 너희를 신앙의 굴종에 얽매이게 하는 사람들은 실제로는 더러운 이익을 얻으려고 그렇게 한다." 국민공회나 나폴레옹이나 히틀러나 스탈린이나 라이크나 카스트로나 그 누구이든 간에 세상이 종교를 박해하기 시작할 때 그것은 신실한 믿음의 사람들을 향한 것이 아니고 오히려 세상은 이들에게 좋은 일이 있기만을 바랍니다 기독교를 이용한 사람들로 이뤄진 당파를 향한 것입니다. 그것은 결코 신앙을 물리치기 위한 동기에서 하는 것이 아닙니다. 그 당파가 체제에 대항하고 음모를 꾸미고 국제적인 유대인 그룹을 원조한다거나 거대한 자본가들을 지원하기 때문입니다.

랍사게의 이 연설은 놀라울 만큼 현대적입니다. 우리에게 그는 세상이 항상 교회에 대하여 가지는 태도를 보여줍니다. 그것은 역사에 끊이지 않고 반향을 일으키는 논리로서 세상이 교회에 반대하는 흐름 속에 있습니다. 신앙 고백자들과 목양자들을 하나님의 백성으로부터 분리시키려고 하는 비난은 오늘날 괄목할 만한 성과를 거두고 있습니다. 그 때문에 하나님의 백성은 목자 없는 양떼들이 되어 온갖 종류의 독트린에 이리저리 휩쓸려가고 맙니다.

사악한 인도자들에 대해 비난을 하고 난 뒤에는 약속이 뒤따릅니다. "너희가 너희의 왕사제들, 교회 등등을 버리기만 하면, 너희가 나와 랍사게와 세상과 타협하기만 하면 너희는 행복해질 것이다. 너희는 각자 자신의 포도밭에서 난 것을 먹을 것이고, 나는 너희를 아주 부요한 나라로 데리고 갈 것이며 너희는 거기서 행복하게 살 것이다." 실제로 너희가 굶주리고 불행하고 너희 밭의 과일을 먹을 수가 없게 된 것은 너희를 착취하는 사람들의 잘못이다. 그것은 그 사람들 편에 선 교회의 잘못이다. 만약에 너희가 신앙을 포기하고 하나님이 약속한 장래에 대한 헛된 희망을 내려놓는다면, 너희가 나와 언약을 맺고 세상 임금인 나를 위해 일한다면, 너희는 행복을 얻을 것이고 나는 너희를 풍요한 나라로 인도할 것이다. 너희는 영원히 죽지 않고 살 것이다." 여기서도 우리는 반기독교적인 선전 논리를 발견합니다. 전혀 새로운 것이 없습니다. "세상의 왕국들을 보라. 네가 내 앞에서 절하면 내가 저 모든 것을 너에게 주리라." 우리는 에덴동산 때부터 그런 약속이 뜻하는 것이 무엇인지 알고 있습니다. 그러나 그 약속은 늘 성공을 거둡니다. 권력이나 행복을 위해서 인간은 항상 주님을 떠날 채비가 되어 있습니다. 다 빼앗긴 사람들, 프롤레타리아나 개발도상국 국민그렇지만 그들이 놓인 처지는 여기 포위된 예루살렘 거주민들보다는 나은 것입니다을 향해 그 논리가 펼쳐지면 오늘날 그 파괴적인 영향은 더더욱 커집니다. 그 부정적인 측면에서 그 논리는 정확합니다. 착취자들이 있다는 것도 엘리트 집단의 억압이 있다는 것도 사실입니다. 그리고 랍사게 당시의 이스라엘에서도 그 논리는 사실을 말해줍니다. 예언자 미가는 그때에 이미 아주 강력하게 불의와 축재와 가난한 사람들의 착취를 비판합니다. 사람들은 집에서 여자들을 쫓아내고 곤궁한 사람들의 살가죽을 벗기며 이스라엘의 임금들은 법을 왜곡시켰습니다. 그들은 불의로 예루살렘을 세우고 예언자들은 돈을 위해서 말씀을 전했습니다. 예루살렘과 택함 받은 백성의 특성이 도덕적인 붕괴와 사회적인 불의가 되었습니다. 랍사게의 연설은 정확한 사실확인에 근거를 둔 것으로 그 선전 대상은 그 모든 것을 이미 겪은 사람들이었습니다. 바로 그것이 그의 논리가 그렇게 강한 설득력으로 다가오게 하는 이유입니다. 또한, 바로 그것이 내가 위에서 말한 것이 전혀 의미가 없게되는 이유도 됩니다. "교회는 올바르고 선하고 세상은 교회를 불의하게 공격합니다." 그리스도인들과 교회를 향한 세상의 선전 논리는 아주 정확합니다. 모든 선전이 그런 것처럼 교회를 향한 공격에는 그 든든한 근거가 있습니다. 그러나 모든 선전이 그런 것처럼 랍사게의 연설은 철저한 거짓말입니다. 그것은 두 가지 면에서 헛된 말에 지나지 않았습니다. 먼저 그 약속들과 랍사게가 언급한 정직성이라는 면에서 그렇습니다. "교회는 거짓말을 하지만 나, 세상은 거짓말을 하지 않는다." 그런데 랍사게 자신도 그가한 약속들이 헛된 것이므로 거짓말을 한 것입니다. 그 약속들은 함정일 뿐이었습니다.

랍사게가 교회는 억압자들의 편이라고 하면서 자신이 행복을 주려고 왔다고 했을 때 그는 거짓말을 한 것입니다. 왜냐하면, 그 자신이 전에 존재했던 그 누구보다도 더 억압적이기 때문입니다. 이스라엘에서 가난한 사람들이 착취를 당했다는 말은 맞는 말입니다. 그러나 그들이 전쟁에서 패하여 포로로 잡혀가면 그들은 만 배나 더 착취를 당하게 될 것입니다. 이스라엘 백성이 권력자들의 손에 의해서 소외되었다는 말은 맞는 말입니다. 그러나 이방 민족들의 손에 잡히면 이스라엘 백성은 만 배나 더 노예로 굴종을 당할 것입니다. "내가 너희를 풍요의 나라로 데려갈 것이다." 그러나 우리는 앗시리아의 왕들이 어떻게 패전한 백성을 대했는지 알고 있습니다. 잘게 잘린 인간의 살가죽들이 왕궁의 벽들에 널려 있었습니다. 그것이 그가 약속한 행복입니다. 교회에서 사람들을 떼어놓으려고 세상이 펴는 논리의 거짓이 여기에 있습니다.

두 번째 거짓말은 이스라엘 사람들의 불의를 지적하는 것으로 시작해서 랍사게가 이스라엘 백성으로 하여금 이스라엘의 하나님을 부인하게 하려는 말에 있습니다. 세상의 전통적인 말을 보겠습니다. "그리스도인들은 부당한 취급을 받고 있다. 그것을 확인하기는 쉬운 일이다. 교회는 하나님의 나라가 아니다. 그러므로 하나님은 존재하지 않는다. 살아있는 동안에 신앙에 미혹되지 마라. 하나님은 너희를 구원하지 않는다. 하나님은 너희를 위로하지 않는다. 하나님은 너희를 부활시키지 않는다. 너희에게 그런 약속들을 전하는 사람들은 헛된 말을 하는 것이다. 그들이 너희에게 하나님을 전한 것은 자신들의 이익과 유익을 위한 것이다. 히스기야는 스스로 제일 크게 그 위협을 당하고 있었고 산헤립에게서 어떤 자비도 기대할 수 없어서 예루살렘이 끝까지 버티도록 해야만 했기에, 실제로 하나님은 좋은 선전 수단일 수가 있었습니다 그것은 너희를 노예로 삼고 착취하려는 것이다. 여기서 우리는 뱀이 하나님을 비난한 말을 떠올려볼 수 있습니다 하나님이 주는 장래에 대한 소망은 버려라. 너희 스스로 너희의 장래를 만들어라. 너희의 장래를 만들려면 차라리 산헤립을 신뢰하라. 하늘로부터 구원이 임하고 정의의 확립이 이루어질 것이라고 기대하지 마라. 그것은 너희 가까이 있다. 세상의 권력 앞에 너희 자신을 내려놓고 굴복하면 되는 것이다. 이 무익한 하나님을 신뢰하지 마라. 합리적인 결정, 이성적으로 가능한 결정을 내리라." 이것이 랍사게가 강력하고 현실적인 말로 한 연설의 요지입니다. 이제 정상적인 결정은 포위된 백성이 항복하는 것으로 끝나는 겁니다. "하나님은 너희의 구원을 원치 않는다. 이제 하나님을 떠나는 것은 더는 이스라엘의 권력자들과 그리스도인들의 사악함 때문이 아니다. 세상이 발전하는 것은 이제 하나님을 바로 공격하는 데 있다. 앗시리아의 논리는 지금 우리의 논리와 같다. 너희가 말하는 그 하나님은 모든 열방의 신과 같다. 다른 신들이 정복자에 대해서 무슨 일을 할 수 있었는가? 열방의 신들은 각자 앗시리아 왕의 손에서 자기 나라를 구원하였는가? 스발와임과 하맛과 아르밧의 신들이 어디 있느냐? 그 신들은 그들을 믿는 그 백성과 함께 다 제거되었다. 여호와도 그 신들과 다르지 않다. 그가 예루살렘을 구하는데 무엇을 더 할 수 있겠는가?" 얼마나 자주 우리는 이런 말을 듣게 되는지 모릅니다. "폴리네시아와 반투족과 콰키우틀족의 신들은 그 백성을 보호하지 못했다. 그 신들은 사람이 만든 존재들이고 문화의 산물이다. 사람들이 그 신들을 믿지 않게 된 순간부터 그 신들은 무너졌다. 그 신들이 없이도 모든 일이 잘 돌아갔다. 예수 그리스도의 경우도 마찬가지이다. 비기독교 국가들도 모든 일이 잘 진행되고 있다. 더 잘 진행되기조차 한다. 실제로 영속적인 유일한 실상은 신들을 만들고 신들을 없애 버리는 인간의 위대성이다. 과학과 과학을 이용한 인간이 하나님으로부터 벗어난 뒤에 이룩한 기적들과 같은 것을 하나님의 도움을 받아서 실현할 수 있는가? 인간 역사에는 그 신들의 시체가 널려 있다. 이는 마치 산헤립이 정복하며 나아가는 길에 그 우상들이 무너져내린 것과 같다. 이제 예수 그리스도의 차례이다. 너희의 때를 취하라. 너희의 때는 산헤립의 영광의 때요 인간의 영광의 때다." 하나를 다른 하나에 정확히 동화시킬 수가 있습니다. 왜냐하면, 가장 현대적인 연설도 정복자 앗시리아 왕의 말과 같기 때문입니다. "나는 내 손의 힘과 내 지혜로 이 일을 행하였나니 나는 총명한 자라. 열국의 경계선을 걷어치웠고 또 용감한 자처럼 위에 거주한 자들을 낮추었으며 … 온 세계를 얻었다" 사10:12-14 이것이 정말 주전 5세기에 한 말들입니까? 현대인이 생각하는 것을 다 요약한 내용 같지 않습니까? 랍사게가 포위된 사람들에게 신앙의 허망함과 기도의 무익함을 주장한 것은 교회를 포위하고 있는 지금 세상의 입장과 정확히 일치합니다. 랍사게는 사실에 근거를 두고 말합니다. 즉 그의 말은 혁혁한 승리와 앗시리아의 권세에 기반을 둔 것입니다. 세상도 사실에 기반을 둡니다. 과학과 진보의 기적들이라는 사실입니다. 목적은 같습니다. 예루살렘이 합리적이고 확실한 이유에 따라서 항복해야 한다는 것은 곧 그리스도인들이 세상의 대열을 따라가야 한다는 것과 같은 것입니다. 대체할 대안은 없습니다. 정치는 우리로 하여금 문제를 일반화시키게 합니다. 왜냐하면, 실제로 문제는 일반적이기 때문입니다. 그러나 정치는 모든 대립과 갈등이 명료하게 드러나게 하는 것으로 거기서 주님을 대적하는 권력들이 모여서 연결되는 것입니다.

3

이 뛰어난 선전 연설을 듣고 나서 이스라엘 백성은 침묵합니다. 백성이 충격과 감동을 받아서 찬동했다는 얘기는 물론 없습니다. 그들은 틀림없이 그랬을 것입니다. 달리 어떻게 할 수 없었을 것입니다. 그러나 그들은 아무것도 말하지 말고 대꾸도 하지 말라는 왕의 명령을 받았습니다. 논쟁을 벌인다거나 대화를 하는 것도 금지되었습니다. 이는 많은 의미가 있습니다. 전쟁에서 패하고 굶주린 그 백성이 아직도 자신들의 왕을 신뢰하고 왕의 명령을 듣는다는 것 자체가 이미 많은 의미가 있는 것입니다. 오늘날 우리가 알고 있는 혼란에 빠진 교회에서 교회의 교인들이 아직도 자신들의 교회 지도자들과 그들의 권면을 받아들이고 존중한다면 얼마나 좋겠습니까. 세상이 교회를 공격하고 국가가 교회에 공세를 취할 때에 유일한 합리적인 대책은 침묵입니다.

오늘날 교회 내부에서는 열성적인 포교를 하지 말고 변증을 하지 말라는 말에 사람들이 많이 사로잡혀 있습니다. 이는 마치 아무것도 모르고 아무것도 없는 가난한 사람들에게 선전 전략을 사용하면서 사회적으로 교회가 승리를 구가하던 시대에 아직도 우리가 사는 것처럼 착각하는 것입니다. 상황을 그렇게 파악하는 것은 이미 오래전에 다 끝난 일입니다. 교회는 반대로 이제 선전 전략에 당하고 있습니다. 교회는 정치적으로 포교를 당하는 처지에 있습니다. 그러나 이 새로운 상황 속에서는 논쟁이나 변증은 더는 합당한 것이 아닙니다. 세상이 교회에 던지는 선전 전략에 대해서 교회는 침묵할 수밖에 없습니다. 왜냐하면, 하나님에 관한 어떤 참된 증언도 가능하지 않기 때문입니다. 랍사게에게 응답할 말은 없습니다. 왜냐하면, 할 수 있는 모든 말을 다 한다 해도 그에게는 소귀에 경 읽기이기 때문입니다.

선전 전략은 주님에 관한 모든 증언을 금지합니다. 선전 수단들을 사용하는 것은 복음을 전하는 것에 반하는 것입니다. 선전을 하는 사람에게는 선전에 반하는 것을 할 도리밖에 없습니다. 그러므로 교회는 침묵해야 합니다. 대화가 아닌 침묵을 해야 합니다. 이 세상에서, 특히 정치적인 세계에서 그리스도인의 사명은 대화로서, 신자와 불신자 간의 대화뿐만 아니라 서로 이해할 수 없는 적들 간의 다리와 통역이 되는 대화라고 나는 수차례 얘기하곤 했습니다. 그러나 그런 대화는 아무렇게나 할 수 있는 것도 아니고 아무런 대가도 치르지 않고 할 수도 없습니다.

우리를 우리의 하나님으로부터 분리시키고 세상의 승리를 확보하려 하면서 예수에게 한 유혹을 우리에게 다시 하려고 선전을 이용하고 교회를 돈이나 국가 권력에 굴복시키려는 영화롭고 권세 있는 존재와 함께하는 대화는 필요 없습니다. 왜냐하면, 대화는 그 자체에 가치가 있는 것이 아니며 그리스도인의 삶을 가장 숭고하게 구현하는 것이 아니기 때문입니다. 그 경우엔 침묵만이 필요합니다. 그리고 우리가 곧 보게 되는 바와 같이 회개와 기도가 필요한 것입니다. 확실히 대화는 아무 때나 아무나 하고 하는 것이 아닙니다. 랍사게는 하나님의 백성과의 대화에서 배제됩니다. 대화할 때가 있고 침묵할 때가 있다고 전도서는 말합니다. 우리는 거기에 대해서 자주 묵상할 필요가 있습니다.

제7장

히스기야

열왕기하 19장

1 히스기야 왕도 이 말을 듣고, 울분을 참지 못하여 자기의 옷을 찢고, 베옷을 두르고, 주님의 성전으로 들어갔다. 2 그는 엘리야김 궁내대신과 셉나 서기관과 원로 제사장들에게 베옷을 두르게 한 뒤에, 이 사람들을 아모스의 아들 이사야 예언자에게 보냈다. 3 그들이 이사야에게 가서 히스기야 왕의 말씀이라고 하면서, 이렇게 말하였다. "오늘은 환난과 징계와 굴욕의 날입니다. 아이를 낳으려 하나, 낳을 힘이 없는 산모와도 같습니다. 4 주 예언자님의 하나님께서는, 랍사게가 한 말을 다 들으셨을 것입니다. 랍사게는, 살아 계신 하나님을 모욕하려고, 그의 상전인 앗시리아 왕이 보낸 자입니다. 주 예언자님의 하나님께서 그가 하는 말을 들으셨으니, 그를 심판하실 것입니다. 예언자님께서는 여기에 남아 있는 우리들이 구원받도록 기도하여 주십시오." 5 히스기야 왕의 신하들이 이사야에게 가서 이렇게 말하니, 6 이사야가 그들에게 대답하였다. "당신들의 왕에게 이렇게 전하십시오. 주님께서 이렇게 말씀하십니다. '앗시리아 왕의 부하들이 나를 모욕하는 말을 네가 들었다고 하여, 그렇게 두려워하지 말아라. 7 내가 그에게 한 영을 내려 보내어, 그가 뜬소문을 듣고 자기의 나라로 돌아가게 할 것이며, 거기에서 칼에 맞아 죽게 할 것이다.' " 8 랍사게는 자기의 왕이 라기스를 떠났다는 소식

을 듣고 후퇴하여, 립나를 치고 있는 앗시리아 왕과 합세하였다. 9그 때에 앗시리아 왕은 에티오피아의 디르하가 왕이 자기와 싸우려고 출전하였다는 말을 들었다. 그리하여 그는 히스기야에게 다시 사신들을 보내어, 이렇게 말하였다. 10"너희는 유다의 히스기야 왕에게 이렇게 전하여라. '네가 의지하는 네 하나님이 예루살렘을 앗시리아 왕의 손에 넘어 가게 하지 않을 것이라고 해도, 너는 그 말에 속지 말아라. 11 너는 앗시리아의 왕들이 다른 모든 나라를 멸하려고 어떻게 하였는지를 잘 들었을 것이다. 그런데 너만은 구원을 받을 수 있을 것이라고 믿느냐? 12나의 선왕들이 멸망시킨 고산과 하란과 레셉과, 그리고 들라살에 있는 에덴 족을 그 민족들의 신들이 구하여 낼 수 있었느냐? 13하맛의 왕, 아르밧의 왕, 스발와임 도성의 왕, 그리고 헤나와 이와의 왕들이 모두 어디로 갔느냐?'" 14히스기야는 사신들에게서 이 편지를 받아 읽었다. 그리고는 주님의 성전으로 올라가서, 주님 앞에 편지를 펴 놓은 뒤에, 15주님께 기도하였다. "그룹들 위에 계시는 주 이스라엘의 하나님, 주님만이 이 세상의 모든 나라를 다스리시는 오직 한 분뿐인 하나님이시며, 하늘과 땅을 만드신 분이십니다. 16주님, 귀를 기울여 들어 주십시오. 주님, 눈여겨 보아 주십시오. 살아 계신 하나님을 모욕하는 말을 전한 저 산헤립의 망언을 잊지 마십시오. 17주님, 참으로 앗시리아의 왕들이 여러 나라와 그 땅을 마구 짓밟아 버렸습니다. 18여러 민족이 믿는 신들을 모두 불에 던져 태웠습니다. 물론 그것들은 참 신이 아니라, 다만 나무와 돌로 만든 것이었기에, 앗시리아 왕들에게 멸망당할 수밖에 없었습니다마는, 19주 우리의 하나님, 이제 그의 손에서 우리를 구원하여 주셔서, 세상의 모든 나라가, 오직 주님만이 홀로 주 하나님이심을 알게 하여 주십시오." 20아모스의 아들 이사야가 히스기야에게 사람을 보내어, 이렇게 말하였다. "주 이스라엘의 하나님께서는, 임금님께서 앗시리아의 산헤립 왕의 일 때문에 주님께 올린 그 기도를 주님께서 들으셨다고 말씀하시면서, 21앗시리아 왕을 두고 다음과 같이 말씀하셨습니다. '처녀 딸 시온이 오히려 너 산헤립을 경멸하고 비웃을 것이다. 딸 예루살렘이 오히려 물러나는 네 뒷모습을 보면서 머리를 흔들 것이다. 22네가 감히 누구를 모욕하고 멸시하였느냐? 네가 누구에게 큰소리를 쳤느냐? 나 이스라엘의 거룩한 자에게 감히 네 눈을 부릅떴느냐? 23네가 전령들을 보내어 나 주를 조롱하며 말하기를, 내가 수많은 병거를 몰아 높은 산 이 꼭대기에서 저 꼭대기까지 레바논의 막다른 곳까지 깊숙이 들어가서 키 큰 백향목과 아름다운 잣나무를 베어 버리고, 울창한 숲 속 깊숙이 들어가서 그 끝까지 들어갔고, 24그리고는 땅을 파서 다른 나라의 물을 마시며, 발바닥으로 밟기만 하고서도 이집트의 모든 강물을 말렸다고 하였다. 25그러나 산헤립아, 너는 듣지 못하였느냐? 그런 일은 이미 내가 오래 전에 결정한 것들이고, 이미 내가 아득한 옛날부터 계획한 것들이다. 이제 내가 그것을 이루었을 뿐이다. 그래서 네가 견고한 요새들을 돌무더기로 만들고, 26 여러 민족의 간담을 서늘하게 하고, 공포에 질리게 하고, 부끄럽게 하였다. 민족들은 초목과 같고 자라기도 전에 말라 버리는 풀포기나 지붕 위의 잡초와 같았다. 27나는 다 알고 있다. 네가 앉고 서는 것, 네가 나가고 들어오는 것, 네가 내게 분노를 품고 있다는 것도, 나는 모두 다 알고 있다. 28네가 내게 품고 있는 분노와 오만을, 이미 오래 전에 내가 직접 들었기에, 내가 네 코에 쇠 갈고리를 꿰고, 네 입에 재갈을 물려, 네가 왔던 그 길로 너를 되돌아가게 하겠다. 29히스기야야, 너에게 증거를 보이겠다. 백성이 금년에 들에서 저절로 자라난 곡식을 먹고, 내년에도 들에서 저절로 자라난 곡식을 먹을 것이다. 그러나 내후년에는 백성이 씨를 뿌리고 곡식을 거둘 것이며, 포도밭을 가꾸어서 그 열매를 먹게 될 것이다. 30유다 사람들 가운데서 환난을 피하여 살아 남은 사람들이 다시 땅 아래로 깊이 뿌리를 내리고, 위로 열매를 맺을 것이다. 31살아 남은 사람들이 예루살렘에서부터 나오고, 환난을 피한 사람들이 시온 산에서부터 나올 것이다. 나

주의 열심이 이 일을 이룰 것이다.' 32그러므로 앗시리아의 왕을 두고, 주님 께서 이렇게 말씀하십니다. '그는 이 도성에 들어오지 못하며, 이리로 활 한 번 쏴 보지도 못할 것이다. 방패를 앞세워 접근하지도 못하며, 성을 공격할 흙 언덕을 쌓지도 못할 것이다. 33그는 왔던 길로 되돌아간다. 이 도성 안으 로는 결코 들어오지 못한다. 이것은 나 주의 말이다. 34나는 내 명성을 지키 기 위해서라도 이 도성을 보호하여 구원하고, 내 종 다윗을 보아서라도 그 렇게 하겠다.'" 35그 날 밤에 주님의 천사가 나아가서, 앗시리아 군의 진영에 서 십팔만 오천 명을 쳐죽였다. 다음날 아침이 밝았을 때에 그들은 모두 주 검으로 발견되었다. 36앗시리아의 산헤립 왕이 그 곳을 떠나, 니느웨 도성 으로 돌아가서 머물렀다. 37그러던 어느 날, 그가 자기의 신 니스록의 신전 에서 예배하고 있을 때에, 그의 아들 아드람멜렉과 사레셀이 그를 칼로 쳐 죽이고, 아라랏 땅으로 도망하였다. 그의 아들 에살핫돈이 뒤를 이어 왕이 되었다.

이 장의 시작 부분은 비참하기 그지없습니다. 히스기야 왕을 옥죄는 앗시리아 군대 앞에서 펼쳐진 랍사게의 뛰어난 연설은 히스기야 왕의 무능함을 그대로 다 드러내는 것 같습니다. 그는 옷을 찢습니다. 그것 은 절망을 표현하는 전통적인 방식입니다. 이와 유사한 상황에 있던 사마 리아에서 요람 왕도 그렇게 행동했던 것을 우리는 알고 있습니다. 그는 훌 륭한 연설로 대응한다거나 백성에게 열정적으로 호소한다거나 방어에 취 약한 지점들을 서둘러서 보강한다거나 가능한 식량 보급로를 알아본다거 나 최상의 군사적인 대비를 꾀한다거나 또는 아주 능숙하게 협상을 모색 한다거나 하지 않았습니다. 그 대신에 그는 성전의 하나님 앞으로 물러나 서는 예언자 이사야에게 사람들을 보냅니다. 달리 말하자면 그것은 정확히 예후나 아하스가 취한 태도와는 정반대입니다. 현실적인 관점에서 이러한 태도는 아주 무능하고 비겁하고 무책임한 것으로 보일 수밖에 없습니다. 왜냐하면, 왕의 역할은 자기 백성을 지키려고 물리적인 수단들을 사용하는 것이기 때문입니다. 그것은 현실 앞에서 그리스도인들이 도피하는 것과 같습니다. 그런 태도는 수도 없이 비난을 당해왔습니다. 그리스도인은 어려움과 마주치면 하나님의 옷자락으로 도피하여 헛된 소망과 의지처를 구하는 비겁자라고 합니다. 마르크스주의자들은 그런 태도를 이념적인 아편이라고 규정하고, 심리학자들은 유아적 퇴행 심리라고 하며 사회학자들은 인위적인 문화적 안위를 구하는 것이라고 합니다. 그러나 사람들이 그런 평가들을 내리는 데 비해 성서는 달리 말하고 있으니 먼저 성서에 귀를 기울여야 하지 않을까 싶습니다.

1

요람 왕은 자신의 옷을 찢었습니다. 그리고 그가 목격한 도덕적 파탄의 상황 앞에서, 거기에 대해 어떻게 대응할 수 없는 자신의 무능력함 때문에 그는 절망했습니다. 히스기야도 그렇게 절망하지만, 그것은 여러 가지 다른 이유 때문입니다. 포위 공격이 너무 힘들어서 그런 것이 아닙니다. 상황이 절망적으로 보여서 그런 것이 아닙니다. 적의 선전 공작의 효과를 두려워해서 그런 것이 아닙니다. 그의 백성은 잘 버텼고 그에게 복종했습니다. 선전 공작은 실패로 끝났습니다. 그렇다면, 무엇 때문일까요?

그가 절망하게 된 유일한 동기는 앗시리아 왕이 현존하는 하나님을 모독한 것에 기인합니다. 그것이 근본적인 문제였습니다. 히스기야는 화가 나고 분해서 옷을 찢었습니다. 그리고 하나님이 인간에게 그토록 모독을 받을 수 있다는 데 절망해서 그렇게 했습니다. 인간이 직접 하나님을 공격했기에 그 날은 고통스러운 날이었습니다. 그 날은 아이들이 막 태어나려 할 때에 해산할 힘이 더는 남아있지 않게 된 날이었습니다. 왜냐하면, 힘과 생명을 주는 현존하는 하나님이 모독을 당했기 때문입니다. 이후로는 더는 아무것도 할 수 없습니다. 문제가 정치적이었다 할지라도 이제 그것은 더는 정치적인 일이 아니었습니다. 정치적인 차원을 넘어서 버린 것입니다. 정치적인 지도자로서 왕은 아무것도 할 수 없었습니다. 그는 전투할 수도 있고 협상을 벌일 수도 있습니다. 그러나 이제는 그것이 문제가 아니었습니다. 사람들이 하나님이 우상이라 하고, 하나님이 이방 민족들의 신들과 같다고 하고, 하나님은 멸망시키는 하나님이 아니라 구원하는 하나님이라고 믿는 것은 헛된 환상이라고 했습니다. 이제 문제는 하나님의 명예에 관한 것입니다. 그것이 진정한 문제입니다.

　히스기야는 이제 왕으로서의 모범이 되었습니다. 왜냐하면, 그는 정치의 한계가 무엇인지 아는, 흔치 않은 왕 중의 하나가 되었기 때문입니다. 사람이 할 수 있는 일이 많지만, 그러나 거기에는 한계가 있습니다. 인간이 그 한계, 즉 하나님의 명예라는 한계에 부딪히면 이중적인 유혹을 받게 됩니다. 하나는 그것을 넘어서서 자신이 하나님의 입장을 맡아서 하나님의 명예를 위해 복수하며, 그 복수를 목적으로 현존하는 하나님을 위해 정치적인 수단들을 사용하는 것입니다. 또 다른 하나는 그 한계 아래에서 아무일도 일어나지 않았던 것처럼 정치를 계속하는 것입니다. 달리 말하자면, 두 개의 영역을 분리하는 것입니다. 하나님의 명예는 정치적인 한계를 넘어서는 문제이므로 나는 아무것도 할 수 없습니다. 그러나 그 한계 아래에서 나는 신중하고 능력 있는 사람으로 처신하면서 인간적인 수단들을 동원해서 구할 수 있는 것을 구하고자 최선의 정치를 할 것입니다. 히스기야의 태도는 정확하게 말하면 세상의 공격으로 하나님의 명예가 걸린 일은 사람이 담당할 일이 아니라는 것입니다. 그러나 그 시점에서 그 두 개의 영역을 분리시킬 수도 없습니다. 그래서 정치의 유보 상태가 생겨납니다. 그 전에 우리는 윤리의 유보 상태를 보았습니다. 이제 같은 문제의 다른 측면이 등장합니다. 하나님을 직접적으로 공격하여 한계를 벗어난 행위는 긍정적이든 부정적이든 가능한 모든 정치를 무력화시켰습니다. 정치적인 행위의 의미조차도 사라져버린 것입니다. 이제 인간의 행위라는 영역에 국한하는 것도 소용이 없습니다. 왜냐하면, 그것이 더는 아무런 의미나 내용을 가지지 못하기 때문입니다. 어쩌면 우리가 그런 상황에 처한 시대를 살고 있을 수도 있으니 우리도 이 현상을 깊이 묵상해보는 것이 좋을 듯합니다. 그 시점에서 정치 행위를 포함한 인간의 모든 총체적인 행위는 성전에 가는 것과 예언자를 청하는 것 이외에는 길이 없습니다. 히스기야 왕은 이런 상황에서는 더는 왕일 수가 없습니다. 그는 모든 문제를 예언자의 손에 맡깁니다. 그는 바로 요람과 아하스가 행하기를 부정한 것을 행합니다. 우리는 어떻게 그렇게 되었는지 앞에서 살펴보았습니다.

그때부터 그 일은 두 단계로 전개됩니다. 왕은 예언자 이사야에게 의뢰했습니다. 이사야는 예언을 통해 위로의 말을 전합니다. 하나님이 그 신성모독 사건을 알았습니다. 하나님은 앗시리아 왕이 물러나도록 할 것입니다. 그것이 제일 먼저 일어날 일이었습니다. 산헤립은 남쪽에서 군사적 위협이 있다는 소식을 받았습니다. 그는 가서 재빨리 구스의 왕을 물리쳐 그를 제압하고 나서 예루살렘으로 돌아와 승리를 쟁취할 작정이었습니다. 산헤립은 자신의 의지와 확신을 다시 전하며 또다시 모욕을 주었습니다. 그는 유다 왕에게 편지를 씁니다. "내가 부분적으로 포위를 풀었다고 해서 그 부분에서 승리를 얻었다고 생각하지 말라. 내가 다시 올 것이다. 그때는 끝을 내고야 말 것이다." 그러나 그는 그렇게 위협하는 것으로 그치지 않았습니다. 편지 내용에 나타나는 한 가지 특성이 주목할 만합니다. 그것은 모든 내용이 하나님의 행동이라는 문제에 집중되어 있다는 것입니다. "너를 하나님이 구원한다는 믿음으로 인해서 스스로 속지 말라." 이어서 그는 랍사게의 논리를 다시 폅니다. "모든 국가들이 그 국가들의 신들이 있었음에도 불구하고 패배했으니 너의 신도 패배하고 말 것이다." 어쩌면 산헤립은 예루살렘 백성이 구스 왕 디르하가의 공격 소식을 하나님의 기적으로 보고 있다는 소문을 들었을지도 모릅니다. 아마도 산헤립도 역시 그 당시의 정신적인 풍조의 영향을 받았을 것입니다. 즉, 모든 사건의 배후에는 신들이 개입하니, 이번 일도 마찬가지일 것이라고 그는 생각했을 것입니다. 그러니 이제 여호와가 개입할지도 모릅니다. 어쨌든 산헤립은 이 일에 끝을 맺고자 하여서, 자신의 인간적인 능력이 하나님을 능가하는 것을 보여주고자 했습니다. 히스기야는 이 편지를 받고서 앗시리아 왕이 이 사건 속에서 역사하는 하나님의 손길을 인정하지 않는다는 점을 확인했습니다. 그는 앗시리아 왕이 그 모든 일 속에 있는 영적인 징조를 보지 않으려고 눈을 감아버린 것과 또 그 점을 분명히 말한 것을 확인했습니다.

"이것은 하나님으로부터 온 것이 아니다. 하나님을 정치적인 사건들에 연루시키지 말라." 이사야가 선포했던 징조가 일어났습니다. 그러나 그 일에 관련된 중심인물이 그것을 징조로 받아들이지 않았습니다. 이는 그로 하여금 하나님에게 가했던 신성모독죄를 회개하지 못하게 하였습니다. 그와 정반대로 그는 신성 모독을 배가합니다. 이제 히스기야로서는 하나님에게 호소하는 길밖에 없었습니다. 그는 이제 더는 예언자의 중재를 통해서 행동할 수가 없었습니다. 히스기야는 앗시리아 왕의 편지를 손에 들고 성전에 올라가 하나님 앞에 그 문제를 올립니다. 여기서 중요한 것은 히스기야가 승리를 간절히 구하지 않았다는 점입니다. 그는 앗시리아의 멸망을 구하지도 않았습니다. 그의 기도는 실제로 신앙 고백이었습니다. "주는 천하 만국에 홀로 하나님이시라." 그는 앗시리아 왕의 태도에 대해서 긍정적으로 대응합니다. 그는 자신의 신앙과 앗시리아 왕의 거짓말을 비교하지 않습니다. 그는 유일한 주 하나님을 향한 자신의 철저한 신앙을 확실히 하는 데 그쳤습니다. 그때에 그가스스로 의도하지 않았지만 분명한 차이가 드러납니다.

그는 하나님 앞에서 하나님을 비난하는 조롱과 그에 대한 자신의 신앙을 대비시킵니다. 거기에는 어떤 토론이나 어떤 합리적인 증거도 제시되지 않았습니다. 그는 어떤 방식으로도 하나님과 우상들의 차이를 입증하려고 하지 않았습니다. 랍사게의 주장은 우리 시대의 사람들이 하나님을 공격하는 논리들이 가지는 특성들을 다 갖추고 있다는 사실을 기억한다면, 거기에 대해서 철학이나 경험이나 과학으로도 우리가 대응할 수 없다는 사실을 인지하는 것이 중요합니다. 히스기야의 유일한 대응책은 신앙 고백을 담은 기도입니다. 그는 앗시리아 왕의 주장이 정확하다는 것을 인정합니다. 그가 모든 민족을 무찌르고 그들의 신을 무너뜨렸다는 것은 사실입니다. 현대인의 모든 주장은 현실을 근거로 하고 있다는 점도 사실입니다. 하나님은 죽었습니다. 기독교는 실패했습니다. 기독교 세계는 해체되었습니다. 종교는 인간 정신의 진화의 어떤 단계와 연결되어 있습니다. 이 모든 말은 정확합니다. 이 모든 것에 대해서는 히스기야의 선언만이 그 대답이 됩니다. "그들은 신이 아니요 … 하나님과 같은 신은 어디에도 없습니다." 사람들이 언급하는 모든 것은 예수 그리스도의 아버지이자 하나님과는 관련이 없습니다. 나는 아무런 증거도 제시할 수 없지만, 마치 내가 살아있는 걸 아는 것처럼 나는 압니다. 결국, 히스기야가 이스라엘의 구원을 요청하는 것은 승리를 얻기 위해서나 정치적인 승리를 얻어내기 위한 것이 아니고 앗시리아 왕에게 복수하기 위한 것도 아닙니다. "그것은 천하 만국이 주 여호와가 홀로 하나님이신 줄 알게 하려는 것입니다." 하나님의 영광은 하나님의 명예에 가해진 신성 모독에 대한 유일한 해결책입니다. 하나님에게서 온 정치적인 행위는 이론의 여지없이 주 하나님을 나타내고, 예루살렘과 교회의 연약한 신앙은 모든 나라에 대한 하나님의 주권을 모든 사람이 인정하는 계기가 됩니다. 하나님의 보편성은 이처럼 선포될 수 있습니다. 선포될 뿐만 아니라 드러나게 됩니다. 왜냐하면, 하나님만이 자신의 보편성을 보여줄 수 있기 때문입니다. 그것은 교회의 확장이나 디아스포라나 기독교 문명의 승리나 하나님을 위한 우리의 봉사에서 나타나지 않습니다. 그 문제는 무엇보다 우리가 더는 정치적으로 할 수 없다는 것입니다. 이는 부드러운 수사나 학문적인 대화나 내적이고 영적인 모험을 말하는 것이 아닙니다. 포위 상태와 기근, 전쟁과 패한 백성의 분할, 애굽과 앗시리아 간의 균형 등등 그 안의 모든 것이 다 정치적입니다.

모든 것이 정치적입니다. 그러나 히스기야가 비범한 것은 정치적인 문제 뒤에 있는 참된 의문을 알아챘다는 것입니다. 그것은 "누가 주인입니까?"라는 의문입니다. 물론 이 의문은 아주 진부하게 보입니다. 모든 그리스도인은 가볍고도 경쾌하고 능숙하게 대답할 것입니다. "물론 주 예수 그리스도입니다." 그러나 그 정확한 대답이 진실한 대답이 되려면 지녀야 할 무게가 빠져 있는데 그것은 정치적인 무게입니다. 여호와가 주인이라고 말한 사람을 산헤립이 사슬로 묶어서 두 눈을 파버릴 때 그 말은 의미가 있습니다. 오늘날에도 마찬가지로 기술과 행복과 국가와 돈과 공산주의는 우리의 산헤립으로서 그것들을 택할 것이냐 아니면 예수 그리스도를 택할 것이냐의 문제가 대두합니다.

이는 양자택일이지 두 가지를 함께 택할 수는 없는 문제입니다. 두 주인을 위한 자리는 추호도 없습니다. 그런데 우리는 항상 낙관적인 통합과 행복한 타협책을 찾습니다. 왜냐하면, 우리는 아직도 우리가 우리의 위안거리들인 경제 체제와 정치적인 신념들에 히스기야처럼 포위되어 있다는 것을 알지 못하기 때문입니다. 왜냐하면, 우리가 아직도 세상의 어느 정당이나 어느 국가라도 산헤립이 이스라엘에 대해 "새장의 새처럼 가두어버릴 것"이라고 주장하는 것과 같이 교회에 대해 주장하는 것을 알지 못하기 때문입니다. 그러나 동시에 우리는 그러한 권력체로부터 랍사게가 히스기야에게 제안한 것과 같은 평화의 제안을 받게 됩니다.

그래서 유일한 문제는 "누가 열국의 주인인가?"라는 것입니다. 그런 차원에서는 이 의문에 대해서 어떤 정치적인 대답도 얻을 수가 없습니다. 정치적인 대답은 이제 아주 무익한 것이고 허망한 것이며 부적절한 것입니다. 왜냐하면, 여기서 우리는 두 개의 절대적인 주장들을 대하고 있기 때문입니다. 그 중 하나는 정치적인 주장입니다. 정치가 절대적인 주장을 펼치게 되면 그 대답은 정치적인 차원에서는 찾아낼 수 없습니다. 정치적인 논쟁이 상대적인 차원에서 이루어지고 있다면 그리스도인은 이제까지 살펴본 바와 같이 고유한 능력과 수단과 책임감으로 거기에 참여할 수가 있습니다. 그러나 정치권력이 스스로 신이라 하고 인간 전체를 떠맡으려 하고 행동과 역사와 인간에게 완전한 의미를 부여해 버릴 때에는 설령 전쟁을 치른다 할지라도 어떻게 관계를 풀어갈 길이 없습니다. 왜냐하면, 그 시점부터 그 절대적인 주장에 대응할 수 있는 것은 또 다른 절대적인 주장일 수밖에 없기 때문입니다. 스스로 하나님을 자처하는 존재는 하나님이라 자처하는 또 다른 존재만이 이겨낼 수 있습니다. 공산주의만이 나치즘을 똑같은 수단으로 물리칠 수 있었습니다. 혹은 그 반대일 수도 있습니다. 그리스도인이 그 시점에서 그리스도인으로서 그 정치적인 논쟁에 참여한다면 그것은 만왕의 왕인 그리스도의 이름으로 십자군 전쟁을 치르는 것입니다. 인간의 손에서 그리스도가 절대적인 정치권력이 됩니다.

그리스도인은 더는 정치적 논쟁에 개입할 수가 없습니다. 정치의 절대적인 주장에 대해서는 하나님의 절대적인 현존만이 유일한 대응책입니다. 하나님의 절대적인 현존이 나타나야 합니다. 그러나 하나님은 믿는 사람들이 개입될 때에 행동을 취합니다. 믿는 사람들이 개입하는 것은 우리가 앞에서 언급한 것처럼 바로 그 개입을 거부하는 것입니다. 그때의 정치적인 개입은 하나님의 성전으로 물러가서 하나님을 향하여 부르짖는 것입니다. 그 순간 세상의 모든 진실한 영혼은 하나님의 진리와, 그리고 열방의 주이자 예수 그리스도의 아버지에 대한 신앙을 재천명할 수밖에 없습니다. 그것이 가장 어려운 일입니다. 우리는 그 점에 대해서 스스로 속지 말아야 합니다.

그게 어려운 일이라고 하는 것은 그런 태도가 적극적인 행동이 필요한 때에 수동적으로 보이기 때문입니다. 그러나 전쟁의 때에, 혁명의 때에 대포를 쏘는 것보다 기도하는 것이 훨씬 더 어려운 일입니다. 그게 어려운 일이라고 하는 것은 또한 그때에 모든 사람이 자신에게 반기를 들 것을 확실히 알기 때문입니다. 모든 백성이 절대적인 선택들 사이에 서로 편을 가르고서, 하나님의 성전으로 물러가는 사람을 이구동성으로 비난합니다. 그는 비겁한 사람이요 무능력자요 겁쟁이요 무익한 사람입니다. 그러한 비난은 견뎌내기가 어렵습니다. 그것은 위험한 일입니다. 왜냐하면, 그런 태도를 보이는 사람은 관련된 모든 권력체의 적이 되어서 어떤 단체나 어떤 세력들의 보호도 받지 못하게 되고 누가 승리하든지 간에 처형될 것이기 때문입니다. 그러나 정치가 절대화할 때만 그런 태도가 정당해진다는 점을 늘 고려해야 합니다. 그런데 그런 상황은 우리가 생각하는 것보다 오늘날 훨씬 더 많이 벌어지고 있습니다. 랍사게의 연설이 우리가 매일 듣는 수많은 연설과 같다는 사실을 유념해야 합니다.

2

이제 하나님이 행동을 취합니다. 우리는 여기서 아주 놀라운 진전을 봅니다. 하나님은 먼저 경고를 합니다. 이어서 하나님은 심판을 예언자를 통해서 전합니다. 그리고 마지막으로 기적적이고도 전격적인 심판의 시행이 따릅니다.

경고는 우리가 이미 보았습니다. 구스의 왕이 앗시리아를 치려고 다가옵니다. 하나님은 정치적인 행동이 일어나게 합니다. 앗시리아 왕은 자신이 그 위협에 대처해야만 하는 처지에 있음을 알게 됩니다. 그가 그것이 우연한 산물이나 단순한 정치적 계산의 결과에 그치지 않는다는 점을 알아차렸더라면 좋았을 것입니다. 그가 자신의 힘으로 감당하기에는 너무나 거대한 적을 상대하고 있다는 것을 알 수 있었더라면 좋았을 것입니다. 그러나 그는 그걸 알아보지 못했습니다. 이제는 돌이킬 수 없습니다.

히스기야의 분명한 기도에 대해 하나님은 예언자를 통해서 응답합니다. 심판이 선포됩니다. 하지만, 여기서 앗시리아를 향한 심판이 하나님의 백성인 이스라엘에 계시된 점을 주목해야 합니다. 오늘날에 사람들은 세상의 긍정적인 면과 최상의 가치만을 얘기합니다. 세상과 인간의 권력이 받을 심판을 언급하는 것은 적절치 못한 것이 됩니다. 오늘날 사람들은 교회의 부정적인 면과 무용성만을 얘기합니다. 교회에만 계시가 주어져 있다는 것과 그 계시에는 세상과 바빌론과 과학과 그 권세를 심판한 내용이 있다는 걸 언급하는 것은 적절치 못한 것이 됩니다. 우리가 보는 열왕기의 성서 본문은 명령입니다. 심판에 대해 이스라엘에 주어진 계시는 이스라엘이 받을 희망과 위로의 차원에 그치는 것이 아닙니다. 하나님은 히스기야에게 간결하게 말합니다. "내가 너의 기도를 들었노라." 하나님이 처음에 일이 잘 처리될 것이고 히스기야가 승리할 것이며 구원받을 것이라는 말을 전하러 오지 않았습니다. 처음에는 아주 단순한 정치적 사건으로 경고하였습니다. 이어서 이 첫 단계에 하나님은 다음과 같이 말합니다. "산헤립이 한 말로 두려워 하지 말라. 앗시리아 왕은 자기 나라로 돌아가게 될 것이다." 그는 히스기야를 진정시키고 포위 상태가 풀릴 것을 약속합니다. 그러나 이제 일은 더 멀리 진행됩니다. 우선적인 문제가 더는 예루살렘의 포위 상태나 하나님의 백성이 겪고 있는 극한의 고통이 아닙니다. 이제 문제는 하나님의 자리를 대신 차지하려는 인간의 교만이요 자기 높임입니다. 예루살렘 성벽 안에서 선포되어 이스라엘 백성에게 계시된 예언 속에서 하나님은 앗시리아 왕을 '너'라고 부릅니다. 하나님은 이 앗시리아 왕을 향하여 말할 때 자기 백성에게 하듯이 한 것입니다. '너'라는 호칭은 어쩌면 다시는 인간의 목소리로는 산헤립을 직접적으로 그렇게 부를 수 없는 것으로 영원 속에서 불렸습니다. 인간이 피고의 자리에 있는 그에게 하나님을 소개하는 것은 아무 소용도 없습니다. 하나님의 주권이 이 행위 속에 표명된 것으로 피고는 그의 변론을 펼칠 수도 없이 심판을 받게 된 것입니다.

그러나 그는 그전에 경고를 받았습니다. 이 앗시리아 왕은 거대한 역사를 도모했습니다. "수많은 병거를 이끌고 가장 높은 산들에 올라갔다"라고 한 그 왕은 자연을 정복하고 피조물을 굴복시키고 숲들과 산들과 강들을 지배했습니다. 그는 강들을 고갈시킬 수 있었고 숲들을 없애버릴 수 있었습니다. 그가 세계를 정복하고 변화 시키기 위해서는 어느 곳이나 가서 발바닥으로 밟으면 충분했습니다. 열왕기하 19장 23-24절의 구절들을 보면 문제는 전쟁이나 대학살이 아니라 자연에 대한 인간의 지배로서 앗시리아 왕에게는 그것이 자신의 군사적인 승리로 얻은 결과요 자신의 패권에 대한 가장 분명한 표지라는 것이 주목할 만한 점입니다. 그것은 앗시리아 왕의 최고의 패권을 보여주는 것입니다. 인간도 물론 인간의 손에 지배되는 자연 일부분에 불과합니다. "거기에 거주하는 백성의 힘이 약하여 두려워하며 놀랐나니 그들은 들의 채소와 푸른 풀과 지붕의 잡초와 자라기 전에 시든 곡초 같이 되었느니라." 사람들이 잘 잊어버리는 것은 인간의 권력이 펼쳐질 때 그 권력이 결코 모든 사람의 손에 있는 것이 아니라는 점입니다. 여기에서 인간이란 모든 인간을 의미하는 것이 아니라 소수의 몇몇 사람을 말하는 것입니다. 그것이 오늘날에는 훨씬 더 분명합니다. 그 권력은 소수 사람들에게 있으며 그들의 눈에 다른 인간들은 권력의 수단으로 자연의 일부분처럼 하나의 대상으로 다룰 존재들에 불과합니다. 그 영화와 권력은 아주 오랜 옛날부터 하나님이 결정하여 주는 것으로 하나님이 그렇게 되도록 정했다는 사실왕하19:25은 우리에게 분명하게 명시된 것입니다. 여기서도 두 개의 시간이 존재합니다. 인간이 그런 힘을 가지도록 결정한 것은 하나님입니다. 하나님은 태초부터 행하였고 옛날부터 그렇게 하기로 했습니다. 달리 말하자면 기술에 의한 세계 지배처럼 앗시리아 왕의 군사적인 능력과 같은 모든 것은 하나님의 결정에 따른 결과라는 것입니다. 그러나 여기서 우리가 지금까지 말해온 것을 돌아보아야 합니다. 하나님의 그 결정은 기계화된 대상으로서의 인간을 통해서 실현되는 것은 아니라는 사실입니다. 인간은 하나님의 그러한 뜻 속에서 자기 결정권과 독립성을 유지합니다. 그렇다면, 궁극적으로 인간은 어떻게 하나님의 계획을 실현합니까? 하나님이 태초에 정한 것이 어떻게 가까운 때에 이루어지는 것입니까? 앗시리아 왕의 정치권력은 정하여졌습니다. 그러나 이제 그는 그것을 증오와 대학살과 공포 속에서 이루어가고 있습니다.

여기서 하나님의 허락이라는 문제가 등장합니다. 하나님은 하나님의 계획을 이루고자 인간이 무서운 수단들을 쓰도록 허락하는 것입니다. 인간은 그 수단들을 자유롭게 채택하여 사용합니다. "내가 허락하여서 너로 견고한 성들을 멸하여 무너진 돌무더기가 되게 함이니라." 그러나 여기서 우리는 똑같은 지향을 또 발견합니다. 태초부터 하나님이 정한 것을 어떻게든 실현하는 것이 하나님 앞에서 결코 잘하는 것만은 아닙니다. 그런 목적으로 인간이 선택한 길이 결코 좋은 것만은 아닙니다. 가장 아름답고 가장 사랑스럽고 가장 지혜로운, 완전한 인간에게 하나님은 가장 고귀한 운명을 정하였습니다. 우리는 계속되는 역사 가운데 하나님이 에스겔을 통해서 두로 왕에게 전한 말에스겔 28장이 산헤립에게나 오늘날의 정치가에게나 기술자에게 계속해서 반복되는 것을 들을 수 있습니다. 그러나 모든 것이 이 완전한 인간이 하나님이 그에게 주신 지혜와 아름다움과 영화로움을 구현시키기 위해서 택하는 수단들에 의해서 왜곡되어버리는 것입니다.

선택에서 가장 중요한 것은 궁극적으로는 어떤 수단을 선택하느냐에 있지 않고 자율과 복종 중에 어느 것을 선택하느냐에 달려 있습니다. "네가 누구를 향하여 소리를 높였느냐?"왕하19:22 "네가 내게 향한 분노와 네 교만한 말이 내 귀에 들렸도다."왕하19:28 표면적으로만 이해하여서 이 말을 이렇게는 오해하지 말도록 해야 합니다. "앗시리아 왕이 사람들을 대학살 하였고, 전쟁을 일으켜서 통치했다. 이에 대해서 그것을 허락한 하나님은 무관심하다. 그러나 앗시리아 왕이 하나님을 조롱했다. 그러자 그때에 하나님은 분노했다. 질투가 많고 비인간적인 하나님은 자신이 관련되어 있을 때만 징벌을 결정하는 것이다." 본문의 의미는 전혀 그렇지 않습니다. 정복자가 자신이 하나님의 장중에 붙들려 있는 존재라는 것을 인정하고, 자신의 권력이 하나님에게서 오는 것을 인정한다면, 그는 하나님이 그에게 허락한 모든 수단을 다 사용할 수는 없을 것이기 때문입니다. 그는 단순한 일로 사람들을 학살할 수 없고 구속할 수 없을 것입니다. 기술자는 지금 하는 것처럼 자연을 낭비할 수는 없을 것입니다. 학자는 세상의 모든 비밀을 악착같이 파헤치려고 열심을 낼 수 없을 것입니다. 정치가는 민족 국가나 전체주의적인 국가를 바랄 수 없을 것입니다. 하나님은 모든 디오니오스적인 광기와 바벨탑을 세우려는 의지를 허락합니다. 왜냐하면, 하나님은 인간의 독립성을 존중하고, 모든 광적인 수단들도 하나님의 섭리 안에 포함되어 있기 때문입니다. 그러나 하나님은 그것들을 심판합니다. 그리고 적당한 시기에 그것들을 전격적으로 제거해 버립니다. 모든 문제는 인간이 자신의 행동에 대한 하나님의 뜻을 인정한다면 그는 더 이상 바벨탑을 쌓을 수도, 디오니오스나 프로메테우스처럼 행동할 수도 없을 것이라는 데 있습니다. 그러므로 심판은 수백만의 희생자들이나 자연의 낭비나 지적인 광기에 임하지 않고 주 하나님에 대한 공격에 대해 임하는 것입니다. 그것이 사악한 행위의 근원이기 때문에 그것은 모든 일의 매듭이요 열쇠요 근본 발단입니다. 하나님은 바로 그것을 심판합니다. 왜냐하면, 그 나머지는 그것에 따른 필연적인 결과이기 때문입니다.

인간이 자신의 행동의 장을 하나님이 펼쳐준 것임을 인정하지 않는다면 그의 행동은 사악하고 과도하고 파괴적인 것이 됩니다. 인간이 그 사실을 인정한다면 그는 하나님이 허락한 모든 것이 실제로 하나님의 선과 진리 안에서 다 가능한 것은 아니라는 사실을 알게 되어 선택하게 될 것이고, 그 선택에 대한 책임을 질 것입니다. 그리고 하나님은 희생자들에게 무관심하지 않다는 사실을 늘 기억해야 합니다. 왜냐하면, 그 모든 희생자는 결국 하나님의 아들로서의 희생자이기 때문입니다. 또한, 하나님이 하나님의 뜻과 하나님의 사랑과 하나님의 영광을 범한 것을 심판할 때 그 심판은 추상적이거나 철학적이거나 이론적인 선언이 아닙니다. 그것은 전쟁과 사회적 불의와 가난한 자에 대한 착취와 대학살에 대해서 그 모든 것이 하나님 자신에 대한 공격임을 하나님이 지적하는 것입니다. 또한, 하나님의 백성인 이스라엘과 교회를 탄압하는 예도 이에 해당하는 것입니다. 달리 말하자면 하나님이 인간으로 하여금 주 하나님의 주권을 인정하느냐 하지 않느냐에 대한 선택을 정치적인 맥락 가운데 하게 한다는 것입니다. 사회적인정치적, 경제적, 기술적 행위는 결국 인간이 하나님 위에 군림한다는 가장 명백한 의사 표명입니다. 그것은 인간의 아주 대담한 만용입니다. 이는 철학자나 시인의 언어를 통한 것보다 훨씬 더한 것입니다. 하나님이 심판을 내릴 때는 그러므로 사회적인 선택의 경우입니다.

그러나 그 근본 동기를 가장 깊은하나님에 대한 태도 차원에서 찾지 윤리적인 것과 같이 더욱 더 표면적이고 부수적인 차원에서 찾지 않습니다. 산헤립이 심판을 받은 것은 수많은 사람을 학살했기 때문이 아닙니다. 그가 사람을 학살한 것은 스스로 자신의 법을 만들고 스스로 하나님으로부터 독립된 존재로 자처하여 아무에게도 책임을 지지 않으려 하였기 때문입니다.

그 점에서 하나님은 그에게 책임을 묻습니다. "네가 결국 누구를 모독한 것이냐?" 여기서 우리는 이제 하나의 신비를 접합니다. "너는 내가 태초부터 그것들을 마련한 것을 알고 있지 않았느냐?" 여기서 사용된 용어가 놀랍습니다. 여기서는 인간이 가진 일종의 본성적인 지식이 문제가 아닙니다. 산헤립이 여호와가 주 하나님이라는 것을 알 수 있었던 것은 그의 가슴 속이나 양심을 통해서가 아닙니다. 종교적인 신화나 의식을 통해서 알 수 있었던 것도 아닙니다. 그냥 종교성을 존중하다 보니까 알게 된 것도 아닙니다. 오히려 본성이나 종교성이라는 면에서는 랍사게가 보인 태도가 유일합니다. 그는 하나님을 패전한 국가들의 신들과 동일시했습니다. 그는 우리에게 말합니다. "너 스스로는 알지 못했던 것, 전에 알고 있던 것과 다른 것, 사람들이 들어서 알게 되는 교훈과 같이 네가 알 수 있는 것을 너는 알고 있지 않았느냐?" 그것이 니느웨에 직접 전한 것이라는 역사성을 인정한다면 요나의 예언일 수도 있고, 하나님의 백성이 북쪽에서 오는 광포한 백성에 의해 징벌을 받을 것이라고 선포하는 아모스와 호세아의 오래된 예언일 수도 있습니다. 그것은 미가나 이사야의 현실적인 예언일 수도 있습니다. 마지막으로 그것은 앗시리아 왕이 알고 있었을 수도 있는 아주 최근의 경고일 수도 있습니다. 이 모든 것은 인간인 역사가가 제기할 수 있는 질문들입니다. 어떻게 정복자인 왕이 알게 되었을까요? 그러나 하나님은 앗시리아 왕이 정확하게 경고를 받았다는 것을 압니다. 그래서 앗시리아 왕은 선택했고, 하나님은 이제 그 선택에 대해 심판하는 것입니다. 하나님의 말씀 앞에서 산헤립은 결정을 내려서 그 말씀을 저버렸습니다. 그러나 인간의 결정은 그 상황을 하나도 바꾸지 못합니다. 산헤립은 "하나님은 다른 신들과 같이 진부하고 평범한 존재에 지나지 않는다"라고 말할 수 있습니다. 그 말을 했다고 해서 그가 하나님에게서 벗어나는 것은 아닙니다. 현대를 사는 인간이 "신은 죽었다"라고 말할 수 있습니다. 그 말은 하나님이나 하나님의 섭리에 대해서 아무런 변화도 주지 못합니다. 또한, 그 말은 그 현대의 인간이 실제로 하나님으로부터 독립적이 되게 하지 못합니다.

앗시리아 왕은 하나님의 장중에 있습니다. "네 거처와 네 출입과 네가 내게 향한 분노를 내가 다 아노니."왕하19:27 앗시리아 왕의 권력이 아무리 크더라도 그를 끊임없이 에워싸고, 끊임없이 알고 있고, 그를 선택하기도 하고 유기하기도 하며, 그의 가장 깊은 곳에 있기도 하고 전적으로 타자이기도 한 하나님이 있습니다. "내가 갈고리를 네 코에 꿰고 재갈을 네 입에 물려 너를 오던 길로 끌어 돌이키리라."왕하19:28 하나님은 정복자인 왕을 사람이 길들이는 야수와 같은 짐승처럼 취급할 것입니다. 이는 산헤립이 자신이 정복한 나라들을 취급했던 방식과 같습니다. 현대의 인간이 얻은 모든 권력은 장기적으로 보면 하나님이 하나님의 권좌를 뺏으려고 했던 인간을 벌하려고 사용하는 권력으로 화할 수밖에 없습니다. 하나님은 인간을 교만하게 한 그 수단들을 사용하여 인간을 길들이고 그를 완전한 궁핍으로 몰아갈 것입니다.

심판이 있고 나서 이제 이스라엘을 향한 위로가 지금까지와는 다른 어조와 다른 방식으로 전해집니다. 예언자는 징조를 보여줍니다. 그 징조는 아주 놀랍게도 기적적인 일이 아닙니다. 이사야는 금방 다가올 기적을 전하지 않습니다. 그 징조는 전체적인 상황으로서 그 상황을 두고 히스기야는 곧 이사야의 말이 맞았다는 것을 인정할 수 있게 됩니다. 그 징조는 앗시리아 왕에 관한 하나님의 말씀이 참된 것임을 입증하는 데 사용된 아주 평범한 것, 빵과 포도주와 같은 것입니다. 아주 간단한 그 징조는 이년 안에 모든 삶이 제자리를 찾게 된다는 것입니다. 앗시리아의 침입 때문에 농부들은 두 번이나 파종 시기를 놓쳤습니다. 왕하19:29 그러나 셋째 해에는 새로 씨를 심고 수확하게 될 것입니다. 그 징조는 인간의 권력과 착취에는 한계가 있음을 보증하는 것입니다. 하나님의 징벌에도 한계가 있는 것처럼 말입니다.

그 징조는 얼마나 간단하고도 생생한 것입니까. 전쟁이 일어나서 첫해에는 사람은 눈앞의 것을 수확할 수가 없었고 단지 익고 떨어진 것들을 얻을 수밖에 없었습니다. 둘째 해에는 파종도 수확도 없이 스스로 자라난 것들을 얻을 수밖에 없었습니다. 그러나 셋째 해에는 파종도 있고 수확도 있게 될 것입니다. "너희가 심고 그 열매를 먹으리라."

그것은 실제로 예언자들의 예언에서 자주 나오는 약속의 말씀이었습니다. 이제 그 징조가 이스라엘에 다시 주어져서 하나님이 언제나 이스라엘의 하나님이요 해방자임을 보여줍니다. 이 간단한 것, 심고 거두는 것이 대체 뭘 뜻하느냐고요? 징조라기에는 아무런 기적적인 것도 없다고요? 우리는 그것이 일상으로의 복귀라고 봅니다. 일상적인 것은 우리에게는 모든 것이 잘되어간다는 것을 말합니다. 건강과 풍요와 평화, 바로 이런 것이 우리의 고유한 정의관을 따라 우리에게 속하는 일상적인 것입니다. 그러나 성서가 말하는 것은 다릅니다. 인간이 하나님과 분리된 이래로 일상적인 것은 살인과 전쟁이요, 기근과 약탈이요, 사고와 단절입니다. 그러한 드라마가 진행되는 동안에 어느 순간에 극의 진행이 멈추어서, 풍요가 임하고, 평화가 미약하나마 정착되어가고 한동안 정의가 다스리는 때엔 별로 신실하지 못한 사람일지라도 그토록 놀라운 기적 앞에서 경탄과 감사를 올리고, 그런 특별한 시간이 임하도록 역사한 주님의 모든 사랑과 신실함을 인지해야 할 것입니다. 아주 연약한 어린 아기의 새로운 생명을 보고 기쁨으로 감격하는 것과 같이 말입니다. 하나님이 우리에게 열어준 길로 우리의 모든 힘을 다하여 나아가야 할 것입니다. 우리는 예수 그리스도가 선포한 놀라운 복음과 똑같이 맹인들이 보고 귀먹은 사람들이 듣고 나병환자들이 깨끗해지는 것과 똑같은 것을 우리의 일상적인 삶 속에서 알아보아야 할 것입니다. 우리가 일상적이라고 말하는 상황으로 복귀한다는 것이 이와 같은 의미가 있습니다.

그러나 우리가 그것을 우리 스스로 노력하여 얻은 것으로 당연시한다면 우리는 아무것도 이해할 수가 없습니다. 그때부터 우리는 그런 평화와 정의와 풍요를 파괴하는 방향으로 나아가게 됩니다. 그때부터 모든 것이 위험에 빠지게 됩니다. 거기서 빠져나올 수 있는 유일한 출구는 일이 잘되어 갈 때마다 주님의 놀라운 은총과 우리에게 주어진 징조를 잘 식별하는 것이고, 동시에 우리에게 주어진 은총에 함께 참여하는 것입니다.

히스기야를 향한 위로의 말씀은 물론 포위 공격이 끝난다는 약속을 포함하고 있습니다. 그러나 일종의 부차적인 결론처럼 그 위로의 말씀은 하나님이 '남은 자'인 자기 백성과의 언약을 갱신한다는 것도 내포하고 있습니다. "유다 족속 중에서 피하고 남은 자는 다시 아래로 뿌리를 내리고 위로 열매를 맺을 지라. 남은 자는 예루살렘에서부터 나올 것이요 …"왕하 19,30-31 자기 백성을 향한 하나님의 진노가 아무리 크다 할지라도 하나님은 택한 백성을 절대 버리지 않습니다. 언약을 맺은 남은 자가 있는 것입니다. 언약을 맺은 자들이 유다에 남아있으며, 세상의 힘이 아무리 클지라도 그 남은 자는 결코 멸망할 수 없습니다. 어쩌면 교회가 위축되고 두려워하는 때에 그 사실을 기억하는 것이 중요할 것입니다. 왜냐하면, 교회 위에 또한 그 언약의 말씀이 서 있기 때문입니다. 죽음의 천사들은 교회를 넘어오지 못합니다. 즉, 교회의 패배와 탈기독교화와 배교와 내부의 불의와 외적인 약점이 아무리 많다 할지라도 교회는 최후의 대체할 수 없는 그리스도의 몸입니다. 교회에서 아래로 뿌리를 내리고 위로 열매를 맺는 남은 자가 나올 것입니다. 설령 종국에 가서 비밀스럽게 모이는 두세 사람에 그칠지라도 말입니다. 그러나 이스라엘도 또한 교회도 명심해야 할 것은 그렇게 되는 것이 자신들의 덕행 때문이 아니라는 사실입니다.

"내가 나와 나의 종 다윗을 위하여 이 성을 보호하여 구원하리라"라고 하나님은 말합니다. 왕하19:34 이는 히스기야를 위한 것도 아닙니다. 히스기야는 의롭고 경건한 왕이요 종교를 개혁하고 신실했으며 순종과 믿음의 사람이었습니다. 이는 우리의 입장을 정확하게 해줍니다. 히스기야가 하나님의 사랑을 잘 선용한다면 다 해결이 됩니다. 그러나 그는 그 사랑을 구현하지도 대신하지도 남들에게 전하지도 못합니다. 예루살렘이 구원받는 것은 히스기야의 믿음 때문이 아니라, 하나님 자체의 사랑 때문입니다. 히스기야는 그 자신을 넘어서는 초월적 힘이 임하는 계기로 사용되는 것뿐입니다. 우리 곁에 있는 사람이 구원을 받는다면 그것은 우리와의 만남이나 우리의 말 때문이 아닙니다. 또한, 그것은 우리 자신을 비웠기 때문도 아닙니다. 그것은 바로 하나님이 자신을 위한 사랑으로 그 사람을 사랑하기로 선택했기 때문입니다. "자신의 사랑을 위해서" 말입니다. 그것은 하나님이 자신을 피조물에게 부여했기 때문입니다. 그것은 하나님을 향한 하나님의 사랑은 그의 피조물을 포함하기 때문입니다. 그것은 하나님이 그의 피조물에 자기 자신을 덧입혔기 때문입니다. 그리고 그 모든 것은 예수 그리스도 안에서 다 이루어졌습니다. 그것은 예수가 금욕 생활에 성공해서 자신을 다 비웠기 때문이 아니라 하나님이 자신을 향한 사랑으로 하나님 자신을 비웠기 때문입니다. 그 모든 것이 예수 그리스도 안에서 다 이루어졌습니다. 다른 어떤 존재도 아닌 오직 그분 안에서 말입니다. 우리는 그를 모방하거나 재생할 수 없습니다. 우리는 일회적으로 완전히 실현된 것을 이용할 수 있을 뿐입니다. 예루살렘은 구원을 받았습니다. 예루살렘은 구원받았지만 앗시리아인은 아닙니다. 그것을 혼동해서는 안 됩니다. 하나님은 정복자인 앗시리아에게 신실한 서약을 하지 않았습니다. 하나님은 앗시리아를 징벌의 도구와 형의 집행자로 선택한 것이지 하나님의 사랑의 담지자로 택한 것이 아니었습니다. 하나님이 앗시리아도 하나님의 사랑 안에 널리 포함하고 있기는 하지만 말입니다. 교회와 세상의 차이가 바로 거기에 있습니다.

이제 기적이 일어납니다. 전염병이 돌아서 앗시리아 군대를 거의 전멸시켜 버립니다. 앗시리아 왕은 니느웨로 돌아가고 얼마 지나지 않아서 자신의 신 중 한 신에게 경배하고 있을 때에 자신의 아들들에게 암살되고 맙니다. 그 신이 니스록이라 하는가요? 사람들이 모든 것을 다 알지 못한다는 사실에 유의해야 합니다. 그것이 누스쿠나 마르둑의 오기일 수도 있고 언어유희일 수도 있습니다. 아주 확실하다고 할 수는 없지만 두 가지 사실들의 역사성을 살펴봅시다. 애굽 전통에 따르면 쥐떼의 습격이 앗시리아 군대를 도망가게 하고 죽게 만들었다고 합니다. 고대에 쥐떼와 페스트 전염병 사이의 연관성이 지목되었다는 사실을 우리는 알고 있습니다. 또한, 산헤립이 기원전 681년에 두 아들에 의해서 암살당하였다는 것도 사실입니다. 예언 말씀이 정확한가에 대해 서둘러 결론을 내리지 말아야 합니다. 왜냐하면, 이미 말한 바와 같이 예언의 말씀은 무엇보다 예고가 아니기 때문입니다. 연대기 작가가 역사를 잘 모르고 있지는 않았으리라는 점에 주목해 봅시다. 중요한 것은 거기에 있지 않습니다. 그러나 먼저 앗시리아 왕이 예루살렘에 입성하지 못했다는 것은 분명한 사실이며, 그의 권력에는 한계가 있었다는 것도 사실이니 심판의 말씀은 성취된 것이었습니다.

다른 한편 앗시리아의 신을 향한 날카로운 공격에도 주목해 봅시다. 그것은 그 신의 신전으로 그 신 앞에 엎드려 경배할 때 산헤립은 암살되었습니다. 이는 산헤립이 여호와는 다른 신들과 같은 신으로서 사람이 만든 우상에 지나지 않고 앗시리아 왕으로부터 백성을 구하지 못할 것이라고 선포한 데 대한 대답이었습니다. 그러나 실제로는 앗시리아왕의 신이 그를 경배하는 왕을 보호할 수 없는 존재였던 것입니다. 이 간단한 짧은 이야기는 거짓 신들에 대한 하나님의 결정이었습니다.

끝으로 중요한 것은 이렇게 연속되는 이야기들 속에서 거의 처음으로 인간의 도움이나 인간의 손을 통하지 않고, 하늘에서 떨어져 군대를 벼락으로 치는 것도 없이, 왕은 오직 기도하고 예언자는 말씀을 전했을 뿐이었는데 기적이 일어난 것입니다. 이미 언급한 바와 같이 이는 예외적인 상황에 해당합니다. 즉, 문제의 중심이 전쟁이나 유다의 생존이나 예루살렘의 해방이 아니라 하나님의 명예에 있었습니다. 하나님을 향한 인간의 직접적 모독에 대해서 하나님은 기적으로 대응한 것입니다. 우리 자신은 하나님의 명예를 복수할 수단들을 찾을 수 없었습니다. 하나님은 홀로 그 일을 감당합니다. 하나님 홀로 하나님의 명예에 대해 복수합니다. 우리는 하나님의 사랑의 존엄성에 대한 이런 불가해한 표현 앞에서 떨며 경의를 표할 수밖에 없습니다.

3

　그러나 그것은 역사에서 기적의 개입이라는 특별한 문제를 제기합니다. 이는 역사에 대한 기독교적인 혹은 성서적인 개념의 문제가 아닙니다. 이는 특별한 측면으로서 과감하게 직시해야 합니다. 인간의 역사를 있는 그대로 보아야 합니다. 그 실체를 변경시키려 한다거나 자기 입맛에 맞게 해석한다거나 구체적인 역사에 기독교의 옷을 입히거나 하는 일이 없어야 합니다. 역사에는 많은 인과관계가 있고 상호 연관된 일들이 많습니다. 역사가가 과거의 사건들을 해석하려고 하는 것은 잘못된 것이 아닙니다. 하나의 전쟁에는 경제적이거나 정치적인 많은 동기가 있고, 하나의 정치 체제에는 사회적인 많은 동기가 있습니다. 사회 제도들은 경제적이거나 인구문제이거나 이념적인 현상들이 서로 연관되어 있습니다. 물론 우리가 사실들을 더 많이 알아갈수록 인과관계들을 수립하기는 더 어려워지면서 덜 명확해집니다. 그러나 우리의 관점은 바로 이 수평적인 차원에 있습니다.

　특히 하나님을 그 체계에 개입시키려 하지 말아야 합니다. 하나님을 원인 중의 원인으로 세운다거나 인과관계에 서열을 두지 말아야 합니다. 인간적인 동기들은 충분합니다. 그러나 그것들은 의미나 사건의 방향을 제시하지 못합니다. 이제 두 번째의 요소가 고려되어야 합니다. 적대적인 편견에도 불구하고 우리는 그것을 결정론이나 운명론으로 부르고 싶습니다. 사회와 제도들과 사건들의 흐름에는 어떤 논리를 발견할 수 있습니다. 거기에는 어떤 중요한 규칙성들이 있는데, 사람들은 그것들을 어떻게 처리할 수 없습니다. 거기에는 물리학이라는 용어에다 붙이는 것과 같은 정밀성을 고집하지 않는다면, 어떤 사회학적이거나 경제적인 법칙들이라고 할 수 있는 것들이 있습니다. 거기에는 역사적인 과정들에 있는 어떤 불가항력적인 흐름이 있습니다. 인간은 불가능한 것을 할 수 있습니다. 인간은 일의 진행을 가로막지 않고 사건들의 준엄한 흐름을 막지 않습니다. 제도들은 자체의 무게로 가끔 인간이 원하지 않는 방향으로 가기도 합니다. 쇠퇴의 때가 불가피하고 가차없이 다가오기도 합니다. 이러한 것들이 역사에서 찾아볼 수 있는 운명론의 몇 가지 양상들입니다. 그것들은 그냥 나열해 본 것에 불과합니다. 많은 경우에 우리가 위대한 인물들이라고 부르는 사람들은 역사적인 운명론을 개인화한 표현입니다. 우리는 그들이 역사를 만든다는 생각을 합니다. 그런데 몇몇 사건들을 조금 자세히 보게 되면 역사는 그들이 없었어도 같았을 것을 알게 됩니다. 우리가 아주 구체적이거나 표면적인 하나의 사건을 역사 전체로 보지만 않는다면 말입니다. 그러나 그 운명론은 늘 같지 않습니다. 모든 것을 충족하는 하나의 세계정신은 없습니다. 완벽한 변증법적인 해석도 있을 수 없습니다. 그 운명론이 늘 같은 식으로 사람들에게 영향을 미치지는 못합니다. 카우츠키가 한 말은 정곡을 찌른 말입니다. 그는 인간의 의도와 노력이 아무리 강력하다 할지라도 역사의 흐름이 불가항력적인 때가 있다고 말합니다. 또한, 그는 인간이 사건들의 진행을 수정하고 변경하고 늦추고 분할시킬 가능성을 갖는 때가 있다고 합니다. 결론적으로 종교와 무관한 관점에서 볼 수 있는, 역사의 구성 요소들에 관한 이러한 그림 속에는 발전이 있다는 것을 부정할 수 없습니다. 그것은 경험의 축적과 변화에 따르는 기구와 제도의 발전과 정신적이라 할 수 있는 감성의 발전이나 지적인 발전입니다. 마치 인간의 조건과 상황의 개선을 향한 활동이 있었던 것 같이 말입니다. 그 발전을 심각하게 고려해야 합니다. 그렇다고 그것에 무한한 가치를 두거나 근본적인 의미를 부여하지는 말아야 합니다. 그 발전이 역사가 곧 발전이라고 확증해 주는 것은 결코 아닙니다. 때로는 오랫동안 퇴행하는 시기가 있고 그 시기에는 대재앙의 비전이 생겨납니다. 4세기에서 10세기에 걸치는 시대가 있은 후에 밀레니엄 열풍이 일어난 것은 놀라운 것이 아닙니다. 역사가 발전이라는 비전은 5세기 전부터 발전이 계속되어온 사회에 사는 세대에게서 나오는 것입니다. 발전이 축적되어왔다는 분명한 사실은 우리의 역사와 우리의 이데올로기와 그것에 대한 우리의 신념들에 대해서 낙관적인 평가를 하게 되는 이유를 말해줍니다. 그러나 그 사실이 역사 자체가 발전이라는 것을 확증해 주지는 않습니다. 그것은 그러한 발전이 질적으로 선을 의미하는 것으로 평가하는 것을 허락하지 않습니다.

　다른 것이 아닌 바로 그 역사적인 세계 속에 우리는 기적이라는 문제를 제기해 보려는 것입니다. 우리가 무엇보다 하나님을 자신의 뜻을 역사 속에 직접 새겨놓는 역사의 주인이라고 한다면 기적에 대해서 살펴보는 것이 아무런 유익도 가져다줄 수 없을 것입니다. 이제 우리가 기적이라고 부르고 싶어하는 것은 인과관계로는 설명할 수 없는 것이고, 정상적인 사물의 이치에 반해서 비정상적입니다. 사물의 원리에서 나오는 동력을 파괴하고 원인을 알 수 없이 이미 예견된 일을 가로막는 것은 때로는 천재적인 인간입니다. 이는 앞에서 내가 제시한 경우에는 언급되지 않았습니다. 모든 경제적 사회적인 해석들이 일종의 무상 행위에 해당하는 이 천재의 등장 앞에서 막혀버립니다. 그는 어떤 뿌리도 합리적인 이유도 없이 출현한 것입니다. 알렉산더나 잔 다르크는 어떤 역사적인 연유로도 설명할 수 없습니다. 그러나 인간의 집단에 일어난 신비한 일도 이와 같을 것입니다. 아니 그것은 인간에게서 나온 것이 아니라 인간과 관련된 것이라고 할 수 있습니다. 동굴의 곰들이 갑자기 사라져버린 유명한 사건의 경우가 이와 같습니다. 선사 시대에 동굴 속의 곰들이 늘어나면서 인류의 생존이 직접적으로 위협받을 때에 그 일이 일어났던 것입니다. 서기 600년의 아랍인구의 폭발과 1880년에서 1910년 사이의 마르크스주의의 확산에 대해서 인간적인 차원에서 만족할만한 해석이나 논리를 찾을 수 없습니다. 역사가 말할 수 있는 것은 사실을 확인하고 가능한 한 연관 관계들을 찾고 이해할 수 없는 아주 독립적인 요인을 인정하는 것입니다. 그것은 사람들이 파악할 수도 헤아릴 수도 없는 것으로 불확정적인 요소로 남아있게 됩니다. 물론 사람들은 거기서 곧 하나님의 손길을 보고 기적을 외치지 않습니다. 그러나 그럴 때 그리스도인은 신앙적인 의미라는 문제를 스스로 제기하게 됩니다. 그래서 기적에 대한 의문을 스스로 제기합니다. 그러면서 그것이 어떤 이해를 얻어서 그것을 불신자들에게 제시하려는 것이 아니며 기독교 변증의 도구로 사용하려는 것도 아니라는 것에 유의합니다. 기적은 신앙을 위해 존재하는 것입니다. 그것은 믿는 자들을 위해서 하나님이 선택한 대화의 한 방식입니다.

역으로 성서는 하나님이 역사적인 사건들 속에 개입하는 사실을 전해 줍니다. 그러나 우리가 자주 목격하게 되는 바와 같이 그것은 아주 급격하고 기이하고 불가해한 방식으로 아주 드물게 일어나는 것입니다. 물론 그것이 예언자 이사야에게서 나타나는 신학적인 기반이라고 말할 수 있습니다. 하나님은 정치적인 얼개에 실제로 참여합니다. 하나님은 하나님의 차원에서 행동합니다. 이사야에게 기적은 하나님이 개입하는 도구입니다. 기적을 통해서 하나님은 인간 세상에 뚫고 들어가서 세상을 장악하여 세상을 다스리는 주 하나님이 됩니다. 기적을 통해서 하나님은 정치권력과 인간이 주장하는 정치의 자율성과 역사를 스스로 만들어 가려는 인간의 독립성을 부인합니다. 기적을 통해서 하나님은 하나님의 왕권이 임하는 시대를 구현하고 인간으로 하여금 그 시대를 접하게 하고 그 왕권의 의미를 드러냅니다. 하나님은 언제나 완전하고 충만한 자유를 가지고 이렇게 놀랍고도 전격적인 방식으로 행동을 취할 수 있고, 자연적인 질서를 무너뜨림으로 로빈슨과 같은 우리 인간을 불편하게 하는 초자연적인 존재입니다. 그러나 불가해한 일을 동화시키려는 잘못을 범하지 않도록 조심해야 합니다. 역사가는 그 일을 알아보고 인식할 수 있습니다. 하나님의 명백한 개입을 기적으로 인지할 수 있다는 것입니다. 불가해한 일은 기적일 수가 있습니다. 그러나 기적이라는 것은 한편으로는 하나님의 활동이요 또 다른 한편으로는 하나님이 사역을 맡긴 인간을 위한 하나님의 계시입니다. 결국, 그것은 하나님의 개입이 인간을 위해 어떤 의미가 있는지 인식하게 하는 것입니다. 이와 같은 것이 기적을 구성하는 세 가지 요소들입니다.

바로 그런 의미에서 신앙인에게 있어서만 기적이 존재한다고 말할 수 있습니다. 그러나 그것은 볼트만이 말하는 의미는 절대 아닙니다. 인간의 관점에서 모든 것 속에서 기적을 보는 것은 믿음이 아닙니다. 어떤 역사적인 사건이라 할지라도 그 속에서 하나님의 개입이 계시될 수 있습니다. 거기에 따르는 의미는 신앙적인 면에서는 일반적으로 사람들이 역사적 사실에 부여하는 의미와는 차이가 있습니다.

앗시리아 군대의 패망을 애굽 사람들은 쥐들의 습격에 의한 것으로 봅니다. 전설에 따르면 쥐들이 활의 줄과 갑옷의 끈을 먹어버렸다고 합니다. 그래서 무장해제 상태의 앗시리아 병사들은 떠날 수밖에 없었다고 합니다. 오늘날은 페스트를 하나의 전염병으로 간주합니다. 그 전염병으로 해서 역사적으로 엄청난 일이 일어났다고 해도 그것은 전염병일 뿐입니다. 그러므로 이 이야기 속에서 우리에게 충격적인 기적으로 제시되어 역사 속의 불합리한 사건을 입증하는 것으로 하나님의 천사가 앗시리아 병사들을 공격했다고 전해진 사건도 합리적으로 받아들여질 수 있습니다.

중요한 것은 그 사건 속에 하나님이 관여하고 있다는 계시입니다. 그러나 하사엘이 당한 참화도 하나님이 관여된 일입니다. 우리는 여기서 불합리한 사건들이 연속되고 있다는 생각을 하지 못합니다. 기적의 문제의 고리는 모든 범주를, 심지어 기적의 범주도 완전히 벗어나는 부활보다도 예수 그리스도의 십자가 형벌과 죽음에 있습니다. 십자가의 형벌과 죽음은 연대 추정이 가능한 역사적인 사건입니다. 그 자체로는 스파르타커스의 죽음이나 다를 바가 없습니다. 그러나 그것이 기적인 것은 십자가에서 죽은 존재가 하나님 자신이고 그가 인류의 역사와 시간과 개인의 인생에 관여한다는 사실에 있습니다. 하나님이 죽음까지 포함하는 인간의 삶에 들어온 것이 기적입니다. 거기서부터 모든 다른 기적들이 각기 의미를 갖게 됩니다. 역사의 자연주의적 개념과 전적인 타자의 개입 관계를 살피게 되면 예수 그리스도 안에서의 기적은 역사적인 숙명론을 무너뜨리며 자연적인 인과관계를 벗어나는 것이라고 우리는 말할 수 있습니다. 바로 거기에 역사의 교차점에 있는 예수 그리스도의 죽음의 의미가 있습니다. 역사적 숙명론의 진행을 가로막는 것은 말씀의 성육신이요 그의 죽음입니다. 그것은 단번에 결정적으로 일어난 사건으로 그와 같은 일은 다시 일어나지 않습니다.

그 이후로는 그와 같은 사건은 발생하지 않았습니다. 그 사건이 우리 각자의 삶에서 일어날 수 있다고 주장하는 것은 정말 과도한 것입니다. 성령이 우리의 현재 삶을 이 역사적인 숙명성의 단절 시점에 연결할 수 있게 하는 것은 동시에 현재화하는 것일 수밖에 없습니다. 하나님이 죽어야만 하는 것은 역사적 숙명의 중대성과 깊이와 무게 때문인 것입니다. 그 유일한 사건이 시간을 운명의 노예 시대와 자유 시대로 구분하는 것으로 해석해서는 안 됩니다.

한편으로 예수 그리스도 이전에 있었던 모든 기적과 역사의 정상적인 진행에 간섭하는 하나님이 개입한 모든 사건과 하나님이 부여한 모든 해방 사건들은 예수 그리스도의 기적 안에서 각기 진정한 의미와 방향과 힘을 얻게 됩니다. 기적을 구성하는 세 가지 요소들에 대한 우리의 분석을 다시 살펴보면 예수 그리스도는 그 이전에 일어났던 모든 일에 세 번째 요소를 부가합니다.

이 중대한 단절이 있은 이후로 운명론은 철회되고 폐기되거나 모든 사람이 어떤 조건이나 제약 없이 그의 앞에 놓인 백지를 자기 뜻대로 채워나가는 삶을 살게 되는 일은 결코 있을 수가 없습니다. 역사에 있어서 필연성은 늘 존재합니다. 역사적인 맥락을 무력화시킬 수는 없습니다. 역사를 인간의 자율적인 의지로 좌지우지하는 일은 있을 수 없습니다. 예수 그리스도의 죽음은 지금까지 역사를 제약해 왔던 어떤 알 수 없는 이상한 힘을 무력화시키지 않습니다. 역사와 사회는 언제나 필연성의 법을 따라왔습니다. 그러나 십자가 때문에 그 필연성의 고리가 중단된 것은 엄청난 역사적인 결과들을 가져왔습니다. 그것은 백마 한 마리가 다른 세 마리 말들과 함께 세상을 돌아다니면서 자신의 활동을 다른 세 마리의 활동에 결부시키는 것입니다. 역사를 움직이는 힘들이 계속해서 필연성의 실타래를 개선해왔지만, 그 실타래는 십자가에서 시작된 해방의 활력으로 여러 가지 양상으로 새롭게 끊어지고 폐기되고 중단됩니다. 이는 예수 그리스도가 역사의 흐름 속에서 아주 구체적으로 자유의 활력이 활동하게 했기 때문입니다. 그것은 그 자유의 활력이 승리의 개선 행진을 단계적으로 해나가고 있다는 것을 의미하는 것은 아닙니다. 우리 시대는 그 반대의 경우를 보여주고 있습니다. 그러나 그것이 성취한 것은 사람들이 이제 자유의 활력을 가질 수 있고, 그 사람들로 말미암아 기적이 역사 속에 일어나게 된다는 것입니다.

그것이 일반적이고 필연적이라고는 결코 말할 수 없습니다. 사람들이 그렇게 하리라는 보장은 없습니다. 그들은 그렇게 하도록 강요되지 않습니다. 그리스도인들이 그렇게 하는 것이 필연적이지도 않습니다. 그것은 인간 앞에 열려 있는 문이고, 인간은 그 문을 넘을 수 있습니다. 인간이 그렇게 결정하고 알 건 모르건 간에 역사에 자유를 다시 도입하려는 이 엄청난 모험을 감행할 때에 인간은 십자가에서 무력화된 능력인 하나님의 능력과 함께 하게 됩니다. 그러나 그 능력은 역사적인 능력입니다. 왜냐하면,

그 능력은 땅에 가득한 죽은 시신과 같이 역사에 스며들어 있기를 바랐기 때문입니다. 이제 인간은 그 역사의 깊은 현실을 변화시킬 것입니다. 그가 비록 위대한 인물이나 장군이나 정치가가 아니라 할지라도 말입니다. 또한, 비록 경제적 위기나 군사적 승리나 정치 안정과 같은 외적인 상황이 변화되지 않을지라도 말입니다. 그는 역사의 깊은 현실을 변화시킬 것입니다. 왜냐하면, 그것은 더는 하나의 메커니즘이 아니기 때문입니다. 그는 그 모든 부분과 원인과 요인 속에 하나의 새로운 요인을 집어넣습니다. 반대로 아무도 그 능력을 감당하지 않는다면 필연성은 더더욱 맹위를 떨치며 압도할 것입니다. 예수 그리스도에 의해서 역사에 들어선 기적의 능력은 인간이 쉽게 사용할 수 있는 중립적인 능력이 아닙니다. 하나님의 말씀에는 생명의 능력과 사망의 능력이 있습니다. 그와 같이 역사에는 기적의 기회가 있는가 하면 파멸과 붕괴가 있습니다. 그것은 이미 지금까지 보아온 열왕기하의 모든 이야기 속에 함축적으로 담겨 있습니다. 인간이 그 은총과 자유를 붙잡게 되면 인간은 자신의 존재와 하나님의 뜻을 동시에 실현하게 됩니다. 왜냐하면, 하나님은 운명을 뚫고 가는 그 인간이 감당한 그 자유 속에 하나님의 뜻을 담아두었기 때문입니다. 그리고 기적이 일어납니다. 그러나 인간이 자유를 위하여 예수 그리스도 안에서 성취된 기적인 하나님의 능력을 소홀히 하게 되면, 물론 인간은 역사 속에서 중요한 일들을 일궈내겠지만, 그 일들은 필연성과 상황의 논리에 의한 것들에 지나지 않을 것입니다. 사실 역사를 실제로 만드는 것은 바로 예수 그리스도 안에서 얻게 된 인간의 자유입니다. 사회적 경제적 법칙에 복종하는 군중은 역사를 만들지 못하고, 단지 반복할 뿐입니다. 인간의 자유는 역사에서 결정적으로 기적적인 현상입니다. 사람들이 자유를 표현할 때에 사람들은 역사를 창조하는 하나님의 활동을 증거하는 증인들이 됩니다.

그리고 또 다른 사람들이 역사에 실제적인 의미를 부여합니다. 그들은 바로 예언자들입니다. 이런 두 종류의 자유로운 사람들이 하나님의 기적입니다. 그렇다면, 그 기적의 의미는 대체 무엇입니까? 우리가 구약에 기록된 사건들 속에서 자유 가운데 사랑을 표현하는 하나님의 기적들을 가지고 그것을 판단한다면 역사는 본질적으로 힘들의 조합이고 항상 필요한 것들을 다시 생겨나게 하고 어떤 형태로든 인간을 구속하는 것입니다. 역사는 결국 각 단계에서 수용 불가능한 상황들에 봉착합니다. 그래서 역사는 끊임없이 역사로 또는 결과나 상황으로 재연됩니다. 역사에는 자유의 진리가 다시 도입되어야 합니다. 그것은 한편으로는 역사의 실상이 유지되고 인간의 자율성이 인정되고 표현되어 열매를 맺게 하려는 것입니다. 또 다른 한편으로는 역사가 하나님이 부여한 최종 목적을 향해 진행되게 하려는 것입니다. 첫 번째 사항은 우리에게 인간의 행위의 실상이 존중되지 않는다면 우리는 초역사적인 것, 일종의 초시간적인 것을 지향하게 되는 것을 상기시켜 줍니다. 그것은 예를 들어 공산주의 유토피아의 건설이나 역사를 신정적으로 해석하는 것과 같은 것입니다.

두 번째 사항은 우리에게 하나님이 역사에 방향을 설정하고 역사의 진리는 하나님의 계획을 자유롭게 실현하는 것임을 상기시켜 줍니다. 거기서 기적은 부차적입니다. 예를 들자면 예루살렘의 해방은 히스기야에게 있어서는 하나님의 사랑을 확증하는 것으로 그로 하여금 그 시간을 인내할 수 있게 합니다. 그러나 예수 그리스도 안에서의 기적은 이제 역사의 목적이 하나님의 사랑에 응답하여, 십자가를 지는 인간의 의도적인 행위에 의해서 달성될 수 있게 하는 것입니다.

결어

무익함에 대한 고찰

<big>인간</big>에 대한 하나님의 존중과 사랑에도 불구하고, 또한 인간의 역사에 들어와서 마침내 인간으로 하여금 하나님의 섭리에 함께 하게 하는 하나님의 철저한 겸손에도 불구하고, 우리는 결국에는 인간 행위의 헛됨과 무익함을 깊이 느끼지 않을 수 없게 되고 맙니다. 그토록 분주하게 하는 것이 무슨 소용이고, 전쟁들과 국가들과 제국들을 일으키는 것은 또 무슨 소용입니까? 이스라엘 민족의 그 엄청난 행군은 무슨 소용이며 교회의 일상적인 사소한 일들은 무슨 소용입니까? 어차피 목표는 궁극적으로는 어김없이 달성될 것이고, 결국 성취되는 것은 언제나 바로 하나님의 뜻이고, 가장 핵심적인 것은 이미 예수 그리스도 안에서 다 구현되었고 이루어졌는데 말입니다. 자신이 하는 일이 헛된 것으로 끝날 수밖에 없기에 현대인이 그런 식으로 부정하는 것은 이해할 만합니다. 그는 자신의 운명을 거기에 구속받으려고 하지 않습니다. 성인이기를 원하고 또 자신을 스스로 성인이라고 하는 인간이 보호자를 인정하고 싶어 하지 않는 것은 당연합니다. 인간은 지식의 눈부신 발달에 따라서 모든 것이 일종의 또 다른 운명이라고 할 수 있는 불가해한 법칙 때문에 이미 다 결정되었다는 것을 인정할 수밖에 없습니다. 사실상 이 책에 서술된 내용을 통해서

지금까지 알 수 있었던 그 모든 것에도 불구하고 우리는 하나님 앞에서는 언제나 아주 무익하다고 느끼게 됩니다. 창조의 여섯째 날부터 우리는 에덴동산에서 아담의 역할이 무익함을 직면하게 됩니다. 아담은 그에게 맡긴 피조 세계의 주인이자 다스리는 존재로서 완전했으며 하나님의 후견하에 있었습니다. 그러나 그에게 하나의 역할을 맡겼고 여호와는 그를 에덴동산에 두어서 동산을 경작하고 지키게 했습니다. 그러나 동산을 경작한다는 것이 무슨 의미가 있겠습니까? 셋째 날에 하나님은 풀과 나무들이 번식할 수 있게 했고 모든 것은 풍요롭게 자라났습니다. 하나님은 땅에서 모든 종류의 나무들이 자라나게 하였습니다. 그것들은 보기에 아름다웠고 먹기에 좋았습니다. 그런 상황 속에서 경작하라는 명령이 무슨 의미가 있었겠습니까? 경작하지 않으면 나무들이 자라지 못한다는 어떤 필연성이 있을 수 없었습니다. 경작은 종을 개량한다거나 독 있는 풀들에 대해 식용 가능한 풀들을 보호한다거나 생산을 늘린다거나 하는 것인데 거기서는 전혀 필요가 없었던 것입니다. 창조의 그 완전한 세계 속에서 경작 행위는 어떤 기능도 하지 못했습니다.

그러면 동산을 지키라는 말은 또 어떤 의미이겠습니까? 무엇에게서 누구에게서 지키라는 말입니까? 어떤 외부의 적이 모든 것이 완벽하게 좋은 창조 작품을 위협했겠습니까? 하나님이 전적으로 보호하는 세계를 인간이 과연 어떻게 보호해줄 수 있단 말입니까? 질서를 하나님이 세웠는데 도대체 어떤 무질서로부터 지키라는 말입니까? 완전한 교제와 하나님의 작품에서 나타나는 완전한 일치와 아무런 분열도 없는 그 창조의 세계 속에서 모두가 서로 함께 할 때, 각각의 부분이 다른 부분들과 연합된 부분일 뿐만 아니라 창조주의 완전함을 보여주는 피조 세계의 완전한 일치를 표현하고 있을 때, 주 하나님과 우주의 관계가 너무도 완벽하여서 주님의 안식이 곧 피조 세계의 평안일 때, 경작하고 지키라는 말은 도대체 무얼 뜻할 수 있겠습니까? 그 말은 사물들이 분리되어 일치가 결렬되고 균형과 평안이 무너지고 주님과 피조물의 관계가 파괴된 세계에서나 의미가 있는 것입니다. 경작하고 지키라는 말은 하나님의 명령이지만 인간의 행함은 무익할 뿐입니다.

다음으로 하나님의 뜻인 율법은 우리의 행위를 전제로 하는 계명들로 나누어져 있습니다. 그러나 무엇을 위한 행위란 말일까요? 그것을 구원에 필요한 행위라고 생각하는 유다 백성의 그 기나긴 여정을 과연 이해하지 못할 수 있을까요? 그렇지 않다면 그 행위는 아무런 소용이 없습니다. 하나님과 화해하기 위해서 하는 행위가 아닙니까? 그렇지 않다면 아무런 의미도 없습니다. 인간의 선한 의도를 주장하는 근거는 그렇게 무너집니다. 우리는 예수 그리스도 안에서 구원이 단번에 우리에게 주어진 것을 알아야 합니다. 하나님은 우리가 무엇을 하기 전에 먼저 우리를 사랑하였습니다. 모든 것이 은총이며 은혜로 거저 주는 선물입니다. 생명과 구원, 부활과 신앙, 영광과 덕행, 그 모든 것이 은총입니다. 그 모든 것이 이미 성취된 것이요, 이미 된 것입니다. 우리가 수고하고 애쓰는 우리의 선한 일들조차도 우리가 행하기 전에 이미 다 마련되었습니다. 모든 것이 성취되었습니다. 우리가 이루어야 할 것이나, 획득해야 할 것이나, 제공해야 할 것은 아무것도 없습니다. 이 길은 하나님이 절반을 만들고 인간이 절반을 만든 것이 아닙니다. 이 모든 길은 하나님이 다 만든 것입니다. 하나님은 빠져나갈 수 없는 상황에 빠진 인간을 찾아왔습니다. 하지만, 인간의 행위는 인간이 그 행위 때문에 스스로 구원을 얻을 수 있다고 주장하여서 치명적인 율법적인 행위가 되어버렸습니다. 거기서 구원은 운명이 되어버립니다. 아닙니다. 행위는 믿음의 행위입니다. 행위가 없는 믿음은 죽은 것입니다. 그 행위는 거듭남의 외적인 표현입니다. 그 성령의 열매들은 어디에 사용됩니까? 왜 그렇게 행해야 합니까? 이제 여기서 우리는 하나님의 완전한 예비와 완전한 사랑 앞에서 그런 무익함과 헛됨을 봅니다. 그러나 우리에게 행위가 요구되었습니다. 그것은 하나님의 명령이지만 인간의 행함은 무익할 뿐입니다.

이제 우리는 예수가 우리에게 가르쳐준 기도, 하나님 아버지와의 관계를 살펴보고자 합니다. 기도라는 선물은 사람이 친구에게 말하듯이 우리로 하여금 하나님에게 말할 수 있게 하는 것으로 우리를 어리둥절하게도 합니다. 그러나 곧 다음 말이 떠오릅니다. "너희 하늘 아버지께서 이 모든 것이 너희에게 있어야 할 줄을 아시느니라." 그러니 우리의 두려움과 계획, 우리의 간구와 불행을 하나님에게 말하는 것이 무슨 소용이 있겠습니까. 하나님은 우리가 우리에게 부족한 것을 알아채기도 전에 이미 다 알고 있단 말입니다. 하나님은 우리를 불행하게 하는 것, 우리를 비탄에 잠기게 하는 것을 우리가 깨닫기도 전에 이미 다 알고 있습니다. 하나님은 이미 다 알고 있습니다. 그러니 하나님에게 축복과 도움과 성령의 은사를 요청하고, 우리의 구원을 위해 기도하고 죽은 사람들과 산 사람들을 하나님의 사랑에 맡기는 것이 무슨 소용이겠습니까. 하나님은 그들 한 사람 한 사람을 개인적으로 다 알고 있단 말입니다. 하나님은 이미 그들 한 사람 한 사람을 위해서 자기를 낮추어 갈보리 십자가에서 피를 흘렸고, 영원 전부터 사랑하기로 결정하고 걱정하고 수고할 때마다 축복하고 있단 말입니다.

우리가 기도 말을 찾으려고 더듬거린다고 해서 이제 위축될 필요가 없습니다. "너희는 너희가 마땅히 빌 바를 알지 못하느니라." 여러분은 여러분 스스로 여러분에게 참으로 필요한 것과 여러분의 진정한 행복을 알지 못합니다. 다행히도 누군가가 여러분을 대신합니다. 성령이 하나님 아버지 앞에서 말할 수 없는 탄식으로 여러분을 위해 중보합니다. 그러나 그렇게 기도가 우리 입술과 손과 상관없이 온전하게 드려진다면 우리가 서툴게 간구와 탄원의 기도를 올리고 우리를 위해 기도하는 사람과 손을 맞잡고 함께 하는 것은 아무런 소용도 없을 것입니다. 우리는 기도의 헛됨과 부족함과 결핍감을 인지하게 될 뿐입니다. 기도하라는 것은 하나님의 명령이지만 인간의 행함은 무익할 뿐입니다.

이제 우리는 지혜, 곧 인간의 지혜와 지식을 살펴보려고 합니다. 그 지혜와 지식은 인간의 삶을 인도하고 이성을 올바르게 사용하게 하고 생명의 길을 찾아가게 합니다. 그 모든 일은 정치적 활동과 개인의 도덕, 사회사업과 문학, 경제 운용과 사원들의 건축, 법의 발전을 통한 항구적인 정의의 모색, 철학과 기술 등의 형태를 취합니다. 인간의 이 헤아릴 수 없는 지혜는 또한 하나님의 지혜에 포함됩니다. 그것은 하나님의 지혜의 표현이라고 할 수 있는 것으로 하나님이 세상의 기초를 세울 때 하나님이 역사한 첫 번째 작품입니다. 그러나 우리는 이 말을 알고 있어야 합니다. "하나님은 세상의 지혜를 어리석은 것으로 삼는다. 하나님의 지혜에 있어서는 세상이 자기 지혜로 하나님을 알지 못하기 때문이다. 하나님의 어리석음이 사람의 지혜보다 더 지혜롭다. 형제들아 너희 가운데 육체를 따라 지혜로운 자가 많지 않도다."

인간의 지혜는 무익한 교만으로 하나님보다 더 지혜롭다고 주장한 사람들이 세운 바벨탑과 같은 것입니다. 인간은 깊은 심연으로 들어가 금을 찾아내고 바다를 탐색합니다. "그러나 지혜는 어디서 얻습니까?"라고 욥은 말합니다. 인간의 지혜는 스스로 행위 속에 자신을 숨겨서 본래의 자신에서 벗어난 모든 것에 대한 탁월한 변명거리를 마련합니다. 그런데도 하나님은 그 지혜를 창조해야 합니까? 아니면, 하나님이 만든 작품인 모든 것을 폐기해야만 합니까? 소멸이 곧 부활하는 길이니 세상을 소멸하여 카

타리파22)의 청정무구 상태에 이르게 해야 합니까? 지혜의 해로운 열매들이 지혜의 이로운 열매들과 서로 뗄 수 없이 붙어 있으니, 미리 수확을 해야 합니까? 일곱째 천사를 붙든 예수는 아직 시간이 이르지 않았고 지혜는 열매를 맺어야 한다고 말합니다. 지혜를 구하라는 것은 하나님의 명령이지만 인간의 행함은 무익할 뿐입니다.

이제는 전도를 살펴볼 차례입니다. 어떤 언어로 어떤 말로 어떤 이미지로 어떤 웅변으로 남에게 그 불을 조금이라도 전하겠습니까? 우리는 우리에게 가장 귀하고 깊고 참된 것을 전하기 원합니다. 그것은 남들을 우리에게 맞추거나 남들을 우리 편으로 만들어 구속하기 위한 것이 아닙니다. 그것은 우리에게 주어진 생명의 길, 둘도 없이 소중한 사랑의 길을 남들에게 보여주고, 그들이 혼인 잔치의 기쁨에 함께할 수 있게 하려는 것입니다. 그러나 언어는 공허하고 아무것도 전달하지 못하고, 외적인 형식은 우리의 서투른 솜씨 때문에 왜곡됩니다. 오직 성령을 통해서만 참된 것이 나타납니다. 그러니 무슨 말을 해야 합니까? 무엇을 말해야 합니까? 모든 것이 원하는 곳에 숨을 불어넣고, 원하는 사람을 사로잡는 하나님의 영의 예측할 수 없는 활동에 달렸습니다. 내적인 조명이 직접적으로 하나님으로부터 임합니다. 하나님은 바울이 박해자였을 때 부르고, 웅변을 즐기는 어거스틴을 불러서 그들에게 각각 온전한 진리를 계시했습니다.

성령이 함께하지 않고 숨을 불어넣지 않는다면, 우리가 가장 사랑하는 형제에게 한 말들은 죽어 땅에 버려집니다. 사가랴처럼 환상을 보고도 우리 입이 말을 하지 못한다면, 더 나아가서 이사야의 입처럼 죄로 더러워져 있다면, 천사만이 우리의 혀를 풀어줄 수 있다면, 설교하고 말하고 증언하

---

22) [역주] 12-3세기 이원론과 영지주의를 바탕으로 한 교파. 인간의 삶의 목적은 물질적인 것과의 연결을 끊고 권력을 포기하여 사랑의 법칙에 합치하는 것이라고 주장함

고 전도하는 것이 무슨 소용이겠습니까? 하나님은 홀로 그 모든 것을 다 잘 하지 않습니까? 바울은 "그러나 듣지 못한 이를 어찌 믿으리요, 전파하는 자가 없이 어찌 들으리요, 그러므로 믿음은 들음에서 나며 …"라고 말합니다. 더 나아가서 예수는 "너희는 온천하에 다니며 만민에게 복음을 전파하라"라고 말합니다. 전도는 쓸데없습니다. 그러나 너무도 중요한 것입니다. 바울은 말합니다. "만일 내가 복음을 전하지 아니하면 내게 화가 있을 것이로다." 전도하라는 것은 하나님의 명령이지만 인간의 행함은 무익할 뿐입니다.

이 모든 것이 너무도 간명하게 예수가 판단한 한마디 말로 요약됩니다. "나는 무익한 종입니다." 그러나 이 말에서 우리는 두 가지 요점을 명확히 해야 합니다. "너희가 명령받은 것을 다 행한 후에 …"라고 예수는 말합니다. 여기서 예수는 규범과 율법의 문제를 절대 피하지 않습니다. 하나님의 율법인 계명이 있습니다. 그 계명은 우리에게 준 것으로 우리는 우리에게 받은 명령을 마지막 말까지 다 지켜 행해야 합니다. 그렇게 행한 일이 완전히 무익하다는 확신과 느낌이 든다고 해서 그것을 지켜 행하는 것을 멈추지 말아야 합니다. 무익하다는 판단이 아무것도 행하지 않는 것에 대한 변명이 되어서는 안 됩니다. 우리가 행하기 전에는, 기도하기 전에는, 전도하기 전에는 무익함을 선언하는 것이 아닙니다. 엘리사와 예후와 히스기야가 자신들이 행한 일의 무익함을 선언한 때는 그 일을 행하기 이전이 아닙니다. 그들이 행한 일은 하나님의 일을 이행한 것뿐입니다. 무익함은 하나님과 하나님의 말씀과 하나님의 역사를 경시하지 않은 것을 입증합니다. 그것은 하나님의 명령에 따라 모든 것을 다 행한 이후에, 결정과 수단을 택하는 인간적인 차원에서 모든 것을 행하고, 하나님과의 관계의 차원에서 하나님의 뜻을 구하고 그 뜻에 순종하기 위해 모든 것을 탐색하고, 삶이라는 차원에서 책임과 역할 수행과 참여와 투쟁을 다 감당할 때에, 그때에 가서야 이 말이 의미가 있습니다. 이 모든 것은 꼭 이행해야 했지만, 무익할 뿐입니다.

우리는 이 모든 것을 주님의 손에 올려 드리기 위해서 내려놓습니다. 이 모든 것은 이제 우리 인간의 세계에 속한 것이 아니고 주의 나라에 속한 것입니다. 주님은 그 모든 것 중에서 택하여 어떤 것은 우리를 위해 예비한 주의 나라를 세우는 데 사용할 수 있을 것입니다. 또한, 주님은 자유롭게 우리가 주님의 영광을 위하여 행했던 그 모든 것 중에서 택하여 어떤 것은 무화과나무처럼 말라버리게 할 수 있을 것입니다. 그것은 이제 더는 우리와 상관없는 일입니다. 그것은 이제 더는 우리의 일이 아닙니다. 우리 영역에 속한 일은 끝마쳤습니다. 이제 우리는 이 모든 것에서 벗어났습니다. 왜냐하면, 우리는 주님이 명령한 모든 것을 다 행했기 때문입니다. 그렇게 엘리사와 엘리야는 그들의 일을 마쳤습니다.

이 본문에서 살펴볼 두 번째 요점은 이 무익함의 판단은 하나님이나 예수가 내리는 것이 아니라는 점입니다. 그것은 우리 자신이 우리가 행한 일에 대해 내리는 것입니다. "우리는 무익한 종입니다." 하나님은 우리를 그렇게 판단하지 않고 우리와 우리가 행한 일을 폐기하지 않습니다. 오히려 하나님은 우리 자신이 무익함의 판단을 스스로 내렸을 때 그것에 얽매이지 않게 합니다. 우리가 자신에게 그리스도가 우리에게 명한 것처럼 이 판단을 우리 스스로 내린다면, 우리가 할 수 있는 모든 것을 다 행하고 우리의 책임을 다 감당하고 나서, 우리가 우리가 한 일들과 열정적인 사역들에 대해서 일정한 거리와 초연함과 유머의 여유를 갖고 그것들을 무익한 것으로 판단할 수 있게 된다면, 우리는 하나님으로부터 이와 같은 말을 확실히 듣게 될 것입니다. "착하고 충성스런 종아 어서 오라." 그러나 우리가 미리 앞서서 무익하다는 쓰라린 판단을 내려서 우리를 마비시키고 위축시킨다면, 우리가 그렇게 하나님을 향한 사랑이 없다면, 혹은 만약에 우리가 우리가 한 일들을 아주 위대하고 성공적인 것으로 판단을 내린다면, 예수여 내가 당신을 아주 높여 드렸습니다. 하지만, 반대로 내가 무방비 상태에 있는 당신을 공격하기를 원했다면, 당신의 수치가 당신의 영광만큼이나 컸을 것입니다 만약에 우리가 하나님 앞에서 우리가 행한, 그 고귀하고 위대하고 효과적인 일들의 영광을 덮어쓰고 나선다면, 그때 하나님은 우리에게 말할 것입니다. "화있을진저 너희 부요한 자들이여." 이 시대의 부요한 자는 성공한 사람을 의미하기 때문입니다.

모든 것이 무익합니다. 그 말에 우리는 이와 같은 말을 하고픈 유혹을 받습니다. "따라서 모든 것은 헛된 것이다." 우리가 받는 유혹은 유익한 것만을 하려고 하는 것과, 우리가 살펴본 몇 가지의 무익함에 대해서 헛되다는 전도서의 판단과 똑같이 내리려는 것입니다. 우리의 그런 본능적인 태도는 우리에게 의문을 던집니다. 왜 우리는 그렇게도 유용성에 집착할까요? 왜 우리는 무익한 것은 아무것도 아닌 것으로 판단할까요? 실제로 그런 점에서 우리는 우리 시대, 우리 기술의 가치 평가에 사로잡혀 있습니다. 무엇이든 유용해야 합니다. 유용하지 않은 일은 하려고 애쓸 필요가 없습니다. 우리가 이렇게 말할 때, 우리는 섬기려는 봉사의 의지가 아니라 제일 큰 것, 제일 강한 것, 제일 효과적인 것에 붙들려 있습니다. 우리는 세상의 유용성과 결과의 중요성에 붙들려 있는 것입니다. 중요한 것은 기근이나 정치적인 적에 대해서 각각 좋은 성과와 승리를 얻는 것입니다. 중요한 것은 유용하다는 것입니다.

나는 열왕기하에 대한 이런 고찰이 우리의 판단에 의문을 제기하기를 바랍니다. 그렇습니다. 기도는 기적과 신학과 구제와 사역과 정치와 같이 무익합니다. 그렇습니다. 나아만의 기적은 아무 소용도 없었고 예후의 학살도 마찬가지였습니다.

그렇습니다. 히스기야의 경건함은 아하스의 불경건함보다 더 효과적이지 못했습니다. 그런데 그 이후로는 어떤가요? 우리는 왕들과 예언자들이 해야 했던 모든 행위의 또 다른 차원으로 시선을 돌려야 합니다. 바로 그 행위들이 무익하고 그 자체에는 목적과 효과가 없어서 그것들이 한편으로는 은총을 드러내고 또 다른 한편으로는 자유를 나타냅니다. 유용성과 실효성으로 결정하는 것은 현재 세상의 가장 강력한 성향을 받아들이는 것입니다. 결과를 얻고자 하는 것은 필연적으로 하나님의 은총을 드러나게 하지 못합니다. 우리가 무익한 종이기를 받아들인다면, 그러나 할 일은 다 하는 섬기는 종으로서 우리의 행위는 우리를 아무 대가 없이 먼저 우리를 사랑하는 존재에게 바쳐지는 것입니다. 하나님이 우리를 사랑한 하나님이 사랑이기 때문이지 어떤 결과를 얻기 위한 것이 아닙니다. 그 때문에 우리의 행위는 발단일 뿐이며 어떤 목적을 추구하지 않습니다. 우리가 행동하는 것은 하나님이 우리를 사랑했고 우리를 구원했고 하나님의 영이 우리 안에 거하고 우리가 계시를 받았기 때문입니다. 그것은 우리가 구원을 받기 위해서나 남들을 개종시키기 위해서나 사회가 기독교화하고 정의롭고 풍요롭게 하기 위해서나 기근을 해결하기 위해서나 좋은 정치를 펼치기 위해서가 아닙니다. 엘리사가 하사엘을 기름 부은 것은 명령이 내렸기 때문이지 하사엘이 선을 행하게 하기 위한 것이 아닙니다. 이렇게 유용성과 효과성이라는 걱정에서 벗어났기 때문에 우리의 행위는 대가 없는 하나님의 사랑을 우의적으로 나타낼 수 있게 됩니다. 그것과 다르게 행하는 것은 안 됩니다.

이와 같이 물 위에 빵을 던지는 것23)과 우리가 읽어 내려온 모든 어두운 열정적인 행위들과 이제는 과거가 된 모든 결정 속에서 우리는 자유가 드러나는 것을 보았습니다. 그 행위들이 하나님의 뜻 안에서 무익하기 때문

---

23) [역주] 전도서 11장 1절.

에 인간이 자유롭게 행할 수 있었습니다. 그러나 그 행위들을 해야만 했습니다. 자발적으로 비효과적이고 무익한 행위를 하는 것은 인간의 자유를 보여주는 첫번째 신호이자 마지막 신호인 것입니다. 열왕기하의 인물들은 각자 자기 입장에서 하나님의 역사에 함께 하였습니다. 그러나 그 누구도 꼭 필요한 존재는 아니었고, 그 누구도 하나님의 아들 안에서 성취된 하나님의 원대한 뜻을 이루는 데 결정적인 역할을 했던 것은 아닙니다. 그것은 은밀하게 진행된 신비스러운 계획으로서 천사들도 살펴보기를 원했던 일이었습니다.24) 그리고 그 누구도 그 뜻을 온전하게 성취시키는 행위를 한 것은 아니었습니다. 각자 자신의 몫을 자유롭게 한 것이었습니다. 어쩌면 독자들 중에는 이런 생각을 하는 사람들도 있을 것입니다. "무익하고 헛된 행위를 하는 데 그치는 것이 자유라면, 차라리 성공을 위해서 그런 자유 대신에 요긴하고 꼭 필요한 일을 하는 게 낫지." 열왕기하에 일어난 사건들이 실제로 일어나지 않았더라도, 거기 등장한 인물들이 그런 결정을 내리지 않았더라도, 변하는 것은 거의 없었을 것입니다. 이스라엘과 유다는 유배를 갔었을 것이고, 남은 자는 여전히 미약했을 것이고 하나님의 계획은 그리스도 안에서 똑같이 성취되었을 것입니다. 역사라고 부르는 사건 중에서 어느 것도 변경되지 않았을 것입니다. 우리가 기도하지 않는다 하더라도, 우리가 신앙적인 행위들을 하지 않는다 하더라도, 우리가 지혜를 구하지 않는다 하더라도, 우리가 복음을 전하지 않는다 하더라도, 역사 속에서 심지어 교회 안에서조차도 변하는 일은 아무것도 분명히 없을 것입니다. 세상은 계속 될 것이고, 하나님의 나라는 최후 심판을 통하여 오게 될 것입니다. 그러나 거기에는 대체할 수도 없고 측정할 수도 없는 그 어떤 것이 빠지게 될 것입니다. 그것은 제도로도 형이상학으로도 제품으로도 결과로도 평가될 수 없습니다. 그것은 모든 것을 질적으로 변화시키지만, 양

---

24) [역주] 베드로전서 1장 12절.

적으로는 아닙니다. 그것은 인간의 삶에 의미를 줄 수 있는 유일한 것이지만 인간에게 속한 것은 아니어서 인간에게서 나오는 열매가 아니며 인간의 본성에 속한 것이 아닙니다. 그것은 자유입니다. 인간의 자유는 하나님의 자유 안에 있는 것입니다. 인간의 자유는 하나님의 자유를 반영하는 것입니다. 인간의 자유는 그리스도 안에서만 주어지는 것입니다. 인간의 자유는 하나님에게 자발적으로 복종하는 것입니다. 인간의 자유는 기도와 증언과 같은 어린아이 같은 행위들 속에서만 표출됩니다. 그것은 또한 열왕기하의 책에 나오는 정치와 종교의 비극적인 행위들 속에서 모습을 드러냅니다.

요약

서론

열왕기하는 이스라엘이 행한 한 국가로서의 실제 정치 행위들을 보여준다. 또한 여러 제국들의 세력 균형에서 이스라엘이 했던 역할과, 그 과정에서 맞았던 위기의 시기들을 다룬다. 그리하여 내외적으로 구체적인 사건들을 통해서 사람들이 정치를 어떻게 인식하며 행하였는지, 그리고 하나님은 어떻게 개입하였는지 드러난다. 하나님은 경륜과 지혜로 인간 개개인이 어떤 선택을 하든지 인간에게 자유로운 선택의 여지를 준다. 그 과정에서 인간을 새롭게 하고 구원하는 것뿐만 아니라 하나님의 겸손한 동역자로 세우는 하나님의 무한한 사랑이 전해진다.

제1장 나아만

나아만 장군은 살생을 자행하는 군대 장군이었고 권력자였으며 또한 이스라엘을 괴롭히는 이방인이었다. 그런 그가 문둥병에 걸린 것을 하나님은 선지자 엘리사를 통하여 치유하였다. 그가 충격을 받아 회심한 것은 하나님의 권능으로 인한 것이기도 하지만 하나님의 자비로 인해 크게 영향을 받은데 기인한다. 그런데 그의 회심 사건 이후에도 이스라엘과 아람 사이에 전쟁은 계속된다. 정치적인 관점에서 보면 상황은 전혀 호전되지 않았다. 더욱이 나아만은 자기 나라로 되돌아가 아람 왕의 신하로서 계속해서 우상을 섬기는 제사에 참여한다. 성서 본문에는 엘리사가 그것을 교정했다거나 정죄했다는 말이 없다. 오히려 그가 자신이 처한 상황과 입장을 밝히며 미리 용서를 구하였을 때 엘리사는 그에게 하나님의 평화를 선포한다. 한편으로 그의 공적인 처신은 그의 믿음과는 거리가 멀지만, 나아만 장군은 하나님과의 평화를 얻은 것이다. 유력한 장군이었던 그가 마음을 찢고 참회하여 심령이 가난한 사람이 되자 하나님은 그에게 평화를 허락한 것이다. 믿음과 행동이 모순되고, 양심의 가책을 받고 있지만, 나아만은 그 존재가 둘로 분열되어 있지 않고 하나로 통합을 이루어 내면서 인격적인 통합을 넘어서는 영적인 통합으로 나아가는 것이다.

제2장 요람

아합 왕의 아들인 요람 왕은 바알 우상들을 무너뜨리고 이스라엘의 신앙을 바르게 세우려 한 선한 왕으로 알려져 있다. 사마리아 성이 아람 군대에게 포위된 상황에서 이스라엘 백성은 전대미문의 고통을 겪는다. 심지어 생존을 위해 인육을 먹는 사태까지 이르렀다. 요람 왕은 그 절망적인 상황에서 왕으로서 백성을 구하기 위해 구체적인 행동으로 나서지 않는다. 구원은 오직 하나님으로부터만 온다는 것이다. 그러나 왕은 하나님의 대리인으로서 적절한 행동을 취하고 주도해야 한다. 왕으로서는 진실한 참회나 신앙 고백만으로 충분한 것이 아니다. 경건하지만 연약한 요람 왕은 지혜로운 결단을 하는 대신에 선지자 엘리사에게 책임을 물어 그를 죽이려고 한다. 하나님의 구원과 도움을 약속한 엘리사가 이 모든 상황에 대해 책임져야 한다는 것이다. 하지만 엘리사의 뒤에는 하나님이 있으니 요람 왕의 그런 행동은 바로 하나님을 겨냥하는 것이다. 그는 끔찍하고도 가증스러운 재앙 앞에서 하나님이 현존하는 사랑의 하나님인 것을 더 이상 믿을 수 없었다. 그리하여 요람 왕은 선지자 엘리사가 선포한 말씀대로 하나님이 기적을 일으켜 이스라엘 백성을 구원할 때 그 기적에 믿음으로 동참하지 못한다. 하나님은 자기 백성의 진정한 왕으로서 이스라엘을 통치하고 구원하고 전쟁을 이끄는 대장은 나약한 이스라엘 왕이 아니라 하나님임을 보여 주었다. 그러나 하나님은 또한 자기 백성의 모든 고통을 자기 자신이 짊어지고 그 책임을 떠맡고 고통을 치른다.

제3장 하사엘

여기서 선지자 엘리사는 하나님의 말씀을 선포함으로써 아람에서 쿠데타가 일어나 왕조를 바꾸게 하고, 그 후로 이스라엘과 유다에서 동일한 쿠데타가 발생하게 한다. 이는 원래 엘리야에게 하나님이 명령한 것이었는데, 엘리사가 그 명령을 이행한 것이다. 엘리사는 하사엘에게 아람 왕이 죽을 것과 하사엘이 왕이 될 것이라고 말한다. 이 암시적인 말은 하사엘의 내면에 있는 권력에 대한 야심을 자극하여 그로 하여금 바로 행동을 취하게 한다. 그는 엘리사의 예언을 듣고 하나님의 뜻을 따르기 위해서가 아니라 자신의 탐욕과 야망을 구현하기 위해서 행동에 나선 것이다. 그것은 그의 의지적인 선택에 의한 것이다. 하나님을 믿지 않는 하사엘이 그런 결정을 내린 것은 어찌 보면 당연하다. 그렇다면 하나님의 선지자인 엘리사는 자신의 의지적 선택으로 그 말씀을 전했을까? 이스라엘이 겪게 될 환난과 고통을 바라보면서 그 말씀을 전하는 것은 엘리사에게 결코 쉬운 일이 아니었다. 그것은 이스라엘을 사랑하는 자신의 의지에 반하는 것이기도 했다. 그렇지만 그는 하나님을 향한 믿음과 순종의 길을 의지적으로 선택한다. 그리고 그는 고난당하는 이스라엘 백성과 마지막까지 함께 하였다.

제4장 예후

이제 엘리사는 엘리야에게 주어진 하나님의 명령의 두 번째 부분을 이행한다. 그는 하사엘에게 기름을 부은 뒤에 예후에게 기름을 붓는다. 여기서도 그는 말씀을 전함으로써 정치적인 행동을 야기시킬 뿐이지 더 이상의 행동을 취하지 않는다. 예후는 하나님의 뜻을 알고 하나님의 일을 자신의 일로 삼았다. 그는 선포된 말씀대로 행하고 주님의 뜻을 실현시켜 간다. 그러나 이제 그 뜻을 행하는 것은 자기 자신으로서 주님이 그를 통하여 일하게 하지 않는다. 그는 역사와 역사의 주인인 하나님과의 관계를 차단한다. 그는 예언의 말씀을 실현하는 것을 하나님의 일이 아니라 자기 자신의 일로 삼은 것이다. 하나님의 말씀을 자기 힘으로 스스로 성취하고 실현시키려고 한 것이다. 또한 예후는 일반적인 정치적인 수단들을 사용해서 백성을 강요하여 충성과 경배와 신앙을 가지게 하도록 행동을 취한다. 하나님과 인간의 관계를 불투명하게 하는 것은 인간 자신보다도 인간이 택한 수단들이다. 예후는 그가 택한 수단들로 인해서 하나님이 천대까지 은혜를 베푸는 사람이 되지 못하고, 결국은 하나님의 냉혹한 심판을 받게 되었고 이스라엘은 멸망을 당하였던 것이다.

제5장 아하스

아하스는 예후와는 정반대의 인물이라고 말할 수 있다. 그는 온갖 형태의 우상 숭배를 받아들였고 오직 정치적인 일에만 관심을 두었다. 예루살렘에서 그가 16년간 통치하는 동안에 선지자 이사야의 예언적인 말씀은 왕의 암묵적인 거부로 인해 공허한 소리가 되었다. 아하스는 유다 왕이지만 여로보암의 죄를 답습했다. 그는 이스라엘의 하나님 신앙을 현실 정치에 이용했다. 국가 권력을 위해서 종교를 이용한 것이다. 아람과 이스라엘이 동맹을 결성하여 예루살렘을 공격하려 하자 아하스는 자신의 왕국과 나라를 지켜야 했다. 이사야가 전한 하나님의 말씀을 따르는 대신에 그는 가장 강력한 국가인 앗시리아를 의지하여 도움을 구한다. 그에게 하나님은 국가적인 종교의 대상으로서 한정된 정치적 역할을 기대할 수 있는 존재일 뿐이었다. 그는 앗시리아의 환심을 사기 위해서 예루살렘 성전 제단을 우상 신전의 양식으로 바꾸었다. 그는 외적인 제단 양식보다는 내적인 신앙이 중요하다는 논리로 합리화한다. 하지만 하나님이 말씀으로 정한 제단 양식을 바꾸는 것은 곧 하나님의 말씀을 부인하는 것이다. 그의 정치적인 책략은 성공하여 앗시리아 왕은 이스라엘을 구하기 위한 원정군을 보냈다. 그러나 하나님의 말씀 대신에 인간적인 정치적 수단으로 앗시리아를 의지한 아하스는 결국은 앗시리아의 지배를 받게 된다.

제6장 랍사게

아하스의 아들 히스기야의 통치 중에 앗시리아는 유다를 공격하여 예루살렘을 포위한다. 히스기야 왕이 앗시리아 군대에 사절단을 보내고, 이에 앗시리아를 대표하는 랍사게가 사절단으로 와서 회담을 하는 중에 두 편의 연설을 한다. 그의 탁월한 논리는 하나님과 정치 사이의 관계를 새롭게 조명해 준다. 또한 거기에서 세상의 교회에 대한 공격의 근본적인 논리가 모습을 드러낸다. 랍사게는 유다 왕은 독립을 얻기 위해 노력했으나 앗시리아에 대항할 수 있는 물질적인 능력이 없고, 그가 도움을 구한 애굽은 상한 갈대 지팡이와 같이 무력할 뿐이라고 공격한다. 랍사게는 유다 왕 히스기야의 정치적, 외교적 군사적 무능력과 어리석음을 지적한다. 그러면서 그는 앗시리아로 하여금 예루살렘을 공격하게 한 것은 하나님이라고 주장한다. 유다 왕국에 대한 하나님의 징계는 하나님의 뜻이라는 것이다. 결론적으로 랍사게는 직접적으로 예루살렘 백성에게 유다 왕의 말을 따르지 말고 항복할 것을 권유한다. 이에 대해서 백성들은 왕과 지도자들의 말을 따라 하나가 되어서 침묵으로 반응한다. 침묵은 하나님의 도움을 구하는 하나님의 백성의 적절한 태도이다. 인간적인 수단에 의지하지 않고 하나님을 의지하며 잠잠히 하나님의 때를 기다리는 것이 믿음이고, 그 믿음을 통해서 하나님은 역사한다.

제7장 히스기야

랍사게의 뛰어난 연설이 있은 후에 히스기야 왕은 옷을 찢고 성전의 하나님 앞으로 물러나서는 선지자 이사야에게 사람들을 보낸다. 그가 옷을 찢으며 절망하게 된 유일한 동기는 앗시리아 왕이 현존하는 하나님을 모독한 것에 기인한다. 이제 문제는 전쟁이나 정치적 협상이 아니라 하나님의 명예에 관한 것이다. 히스기야의 태도는 정확하게 말하면 세상에 의해 하나님의 명예가 공격을 당한 일은 사람이 담당할 일이 아니라는 것이다. 하나님을 직접적으로 공격하여 정치적 한계를 벗어나버리는 행위는 긍정적이든 부정적이든 가능한 모든 정치를 무력화시켰다. 정치적인 행위의 의미조차도 사라져버린 것이다. 그 시점에서 정치 행위를 포함한 인간의 모든 총체적인 행위는 성전에 가는 것과 선지자를 청하는 것 이외에는 길이 없다. 히스기야는 승리를 간구하거나 앗시리아의 멸망을 구하는 대신에 자기 자신의 하나님을 향한 신앙을 고백했다. 히스기야의 유일한 대응책은 그의 신앙 고백을 담은 기도였던 것이다. 히스기야의 기도에 대해 하나님은 선지자를 통해서 응답한다.

결어: 무익함에 대한 고찰

열왕기하의 인물들은 각자 자기 입장에서 하나님의 역사에 함께 하였다. 그것은 은밀하게 진행된 신비스러운 계획으로서 천사들도 부러워하는 일이었다. 열왕기하에 일어난 사건들이 실제로 일어나지 않았더라도, 거기 등장한 인물들이 그런 결정을 내리지 않았더라도, 변하는 것은 거의 없었을 것이다. 우리가 기도를 하지 않는다 하더라도, 우리가 신앙적인 행위들을 하지 않는다 하더라도, 역사 속에서 심지어 교회 안에서조차도 변하는 일은 아무 것도 없을 것이다. 그러나 거기에는 대체할 수도 없고 측정할 수도 없는 그 어떤 것이 빠지게 될 것이다. 그것은 인간의 삶에 의미를 줄 수 있는 유일한 것이지만 인간에게 속한 것은 아니어서 인간으로부터 나오는 열매가 아니며 인간의 본성에 속한 것이 아니다. 그것은 믿음을 통해서 하나님으로부터 오는 진정한 자유이다.

엘륄의 저서 연대기순 및 연구서

· *Étude sur l'évolution et la nature juridique du Mancipium*. Bordeaux: Delmas, 1936.
· *Le fondement théologique du droit*. Neuchâtel: Delachaux & Niestlé, 1946.
  → 『자연법의 신학적 의미』, 강만원 옮김(대장간, 2013)
· *Présence au monde moderne: Problèmes de la civilisation post-chrétienne*. Geneva: Roulet, 1948.
  → 『세상 속의 그리스도인』, 박동열 옮김(대장간, 1992, 2010(불어완역))
· *Le Livre de Jonas*. Paris: Cahiers Bibliques de Foi et Vie, 1952.
  → 『요나의 심판과 구원』, 신기호 옮김(대장간, 2010)
· *L'homme et l'argent* (Nova et vetera). Neuchâtel: Delachaux & Niestlé, 1954.
  → 『하나님이냐 돈이냐』, 양명수 옮김(대장간. 1991, 2011)
· *La technique ou l'enjeu du siècle*. Paris: Armand Colin, 1954. Paris: Économica, 1990.
· (E)*The Technological Society*. New York: Knopf, 1964.
  → 『기술 또는 세기의 쟁점』(대장간 출간 예정)
· *Histoire des institutions*. Paris: Presses Universitaires de France, plusieurs éditions (dates données pour les premières éditions);. Tomes 1-2, L'Antiquité (1955); Tome 3, Le Moyen Age (1956); Tome 4, Les XVIe-XVIIIe siècle (1956); Tome 5, Le XIXe siècle (1789-1914) (1956).
  → 『제도의 역사』, (대장간, 출간 예정)
· *Propagandes*. Paris: A. Colin, 1962. Paris: Économica, 1990
  → 『선전』하태환 옮김(대장간, 2012)
· *Fausse présence au monde moderne*. Paris: Les Bergers et Les Mages, 1963.
  → (대장간 출간 예정)
· *Le vouloir et le faire: Recherches éthiques pour les chrétiens*: Introduction (première partie). Geneva: Labor et Fides, 1964.
  → 『원함과 행함』, 김치수 옮김(대장간 2018)
· *L'illusion politique*. Paris: Robert Laffont, 1965. Rev. ed.: Paris: Librairie Générale Française, 1977.
  → 『정치적 착각』, 하태환 옮김(대장간, 2011)
· *Exégèse des nouveaux lieux communs*. Paris: Calmann-Lévy, 1966. Paris: La Table Ronde, 1994.
  → (대장간, 출간 예정)
· *Politique de Dieu, politiques de l'homme*. Paris: Éditions Universitaires, 1966.
  → 『하나님의 정치와 인간의 정치』, 김은경 옮김(대장간, 2012)

- *Histoire de la propagande*. Paris: Presses Universitaires de France, 1967, 1976.
  → 『선전의 역사』(대장간, 출간 예정)
- *Métamorphose du bourgeois*. Paris: Calmann-Lévy, 1967. Paris: La Table Ronde, 1998.
  → 『부르주아와 변신』(대장간, 출간 예정)
- *Autopsie de la révolution*. Paris: Calmann-Lévy, 1969.
  → 『혁명의 해부』, 황종대 옮김(대장간, 2013)
- *Contre les violents*. Paris: Centurion, 1972.
  → 『폭력에 맞서』, 이창헌 옮김(대장간, 2012)
- *Sans feu ni lieu: Signification biblique de la Grande Ville*. Paris: Gallimard, 1975.
  → 『머리 둘 곳 없던 예수-대도시의 성서적 의미』, 황종대 옮김(대장간, 2013).
- *L'impossible prière*. Paris: Centurion, 1971, 1977.
  → 『우리의 기도』, 김치수 옮김(대장간, 2015)
- *Jeunesse délinquante: Une expérience en province*. Avec Yves Charrier. Paris: Mercure de France, 1971.
- *De la révolution aux révoltes*. Paris: Calmann-Lévy, 1972.
  → 『혁명에서 반란으로』, (대장간, 출간예정)
- *L'espérance oubliée, Paris*: Gallimard, 1972.
  → 『잊혀진 소망』, 이상민 옮김(대장간, 2009)
- *Éthique de la liberté*, . 2 vols. Geneva: Labor et Fides, I:1973, II:1974.
  → 『자유의 윤리』, (대장간, 2018)
- *Les nouveaux possédés*, Paris: Arthème Fayard, 1973.
- (E)*The New Demons*. New York: Seabury, 1975. London: Mowbrays, 1975.
  → 『우리시대의 새로운 악령들』(대장간, 출간 예정)
- *L'Apocalypse: Architecture en mouvement*, Paris. Desclée 1975.
- (E)*Apocalypse: The Book of Revelation*. New York: Seabury, 1977.
  → 『요한계시록』(대장간, 출간 예정)
- *Trahison de l'Occident*. Paris: Calmann-Lévy, 1975.
- (E)*The Betrayal of the West*. New York: Seabury, 1978.
  → 『서구의 배반』, (대장간, 출간 예정)
- *Le système technicien*. Paris: Calmann-Lévy, 1977.
  → 『기술 체계』, 이상민 옮김(대장간, 2013)
- *L'idéologie marxiste chrétienne*. Paris: Centurion, 1979.
  → 『기독교와 마르크스주의』, 곽노경 옮김(대장간, 2011)
- *L'empire du non-sens: L'art et la société technicienne*. Paris: Press Universitaires de France, 1980.
  → 『무의미의 제국』, 하태환 옮김(대장간, 2013년 출간)
- *La foi au prix du doute: "Encore quarante jours.."*. Paris: Hachette, 1980.
  → 『의심을 거친 믿음』, 임형권 옮김 (대장간, 2013)

· *La Parole humiliée*. Paris: Seuil, 1981.
　→『굴욕당한 말』, 박동열 이상민 공역(대장간, 2014년)
· *Changer de révolution: L'inéluctable prolétariat*. Paris: Seuil, 1982.
　→『인간을 위한 혁명』, 하태환 옮김(대장간, 2012)
· *Les combats de la liberté*. (Tome 3, L'Ethique de la Liberté) Geneva: Labor et Fides, 1984. Paris: Centurion, 1984.
　→『자유의 투쟁』(솔로몬, 2009)
· *La subversion du christianisme*. Paris: Seuil, 1984, 1994. [réédition en 2001, La Table Ronde]
　→『뒤틀려진 기독교』, 박동열 이상민 옮김(대장간, 1990 초판, 2012년 불어 완역판 출간)
· *Conférence sur l'Apocalypse de Jean*. Nantes: AREFPPI, 1985.
· *Un chrétien pour Israël*. Monaco: Éditions du Rocher, 1986.
　→『이스라엘을 위한 그리스도인』(대장간, 출간 예정)
· *Ce que je crois*. Paris: Grasset and Fasquelle, 1987.
　→『개인과 역사와 하나님』, 김치수 옮김(대장간. 2015)
· *La raison d'être: Méditation sur l'Ecclésiaste*. Paris: Seuil, 1987
　→『존재의 이유』(대장간. 2016)
· *Anarchie et christianisme*. Lyon: Atelier de Création Libertaire, 1988. Paris: La Table Ronde, 1998
　→『무정부주의와 기독교』, 이창헌 옮김(대장간, 2011)
· *Le bluff technologique*. Paris: Hachette, 1988.
· (E)*The Technological Bluff*. Grand Rapids: Eerdmans, 1990.
　→『기술담론의 허세』(대장간, 출간 예정)
· *Ce Dieu injuste..?: Théologie chrétienne pour le peuple d'Israël*. Paris: Arléa, 1991, 1999.
　→『하나님은 불의한가?』, 이상민 옮김(대장간, 2010)
· *Si tu es le Fils de Dieu: Souffrances et tentations de Jésus*. Paris: Centurion, 1991.
　→『네가 하나님의 아들이라면』, 김은경 옮김(대장간, 2010)
· *Déviances et déviants dans notre societé intolérante*. Toulouse: Érés, 1992.
· *Silences: Poèmes*. Bordeaux: Opales, 1995. → (대장간, 출간 예정)
· *Oratorio: Les quatre cavaliers de l'Apocalypse*. Bordeaux: Opales, 1997.
· (E)*Sources and Trajectories: Eight Early Articles by Jacques Ellul that Set the Stage*. Grand Rapids: Eerdmans, 1997.
· *Islam et judéo-christianisme*. Paris: Presses universitaires de France, 2004.
　→『이슬람과 기독교』, 이상민 옮김(대장간, 2009)
· *La pensée marxiste*: Cours professé à l'Institut d'études politiques de Bordeaux de 1947 à 1979 Edited by Michel Hourcade, Jean-Pierre Jézéuel and Gérard Paul. Paris: La Table Ronde, 2003.
　→『마르크스 사상』, 안성헌 옮김(대장간, 2013)

· *Les successeurs de Marx*: Cours professé à l' Institut d' études politiques de Bordeaux Edited by Michel Hourcade, Jean−Pierre Jézéquel and Gérard Paul. Paris: La Table Ronde, 2007.
　→『마르크스의 후계자』안성헌 옮김(대장간,2014)

기타 연구서

· 『세계적으로 사고하고 지역적으로 행동하라』(*Perspectives on Our Age*: *Jacques Ellul Speaks on His Life and Work*), 빌렘 반더버그, 김재현, 신광은 옮김(대장간, 1995, 2010)
· 『자끄 엘륄 −대화의 사상』(Jacques Ellul, *une pensée en dialogue*. Genève), 프레데릭 호농(Frédéric Rognon)저, 임형권 옮김(대장간, 2011)
· 『자끄 엘륄입문』신광은 저(대장간, 2010)
· *A temps et à contretemps: Entretiens avec Madeleine Garrigou-Lagrange*. Paris: Centurion, 1981.
· *In Season, Out of Season: An Introduction to the Thought of Jacques Ellul:* Interviews by Madeleine Garrigou−Lagrange. Trans. Lani K. Niles. San Francisco: Harper and Row, 1982.
· *L'homme à lui-même: Correspondance*. Avec Didier Nordon. Paris: Félin, 1992.
· *Entretiens avec Jacques Ellul*. Patrick Chastenet. Paris: Table Ronde, 1994

대장간 **자끄 엘륄 총서**는 중역(영어번역)으로 인한 오류를 가능한 줄이려고, 프랑스어에서 직접 번역을 하거나, 영역을 하더라도 원서 대조 감수를 원칙으로 하고 있습니다.
이 일은 한국자끄엘륄협회(회장 박동열)의 협력으로 이루어지고 있으며, 총서를 통해서 엘륄의 사상이 굴절되거나 왜곡되지 않고 그의 삶처럼 철저하고 급진적으로 전해지길 바라는 마음 가득합니다.